나의 한 해를 즐겁게 해준 모든 이들에게

Ricky Peyton, Green Sutcliff, August Hills
리키 페이턴, 그린 서트클리프, 어거스트 힐즈

Saw, Terrifier, Hostel
쏘우, 테리파이어, 호스텔

Eli Roth, Kevin Greutert, Damien Leone
일라이 로스, 케빈 그루터트, 데미안 레온

Ice Nine Kills
아이스 나인 킬즈

이 책을 바친다.

Pinky Peyton's

CUT OFF!

Chapter

✄

생명을 도살하는 것은
기만적인 일

1

블록버스터

: Video rental store chain; Founded by David Cook

만약 당신의 2000년대를 미화하고 싶다면, 그 시절 자신이 누구보다 쿨하다고 생각했다면 관둬라. 나의 2000년대 만큼도 못할 얘기가 뻔하니까.

여러분은 모르겠지만 이 땐 비디오 가게에서 DVD를 빌려 보는 것이 밥 먹는 것만큼 당연했다. 십자로 접힌 자국이 선명한 영화 포스터를 보고 있으면 어서 DVD를 넣어볼 생각에—그때쯤이면 일을 마치고 술을 퍼마시며 휴식을 즐기고 있을 테니까—아주 신이 나서 칼질이 엇나가곤 했다. 그러다가도 몸통을 내려다봤을 때 어딘가 살짝 피가 묻은 옷을 마주하면 다시는 집으로 돌아갈 수 없을 것처럼 시간은 곧바로 달팽이를 닮게 된다. 어쩔 수 없는 시간의 변덕에 이끌려 삶에 볼 것이 없어진 사람처럼 꼼짝없이 칼을 내려치기만 하는 것이다. 그러다 문득 떠올린다. 생명을 도살하는 것은 기만적인 일이라는 사실을 말이다.

모두가 이렇게 생각하진 않을 테고 우리들의 뱃속으로 들어가는 소고기, 닭고기, 돼지고기, 크게는 개고기, 양고기까지 다양한 육류가 만들어지는 과정은 자연과 생명의 존중 하에 이루어지는 게 분명하다. 인간은 이성이란 큰 이점을 지녔지만 감성

12

이라는 복잡한 부분을 통해 도덕적이고 현명한 선택을 가꾸어 갈 수 있다. 그러나 동물을 죽여 먹는 행위는 인간이 처음 태어나고부터 생존 본능에 의해 당연시되고 문화로까지 자리잡아 평소 도덕을 논하거나 생각할 수 있는 영역이 아니다. 너무 당연하기 때문이다. 인간의 특성상 필요한 영양소가 다량 함유된 고기의 섭취를 그만둘 이유도 없을뿐더러 혀에 착착 감기는 맛을 가지고 있으니 지구 바깥의 외계인이 대기권을 뚫고 쳐들어와서 도살을 멈추지 않으면 전세계를 피바다로 만들어 주겠다고 파격적인 대안—협박, 으름장—을 내놓지 않는 이상 별 수 없다. 기만적인 생활을 이어가는 수밖에(누누히 말하지만 모두의 생각이 나와 같지 않다는 건 알고 있다. 하지만 이 의견에 칼을 갈며 덤벼드는 사람이 있다면 내 전직이 도축업자였다는 사실을 알아두길 바란다). 유독 세상에 스트레스가 많던 나는 칼을 탕탕 내려칠 때마다 일종의 카타르시스를 느끼고는 했는데, 그 해소에 제격이었던 일을 하루아침에 스스로 그만둔 것도 이 때문이다.

여하튼 '유별나게 특별해서 사회로부터의 도피를 선택한 사이코패스 사회 부적응자'같이 들릴 법한 별 시답잖은 얘기는 관두자. 수많은 매체에서 그런 외톨이 특성을 띠는 살인마를 셀 수 없이 봐왔으니까. 난 혼자 비디오 가게에 들러놓고 공포 영화를 추천해달라는 말도 못 하는 사람이 아니다.

어느덧 여길 들르기 시작한지 4달이 지났다. 진열대를 둘러보면 사람들이 더이상 보지도 찾지도 않는 C급 영화들이 꼭 두 개씩 중복으로 발견된다. 대부분은 작품성도 차별점도 없고 생명을 심하게 경시하기만 하는 저예산 고어 필름이기 때문에 깊게 볼 것도 없다. 물론 내게도 주변인들의 '공포 영화 어디까

13

지 봤냐'하는 분위기에 휘말려 '난 이런 것까지 봤다'하는 걸 어필하기 위해 아주 끔찍한 영화들을 꾹 참고 봤던 시절이 있었다. 그런 걸 봐서 재미도 의미도 찾을 수 없다는 것과 가게 주인이 그런 영화들을 광적으로 좋아한다는 걸 깨달은 것은 아직 멀지 않은 일이다. 각자 취향은 다른 법이니 비난할 의사는 없지만 저번부터 의문스러운 건 사실이다.

천천히 진열대를 둘러보다 눈에 띈 것은 〈스크림(Scream, 1996)〉 DVD였다. 이 영화는 내가 4달 동안 공포 영화를 찾아다니게 만든 장본인이자 다시는 없을 명작이었다. 내용은 뻔해 보이지만 공포 영화의 효과와 특성을 잘 활용한 수작이다. 웬 줘도 안 쓰게 생긴 구멍가게 유령 가면을 쓴 놈이 지랄 오지랖을 떠는데 시드니가 그걸 장렬하게 물리치며 영화가 막을 내린다. 끝에 흘러나오는 사운드 트랙의 여운이란! 처음 봤을 땐 무난한가 싶었지만 장르를 알고 다시 보니 '아는 만큼 보인다'라는 말이 팍 떠오를 정도였다. 해당 장르의 마니아들이 말하길 죽어가던 슬래셔 영화의 성공적인 재기를 이뤘다고 해도 과언이 아니라고 한다. 아직 이런 쪽은 안까지 파보지 않아서 아는 게 없지만 볼수록 흥미롭고 매력적인 장르다.

"뭐 찾으쇼?" 폴른이 매번 그렇듯 물어왔다. 수염을 수북하게 길러놓고, 피곤한 진갈색 눈동자와 푸석푸석한 머릿결이 자랑거리인 이 사람은 동네에서 간신히 목숨을 부지한 이곳 비디오 가게의 한가한 늙은이 주인이다. 요즘 거의 매일 찾아와서 그런지 두리번거리는 모습과 걸음걸이만으로 신상을 알아채는 눈치였다. 보통 노인들은 취미랄 게 없는 경우가 많은데 항상 영화를 참 좋아하시는 걸 보니 마음 어딘가가 이상하게 안심됐다.

"나는 아직도 어쩌고… 아무튼 갈고리 낀 미친놈이 사람 죽이고 다니는 영화 속편 있잖아요."

"정말 그걸 볼 텐가? 자네 후회할 걸세."

"제 마음이에요. 먼저 보기라도 하셨어요? 당신은 항상 제가 뭔 영화 있냐고 물어보면 으름장을 놓네요!" 나는 명작과 영좋지 않은 작품을 다 기억하고 영화계를 꿰고 있는 폴른이 신기해서 웃음이 나왔다. 처음에 할배가 뭘 안다고 그의 말을 한번 무시하고 영화를 골라서 간 적이 있는데, 지금까지도 그 일을 후회한다. 폴른의 이마에 주름이 괜히 든 게 아니다.

"날 믿게. 그건 전작의 반도 못 미쳤어."

"전작은 엄청 재밌게 봤는데. 알았어요. 그나저나 〈쏘우 3(Saw III, 2006)〉 어땠어요? 볼만하던가요?"

"어린 게 질투에 눈이 멀었는데 존 그 양반이 너무 오버하는 것 같더군."

"뭐, 그 시리즈 팬이시잖아요. 또 4편 기다리고 있죠?"

"그러면 안 된다는 법도 있나?" 폴른이 날 쏘아보더니 혀를 차며 계산대에서 나왔다. "자네는 어디서 듣고 이상한 영화만 찾으러 오는지 당최 알 수가 없네. 〈힐즈 아이즈(The Hills Have Eyes, 2006)〉 보겠나? 3월에 나온 리메이크작인데." 그는 가운데 진열대에서 누런빛이 도는 DVD를 꺼내들었다.

"아뇨, 아뇨, 좀 그렇다고 들어서. 사양할게요." 난 폴른에게 손바닥을 보이며 거절했다. "다른 건 없나요?"

"장난하나? 자네 지금 명작을 스스로 내친 걸세. 아직 이 바닥 물이 덜 들었군." 그는 갑자기 버럭 화를 내며 다른 진열대로 향했다. "뭘 원하나? 빌어먹을 스너프 필름이라도 보고 싶지?"

"웩, 됐어요. 뭔 소리예요?" 그가 재밌다는 영화를 사양하면 그는 항상 욱하며 성을 냈다. 어쨌든 스너프 필름을 보라는 말은 어디까지나 농담이니 진지해지지 말라. "그냥 평범한 건 어때요? 제가 아직 〈할로윈(Halloween, 1978)〉을 안 봤는데…"

"할로윈을 안 봤다고? 네놈 머리에 피가 안 마른 이유가 뭔 줄 아나? 그전에 할로윈 볼 시간을 주려는 거야!"

"워, 알았어요. 그럼 그걸로 주세요."

"하지만 지금 그게 다 나갔다네." 폴른은 또 혀를 찼다. "비디오테이프는 어떤가?"

"나쁘지 않아요."

"내가 하나 희귀한 걸 주지. 나도 아직 본 적은 없다."

폴른이 낡은 외투를 벗고 움직였다. 진열대에 쓰인 숫자와 알파벳을 세며 자리를 찾아가는 노련한 걸음이 또 신기하게 느껴졌다. 이제 내게 금방 DVD를 건네주는 사람이 없으니 바로 나가지도 못하고 꼭 주변을 살펴보게 됐다. 다른 장르—서스펜스, 로맨스, 코미디, SF, 누아르 등—도 있었지만 역시나 가게의 큰 비중을 차지하는 건 공포—하위 장르로는 슬래셔, 스플래터, 고어 등—였다. 그 나이에 뭔가를, 그것도 공포 같은 걸 열정적으로 좋아하고 취미로 여기기란 쉽지 않은데. 아니? 사실 폭력적인 콘텐츠는 성별과 세대를 불문하고 우리에게로 너무 빠르게 스며들었을지도 모른다.

"뭘 그렇게 골똘히 생각하나?" 폴른이 뒤에서 내 등을 치며 다가왔다. "이거야. 〈피의 무덤(Red's Grave, 1982)〉. 예전에 어떤 여자가 주고 갔는데, 제목도 종이로 기록돼 있는 게 보이지? 아주 기이한 테이프야."

그가 내게 건넨 테이프에는 영화 제목이 적힌 종이가 붙어 있었다. 포스터나 소개말 같은 정보가 뭣도 없어서 딱히 보고 싶은 마음을 일으키진 않았다. 심지어 폴른 할배도 틀어보지 않았다고 하니 의심은 더욱 불어났다. "1982년작? 고전은 취향이 아닌데…." 나는 테이프를 뒤집어보며 뭐라도 찾기를 내심 기대했다. 하지만 없는 게 짜잔 하고 나타날 리는 없었다.

"자네가 말한 할로윈은? 그리고 〈피의 발렌타인(My Bloody Valentine, 1981)〉은 또 고전이 아니야?" 폴른은 어김없이 내 지식수준을 찔러봤다. 이거나 저게 입맛에 안 맞는다고 하면 내가 모르는 그 시절 영화를 언급하며 자존심을 건드렸다. 하지만 진지하게, 〈13일의 금요일(Friday the 13th, 1980)〉은 내 취향이 전혀 아니었다.

"알았어요. 제가 먼저 보고 알려드리죠. 저도 보는 눈이 있다는 걸 이번 기회에 알게 되실 거예요."

"지랄 육갑을 떠는군. 어서 가게나. 아는 것 없는 놈이랑 더 얘기하기 싫다. 새파랗게 어린 여자가 이런 데 취미 들여서는."

폴른 패스는 말만 거칠게 할 뿐이지 대화에 서툴러서 그런 것이다. 너무 서툴러서 문제지만 말이다. 종종 DVD를 빌리러 들러서 요즘 무슨 영화 기다리냐고 물어보면 겉으론 잘 드러나지 않지만 사실 좋아하는 분야를 같이 얘기해 줄 사람이 있어 기쁜 마음에 별별 영화를 꺼내들고 이건 어떠냐는 식으로 들이 댄다. 난 내게 관심을 보이고 좋은 영화만 추천해 주려는 폴른 할배가 고마워서 이쪽 장르를 많이 알게 되면 할배도 나도 즐 거운 말동무가 되어드리고 싶다는 생각을 한다.

그렇게 폴른의 대화 방식 덕분에 의문의 테이프를 가지고 떠 밀리듯 쫓겨나 터벅터벅 집으로 들어오게 되었다. 며칠 전에 마지막으로 청소했더라? 만약 이 대목을 읽고 더러움을 느낀다 면 제발 그러지 말아 주길. 누구나 그렇듯 불현듯 떠오른 궁금 증을 풀기 위한 빌드업이니 말이다. 불을 켜자 깜빡거리며 빛 이 들어왔다. 안타깝게도 타지에서 이틀을 지내다 온 사람과 같은 기억력을 가진 내게 집안의 풍경은 예상 외일 수밖에 없 었다. 물건들을 곳곳에 대차게 내팽개친 줄 알았는데 간식들을 엉망으로 내버려 둔 테이블 빼고는 평범하게 깔끔한 공간이었 다. 이 얼마나 멋진 휴일인가? 외투를 금방 벗고 빨리 물에 몸 을 적셔야 했던 평일과는 달리 연인과의 관계에 안달 난 사람 처럼 마음 졸일 필요가 없었다. 가져왔던 테이프를 플레이어에 넣어두고 팡 소리가 나게 소파에 앉았다. 그러다 이 갈증을 일 초라도 빨리 축여야 한다는 걸 깨닫고 냉장고에서 위스키를 꺼 내왔다. 이젠 나를 방해할 게 없다. 화면에서 노이즈가 지직거 리다 드디어 첫 장면이 등장했다.

해리가 수풀을 헤치며 발 빠르게 뛰어나가지만 뒤에서 그를

따라잡는 의문의 형체가 속도를 올리며 접근한다. 숲의 고요를 그들이 예의 없이 깨트리고 있는 것이다. 해리의 헐떡이는 숨이 바깥으로 세차게 빠져나온다. 그림자는 점점 더 거리를 좁혀온다. 그는 끝을 알 수 없는 풀 속에서 자신의 운명을 직감했다. 마지막 남은 힘으로 살려달라고 외쳤지만 누군가 자신의 뒤를 따라오는 형체에게 화살이나 총을 쏴주는 것은 기적이 아니고서야 불가능했다. 몇 번이고 더 도움을 요청하는 소리를 내질렀지만, 겨우 여섯 번째 숨을 들이쉴 때 목에 스치듯 닿았던 금속의 차가움을 금방 잊어버렸다. 그 형체는 흙을 물들이는 붉은 피를 바라보며 고개를 기웃거린다. 그리곤 해리가 그랬던 것처럼 몇 번이고 소리를 지르는 대신, 몇 번이고 해리를 내리쳤다. 그 소리는 철퍽거리는 소리가 멈출 때, 둔기가 흙에 닿을 때 감쪽같이 사라졌다. 그리고 숲도 다시 고요를 되찾았다.

⟨*Red's Grave*⟩ *Directed by August Hills*

영화 제목이 큼지막하게 나타나고, 옛날 영화답게 초반부터 영화사나 배우, 감독의 이름이 지나가는 간단하게 만든 크레딧이 나왔다. 바이올린 소리가 끼익 끼익하고 오싹한 분위기를 조성했다. 기이한 테이프 치고는 생각보다 기억에 남는 오프닝이었다. 80년대 중반, 거기서 거기인 슬래셔 영화가 난무하기 전에 만들어져서 그런 건지 고유의 분위기가 앵글에서도 묻어 있었다. 다만 살인마의 얼굴이 칠흑색으로 덧칠을 했는지 절도범 복면을 뒤집어썼는지 그림자처럼 되어 똑바로 보이질 않았다. 그런 콘셉트군. 이런 영화에선 꼭 저마다 살인마의 콘셉트가 명확하게 정해져 있었다. 난 스크림을 처음 보고는 모든 살인마가 빌리 루미스 같은 성격을 가진 줄 알았다.

내용은 별반 다를 것 없었다. 방탕한 청소년들이 과거에 연루된 사건이나 불결한 행위 때문에 심판을 받거나 처단당한다는 줄거리와 '정체불명의 미친 살인마에게 한 명씩 살해당한다'라는 설정은 동일했다. 짙은 녹색 반소매 셔츠를 입은 화면 속의 남자는 따르릉 울려대는 수화기를 받아들고 있었다. 수화기 너머의 얇은 목소리가 뭐라고 화를 내다 먼저 끊어버리자 그는 한숨을 푹 내쉬며 낙담한 얼굴로 외투를 입는다. 여자 목소리는 아닌 것 같았다. 그리고 끌리는 영화도 아닌 것 같았다.

남은 과자라도 집으려고 테이블을 보니 볼펜으로 쓴 글이 색깔 메모지에 짧게 쓰여 있었다. '내일 하루 집에 없을 거야. 빵하고 야채 많이 사놨으니 먹어, 사랑해.' 그리곤 엄지만 한 하트. 그래, 매이브는 걱정이 많지, 언제나 열려 있어 보이지만. 그 언니는 항상 내게 맛있는 것만 먹이려고 하는데 실은 이미 빵과 야채에 익숙해져서 건강 관리를 빼면 굳이 다른 걸 먹어야겠다고는 생각이 되지 않았다. 언니도 이젠 그걸 알고 포기했는지 최근에는 사과파이 같은 걸 더 하지 않고 빵, 야채를 넉넉하게 사두고 자주 샌드위치를 만든다. 덕분에 집에 혼자 있을 때는 알아서 잘 해 먹는다(그럼 다 큰 성인이 밥도 혼자 못 먹겠냐는 사람이 있을까 봐 말해두지만 나는 성인이 되기 바로 전까지 매이브의 걱정이 너무 심해서 누가 챙겨주는 밥에 익숙해져 있었다). 그래도 수십 년간 나를 키운 사람의 손맛과 요리라곤 별로 해 본 적도 없는 사람의 손맛은 확실한 차이가 있기 마련이라 어지간히 배고픈 게 아니면 굳이 식사를 하지 않았다. 무슨 채소만 주워 먹는 것처럼 보이지만 걱정 말아라. 필요한 영양소

20

는 골고루 챙기고 있고, 채소를 많이 먹는다고 해서 나쁠 것도 없지 않은가?

몸이 피로해서 그런지 영화 시작 3분 만에 잠이 쏟아지려 했다. 감기는 눈이 내게 고집부리지 말라고 꾸짖는 게 들렸다. 잠을 3시간 자고 시간을 허비할 바에야 다시 도축업자로 돌아가고 말 것이다. 나는 주어진 시간을 허투루 쓰지 않으려 애쓰다 꺼내왔던 위스키를 한 잔 가득 채워 삼켜냈다. 이내 목이 타들어가는 듯한 감각과 속 쓰림이 동반되어 날 괴롭혔지만 그건 졸음에게 상대도 안 됐다. 내일이면 또 마트 점장의 얼굴을 봐야 하는 것 아닌가. 그 빌어먹을 인간은 당장 생각하고 싶지도 않다. 그러니까, 자길 쳐다보는 이 눈빛이 마음에 안 든다며 5분을 쉬지 않고 훈수를 뒀던 인간 말이다. 도축 일할 때는 다들 내가 살가워서 좋기만 하다던데 내 눈빛이 뭐 어쨌다고? 아마 무의식 속에 당신 얼굴이 도박장에서 실컷 처맞고 온 사기꾼처럼 생겨서 그랬나 보지! 그러다 내 의식은 원점으로 돌아간다.

'나는 생명을 경시하길 싫어하면서 생명을 경시하는 쓰레기 영화들을 보고 있지.'

이런, 짜증 나 미치겠는데 자괴감이 내게 말을 건다.

'난 사람이 죽는 영화가 재밌는 거야. 이 모순쟁이야.'

"닥쳐줄래? 제발?"

나의 졸린 자아가 입 밖으로 말했다.

'난 주어진 시간을 생명을 경시하는 데에 쓰고 있어.'

사실 난 이런 딜레마를 종종 흔하게 겪는다. '아니 뭘 그렇게까지?'라고 생각할 수도 있겠지만 타인에게서도 잊을만하면 듣는 말이기도 하고. 예를 들면 '사람 죽는 영화가 뭐가 좋다고 챙겨보냐', '넌 영화계가 만만하냐', '그런 거 자꾸 보면 진짜 사람 죽인다' 같은 말들. 뭐 그런 경우도 있으니 아주 틀린 말은 아니겠지만.

어차피 영화고 재밌으라고 만든 건데 재밌어하면 안 되는 법이라도 있나? 나는 이상하게 찜찜함을 느끼고 잠 깰 겸 밖으로 나 나갔다. 지나간 시절을 추억하는 사람들이 겨울을 맞이하면 여름밤의 공기가 싱그러웠던 줄 아는데, 그런 거 없고 옆집 베란다의 담배 냄새와 자동차가 내뿜는 매연 냄새가 환상의 짝을 이루어 두통을 유발할 뿐이다. 유감스럽게도. 모든 일이 유니콘이 실존하는 또 다른 우주처럼 잘 풀리고 한때의 아름다웠던 순간으로 영원히 기억되면 좋겠지만 어쩌겠어? 여긴 인간의 형태를 한 사탄이나 대통령을 하는 행성인데. 주머니에서 담배 한 갑을 꺼냈다. 잠 버리게 하나 필까? 하지만 사놓고는 일주일에 두 번꼴로 피우기에 체질이 아닌가 하는 생각이 들었다. 그러고 보면 거리에 위협적으로 서 있는 아저씨와 언니들이 멋져서 충동적으로 샀는데, 담배라는 걸 처음 피웠을 때도 다 탄 식빵을 욱여넣는 듯한 독한 향에 1분 동안 기침을 멈출 수 없었다. 그 일은 오늘로 한 달도 채 되지 않았다. 결국 난 담뱃갑을 만지작거리기만 하다가 다시 주머니에 쑤셔 넣었다. 내 생각에 이건 필 게 못 되는 것 같다. 차라리 안으로 돌아가서 수프나 데워먹자.

텁텁한 공기나 들이마시고 거실로 들어섰다. 작은 냉장고에는 매이브가 말한 대로 빵과 야채가 바구니 한가득 둘째 칸과 셋째 칸을 채웠다. 가장 밑에 있는 첫째 칸에 눈을 옮겨보니 캠벨 수프가 두 캔 남아있었다. 토마토와 토마토. 그래도 크림 수프 하나는 사지. 잘 조리하면 풍겨오는 버섯 향이 진짜 좋았는데. 난 토마토 맛을 식탁 위에 꺼내놓았다. 그러다 나는 토마토 수프를 한 번도 조리해 본 적 없다는 걸 깨달았다. 냉장고를 또 열기는 귀찮은 탓에 그냥 정수기에서 목을 축였다. 영화는 여전히 흘러가고 있고, 눈은 이기적이게 잠을 원했다.

'이럴 시간에 〈전쟁과 평화〉를 봐.'

난 기진맥진한 채 소파로 기어들어가 누웠다.

"내가 아직 날 납득시키지 못했나 보군."

자아와 싸우는 중에도 눈동자가 자기 이불을 끌어당겼다. 이 승산 없는 줄다리기 대결에서 더 고집을 부리다간 눈꺼풀이 고장 날 것 같았다. 그래서 나는 내게 대답하지 못한 채 눈을 닫았다. 그 목소리는 나를 불러 세우지 않았고, 점점 밑인지 위인지 모를 곳으로 올라가듯 내려가듯 한 느낌이 전신을 덮었다. 파도가 말뚝을 덮었다. 그러다 문득 낯익은 사실을 떠올린다.

'이거 미저리잖아 씨발!'

내 의식은 빠르게 옅어졌다.

✂

넌 죽지 않아.

주인공이 누군지 알지?

2
나이트메어

Original by Wes Craven's ⟨Nightmare on Elm Street⟩

'일어나, 멍청아.'

어떤 여자 목소리가 머리에서 울렸다.

'나갈 시간이야.'

나도 알아. 어차피 금방인데. 나는 뒤척였다.

'장난 아니야.'

그리고 이상함을 느꼈다.

아마 정신이 번쩍 들고 나서 눈을 뜰 새도 없이 뻐근한 몸부터 일으켜 벽을 짚고 일어났더니 까슬까슬한 먼지가 느껴진 건 이번이 처음일 것이다. 눈을 열자 뭔 일인지 알 새도 없이 머릿속이 혼돈의 도가니로 끓어오르는 것은 이번이 처음일 것이다. 주위를 당장 둘러볼 새도 없이 낯설고 두려운 환경에 발부터 디뎌보는 건 이번이 처음일 것이다. 그리고 이곳에서 깨어나기는 이번이 처음이자 마지막일 것이다. 이 말은, 망할 백 투 더 퓨처를 찍는 게 아니라면 이런 일이 일어나선 안 된다는 뜻이다.

'꿈인가?'

난 있는 힘을 다해 볼을 꼬집었다. 하지만 숨을 혁 들이마시며 악몽에서 깨어나는 드라마틱한 일은 일어나지 않았다. 힘이 약했나 싶어 팔을 세게 물었지만 너무 아파서 그만뒀고, 상황은 여전했다. 침착하게 주위를 살폈다. 구석에 갈색 얼룩이 크게 퍼져있었는데, 거기 있었던 게 뭐였는지는 굳이 상상하고 싶지 않았다. 그런 나를 부추기듯 똥파리 한 마리가 근처에서 날아다녔다. 짜증 나고 역겹고 혼란스러워서 색색거리는 소리가 절로 나왔다. 그때, 두 개의 정사각형 창문에서 노란빛이 흐르기에 무작정 달려가 바깥을 내다봤다. 해는 중천이고, 무성하게 뻗은 나뭇가지, 움푹 팬 홈, 황갈색 흙. 딱 봐도 사람 10명은 족히 묻힐 법한 곳이었다. 내가 씨발 대체 왜 여기 있는 거지? 설마 하룻밤 새 납치 같은 걸 당했을 리는 없다. 어느 기척도 환경의 변화도 찾지 못한 걸 근거로 들 수 있다. 정말 아무도 없었다는 보장은 없지, 하지만 이제 와서 그런 추측을 하면 뭐가 달라지는데? 쿵쿵 뛰기 시작하는 심장을 주체할 수 없이 호흡을 애써 고르며 연신 커다란 눈을 껌뻑거렸다. 한 걸음 움직일 때마다 부츠에 흙이 끌려 자박자박 소리가 났는데, 온몸의 털이 곤두서서 뭐든 크고 시끄럽게만 귀를 찔러왔다. 두 다리를 오르는 싸한 오한과 경련이 느껴지고, 이마와 등에서 식은땀이 맺혔다. 지금 내 앞에 있는 이 문은 잠겨있을까?

"제발 망할 놈의 신이시여."

오 신이시여, 정말 제가 생명을 경시했다고 생각하시나요? 그동안 제가 깔깔 웃으며 봤던 쓰레기 영화에 대해 무릎을 꿇고 대가리를 처박고 사죄하면 되겠어요? 그럼 그렇게 할 테니 제발 이 지랄 같은 상황에서 꺼내주세요, 제발. '전 담배나 술 하나 못 끊는 등신 새끼가 아니라고요!' 그렇게 목청이 터져라 소리치고 싶었지만 두려움에 목이 막혀 나오지 않았다. 나는 좀 더 다가가 굳게 닫힌 문고리를 관찰했다. 열쇠로 밖에서 잠그는 형식의 동그란 철제 손잡이였다. 손끝으로 건드려보니 뻑뻑하고 끈적거렸다. 진작 저 구석만 봐도 알 수 있듯 당연히 관리를 안 했을 것이다. 청소의 '청'자도 모르는 사람이거나, 게으름이 심해서 방치가 특기인 사람이거나. 어느 쪽이든 당장 알 필요도 없었고 알고 싶지도 않았다. 내게 필요한 건 오직 이곳에서 나가는 것이었다. 바깥에 살인마—날 이곳으로 데려온 놈이 날 죽일 거란 증거는 없지만 사실상 목숨이 위태로운 상황이니까—가 기다리고 있을까? 여기로 돌아오는 길일까?

그때, 차 달리는 소리가 멀리서 들려왔다.

충분히 붉은 눈시울에 거의 눈물이 맺히려고 했다. 살인마와 그의 친구들이 탄 차가 확실하다. 지금이 도망칠 기회겠지만 무리하게 도주하려다가 총을 맞고 엄청난 고통에 시달린다든지, 나보다 달리기 실력이 월등한 남성에게 붙잡혀 심하게 처맞거나 참수당하는 건 내 생각에 좋은 선택이 아닌 것 같았다. 신경으로 뻗어가는 저릿함이 목 부근을 드글드글 긁어댔다. 몸 어디든 목이나 팔이라도 실컷 긁죽거리고 싶은 마음에 손가락 마디를 마구 구부렸다 폈다. 만화에선 불안해 어쩔 줄 모르는 캐릭터들이 발을 동동 구르지만 실제로는 달랐다. 방도를 찾는다 해도 불확실한 가능성 때문에 무기력감에 잠기게 되고, 그건 신체의 경직으로 이어진다. 다리는 미친 듯이 떨리는데 의지와는 상관없이 한 발자국도 움직이지 못했다.

"씨발. 씨발, 씨발!" 이를 악물고 되는대로 비속어를 갈기고 나니 발가락이 겨우 꼼지락거렸다. "제발, 제발… 나한테 이러면 안 되지…." 마침내 발을 떼고 몸을 숙여 창문 밑으로 숨는다. 곧이어 타이어 소리가 서서히 커졌다. 심장의 뜀박질이 시간의 흐름에 따라 거세졌다. 꿈만 같은 잠에서 깨자마자 이게 뭔 난리야? 난 이곳이 엘리트 헌팅의 소굴이 아니길 빌며 차가 멈출 때까지 마음껏 흐느꼈다.

잠시 후 타이어가 땅을 밟는 소리가 사라졌다.

사람들의 말소리가 들려온다. *와, 제이크, 여기 진짜 예쁘다. 이 나무 진짜 크다, 바오바브나무 뭐 그런 건가? 제키가 여기서 한 판 한다에 한 표. 브리짓!*

들떠서 돌고래같이 소리를 지르는 여자 목소리가 들려오자마자 이상하게 긴장이 확 풀렸다. 목 밑으로 죽였던 숨이 가랑가랑 새었다. 나뭇가지 사이로 흘러 창문을 투과하는 햇볕을 받으며 마음을 가다듬었다. 계속해서 그들의 목소리만이 이곳을 채우자 무릎을 땅에 대고 고개를 올려다봤다. 창 너머로 보이는 그들은 기념일이나 휴일을 자기들만의 시간으로 보내고 싶어서 외진 곳으로 드라이브해 온 철없는 십 대들 같았다. 끈이 얇은 흰색 탱크톱을 입고 분홍색 테두리 선글라스를 이마에 걸쳐놓은 가슴 큰 금발 여자애, 그보다 조금 더 작은 가슴을 가진 검은색 오프숄더 스웨터 차림의 갈색 단발머리 여자애. 패션이 돋보이기도 하지만 날씨가 더우니까 반바지를 입는 건 당연하고. 그녀들의 옆에는 소매가 짧은 흰 티가 꽉 껴도 안 이상한 늘씬한 남자, 무난한 사이즈의 흰 티에 청재킷을 걸친 훤칠한 남자, 그리고 그 사이에 낀 어리숙해 보이는, '짙은 녹색 반소매 셔츠'와 청바지를 입은 갈색 머리의 남자가 멀뚱히 서

있었다. 나는 그들의 대화를 좀 더 엿들었다.

"필립, 계속 거기 서 있을래? 코앞이 마을이야. 근처 펍에서 술이나 마시고 놀 수 있어!"

금발 여자애가 반소매 셔츠를 입은 남자를 보며 시끄럽게 떠들었다. 이름이… 필립? 하지만 필립이라고 불린 남자는 서둘러 그녀를 따라간다든지 능청맞게 대답한다든지 하는 별다른 반응을 보이지 않았다. 그냥 멍청하게 서서 주위를 자꾸만 살필 뿐이었다.

"아, 제발, 필립. 내가 저번에 전화로 소리 질렀던 것 때문에 그래? 그건 그냥…." 그녀가 답답하다는 듯 허리춤에 손을 올리곤 삐딱하게 섰다. "내가 그때 너무 감정적이었어, 됐지? 난 그냥 네 기분이 나아졌으면 하는데, 넌 항상 취직 문제인지 뭔지로 우울해져 있잖아. 내가 뭘 해도 네 기분을 낫게 할 수 있다는 생각이 안 들어. 지금은 어떨지 몰라도." 그녀는 말하는 동안에만 한숨을 여럿 푹푹 내쉬었다.

곧 남자가 입을 뗐다. "어… 그래. 아니야, 그런 거 아니야. 내가 미안. 생각해 보니까 차에 두고 내린 게 있어서. 먼저 따라가. 그 뒤에 같이 갈게."

"알았어… 늦지 마. 마을이 좀 복잡하다 들었거든."

"그래."

남자의 말이 끝나자 그녀는 옅은 미소를 지으며 뒤돌아 일행을 따라나섰다. 고개를 돌릴 때 흩날렸던 금발 머리카락이 머릿속에 인상 깊게 박혔다.

아니, 이럴 때가 아니지. 그들은 살인마가 아니다. 더 멀어지기 전에 나가서 도움을 요청해야 한다. 나는 급하게 문 손잡이를 비틀어 열었다. 다행히도 고의인지 실수인지 문이 잠겨 있지 않았다. 이토록 기쁜 일은 눈을 뜨고 나서부턴 처음이었다. 따뜻한 문이 끼익거리며 열리고, 거의 비명에 가까운 다급한 외침이 숲에 울렸다.

"도와주세요 제발! 살려주세요! 가지 마세요! 저기요!"

하지만 이상한 일이 벌어졌다. 길을 떠나는 그들이 뒤를 돌아보지도 않고 자기 가는 길을 계속 걷는 것이었다. 이렇게나 큰 소리가 숲을 뒤흔들었는데 쳐다보지도 않는다고?

"저기요? 제 말 안들려요? 도와주세요! 저… 저 납치된 것 같아요! 여기 있으면 안 돼요!"

외침이 닿기를 바라면서 뒤늦게 그들을 좇았지만 다섯 걸음에서 그대로 멈춰버렸다. 그들이 들은 체도 안 한다는 걸 이젠 알게 되었으니까.

뒤에서는 놀란 듯한 욕설이 나지막이 들려오기에 숨을 쌔액쌔액 그으며 고개를 돌렸다. 트렁크를 뒤지던 필립이라는 남자가 커다래진 눈으로, 당황스러운 시선으로 날 훑어보고 있었다.

"…누구세요?"

"설마 당신이 망할 살인마는 아닐 거야. 그렇지? 친구들을 따라갈 거지? 아니면 씨발 당장 내 목을 쳐서 죽여버리든가!" 무섭고 두려운 마음에 말이 험악하게 나왔다. 이 성질은 20대 들어서부터 죽여놨는데 큰일이다. 하지만 먼저 간 사람들은 내 말을 못 들은 체하고 이 수상한 남자만 날 보는데, 눈 떠보니 낯선 곳에서 일어난 여성에게 무서운 상황일지 아닐지 여러분이 상상해 보라. 애당초 지금은 주변인의 인식에 대해 큰일이고 아니고를 따질 때가 아니다. 저 작은 창고 안에서 호흡을 가다듬어 놨는데 다 소용없었다. 당장 과호흡이 와서 쓰러질 듯이 머리가 핑 돌았다. 만약 저 남자가 날 가둔 장본인이라면 난 여기서 절대 살아남을 수 있을 것 같지가 않다. 날 상상할 수 있는 가장 잔인한 방식으로 찢어놓든지, 칼이 내려오기 전 짧은 공기를 들이마시다 눈을 감게 되든지 상관없었다. 어차피 죽은 목숨이니까.

"제발 진정하시고, 대체 당신은 누구예요?" 남자는 실소한 듯 헛웃음을 치며 이마에 손을 댔다가 내렸다가를 불규칙적으로 반복했다. "한 번도 못 본 얼굴인데? 그리고 여기는… 촬영장에 다시…." 남자는 알아들을 수 없는 말들을 중얼거리며 날 더 불안하게 했다. 어쨌든 그는 인간이고, 정말 날 모르는 듯한 눈치였다. 그런 사람이 날 납치했을 리는 없지만 어디까지나 연기일 가능성을 배제할 수 없었다.

"나가는 길이나 불어, 당장. 맹세하는데, 다가오면 죽여버릴 거야." 식은땀이 손을 적셨다. 더운 기운도 있었지만 심하게 긴장된 상태 탓이 컸다. 내 주머니에는 담배를 피우기 위한 라이터가 있었다. 뭣하면 불을 질러서 피할 것이다. 사방에 널린 게 마른 나뭇가지다. 정말로 산불이고 뭐고 환경 걱정할 때가 아니다.

"나도 불안하니까 제발 진정해요. 같은 일이 두 번이나… 젠장할!" 남자는 갑자기 욱해서 소리를 질렀고, 난 너무 놀라 꺅 비명을 질렀다. "아, 죄송해요, 다른 게 아니라 진짜로요. 좋아요, 제가 나쁜 사람이 아니란 걸 보여주면 되겠어요? 전 이렇게… 멀리 떨어질 테니까." 남자는 차량으로부터 멀리 뒷걸음쳤다. "마음대로 확인해 봐요. 아무리 뒤져도 사람 머리를 칠 만한 둔기는 못 찾을걸요. 트렁크까지 봐도 좋아요. 전 정말 아무 짓 안 했어요. 앞으로도 안 할 거고요." 남자는 자기 주머니를 밖으로 내빼기까지 하며 결백을 증명하려 들었다. 그리고는 땅바닥에 그대로 드러눕는다. 그의 행동은 누가 봐도 이상할 지경이었지만 저렇게까지 하니 뭔 짓을 할 것 같지는 않았다.

"내가 마음만 먹으면 다 태워먹을 수 있다는 걸 네 비좁은 대가리에 잘 새겨둬야 할 거야, 알겠어?"

나는 내 주머니에서 라이터를 꺼내들고 차량으로 다가갔다. 지난 아침에 목욕했는데도 산발한 머리가 찝찝하게 느껴졌다. 진한 흙냄새를 태운 바람이 가지 뻗친 나무를 조용히 엮었다. 잠깐 뒤를 보니 뛰쳐나온 창고가 갓길 바깥에 지어진 게 보였다. 밖에서 보니 무슨 교도소 독방 수준으로 작았다. 난 드러누운 남자를 경계하며 앞으로 더 나아갔다. 트렁크 앞에 서자 뒤에서 남자가 숨을 들이쉬었다. 눈으로 훑었을 때도 내게 위협이 될 만한 건 없었다.

"조수석까지 뒤져봐도 된다니까요."

"내가 위험을 감수해야 할 이유는 없어." 재빨리 돌아보며 분노와 의심의 눈초리를 박았다. "그냥… 제발 닥치고 나가는 길이나 알려줘. 대체 여긴 어디야? 너한테 차 키 있어?"

"다 설명할 테니 진정해요." 남자가 누운 채로 손을 휘저으며 말했다. "여기서 일어나기 전에 이상한 테이프 같은 거 보지 않았어요?"

"테이프?"

"1982년에 만든 거예요. 기억 나는 거 없어요?" 바닥에 누운 남자가 말했다.

"젠장, 그딴 게 뭐가 중요한데? 그 망할 차 키 당장…."

그때 머릿속에 뭔가 번뜩 지나갔다. 그날 밤, 비디오 가게에서 폴른 할배가 줬던 테이프가. 지친 몸을 이끌고 집으로 돌아와 플레이어에 테이프를 집어넣던 순간이, 화면에 득실거리던 노이즈가, 검은 형체로부터 달아나던 남자의 오프닝과, 소리치는 얇은 목소리의 전화를 받아드는 '짙은 녹색 반소매 셔츠'를 입은 남자의 모습이.

"잠깐… 당신 그때 영화에서 봤어. 옷이 거의 똑같네."

"당신이 왔다는 건 처음에 왔던 사람은…."

남자는 내가 이해할 수 없는 말만 되풀이하며 서로의 소통에 혼란을 야기했다. 처음에 왔던 사람? 그게 테이프랑 뭔 상관이야? 게다가 이 남자는 영화에서 봤던 남자와 판박이다. 그러자 말도 안 되는, 현실적으로 일어날 수 없는 것이 떠올랐다.

'이게 현실일 수는 없어.'

다행인지 불행인지 남자도 여기서 나갈 방법을 모르고 있었다. 날 납치했다면 언제든 굉장한 힘으로 제압해서 차에 태우고 다시는 자기 친구들을 따라나서지 않을 수도 있었을 테니까. 확실한 건 이 남자는 더이상 살인마로 보이지 않는다는 점이었다. 상황은 미궁으로 알게 모르게 빠져들고 있었지만 가슴팍을 뚫고 튀어 나올 것 같던 심장의 뜀이 어느샌가 잦아들었다. 방심하는 순간 수백 개의 칼날이 나를 겨누는 위험한 상황에서도, 상대가 극악무도한 살인마일지 모름에도 오직 사람의 모습이 눈앞에 있다는 이유만으로 마음이 진정되고 있었다. 슬쩍 주변을 경계하며 남자에게로 가까이 섰다. 할머니가 내오는 초코칩 쿠키와 우유 한 컵이 간절히 먹고 싶어졌다.

고작 4살 때, 그러니까 한창 브로콜리는 숟가락도 대지 않겠다고 고집부리던 때를 생생하게 기억하고 회상한다는 건 못생긴 우리 할머니에게도 뜨거운 사랑의 계절이 틀림없이 있었다는 사실만큼 특이하게 들린다는 걸 안다. 그러나 빨간 체크무늬 식탁보를 깔아놓고 부엌에서 풍겨오는 갓 구운 쿠키 냄새를 맡으며 할머니가 기분 좋게 생긴 작은 유리컵에 우유를 담아 걸어 나오기를 기다렸던 5월의 어느 날, 앞뜰 정원에 내려앉은 나른한 오후의 태양이 삐죽삐죽 삐져나온 검은 머리칼을 쓰다듬어 주었던 순간을 나는 조금도 흐리지 않고 간직하고 있다. 이마와 입가 그리고 목에 쭈글쭈글한 주름을 지녔던 할머니는 그날 말씀하길, '쿠키를 만드는 데엔 재료도 중요하지만 환경도 아주 중요하단다'하곤 인자한 웃음인지 쓸쓸한 웃음인지 단정지을 수 없는 얼굴로 따뜻하게 데워 거품이 뜬 우유를 한 모금 마셨었다. 그리고 이젠 그 뜻을 아주 잘 안다.

세상엔 선과 악이 너무 많고 그 반대에게도 끝없이 영향을 끼치거나 도리어 받는다. 아기가 태어날 땐 탯줄을 끊어내고, 아기는 불빛을 보고 숨을 쉬려 울고, 훗날 자신을 낳아준 부모에게 할 수 있는 모든 방식으로 반항하다 자기 원천을 떠나기로 결정하는 게 변하지 않는 사실이듯 정제수와 오염수의 공존은 필연적이다. 그럼에도 따로 정제수를 마시는 이에게 '이봐요, 내 오염수 때깔을 좀 봐요, 쿨하잖아요'라고 과시할 필요는 전혀 없다는 것이다. 안됐지만 내가 세상에 나온 이래, 그런 사람들을 너무 많이 봐왔다. 도축업이 놀라울 정도로 내 천직이었던 것과 하류 공포 영화를 좋아하게 된 것이 그 경험들의 스트레스가 기원이라곤 믿고 싶지 않지만 가능성 없는 일은 아니었다. 하지만 난 언제나 스스로의 화를 자연스럽게 조절하고 남에게 자비를 베풀 줄도 아는 착한 인간이 되고 싶었다. 난 쉽게 딜레마에 빠져 5년이나 해 온 일을 관뒀다. 그러나 이젠 작업장에서 칼을 다루던 때가 정말로 그립다. 스트레스 때문도 있겠지만 그게 평범한 일상이던 순간도 그립다. 억울하고 분해서 가슴이 쿵쿵거렸다. 뜨거운 눈물이 시야에 그렁그렁 맺혔다. 다시금 여기가 어딘지 왜 여기 있는 것인지를 되새기며 일그러트린 입술 사이로 침이 새어 나오게 놔두었다. 짜디짠 땀과 눈물과 콧물이 엉망으로 섞여 턱 밑으로 흘러내렸다. 장난감을 도둑맞아 꺼이꺼이 우는 시퍼런 어린애의 퉁퉁 부은 못생긴 얼굴에 버금가는 표정이었다. 실연당한 바쁜 사회인 남자친구 역할을 맡은 배우도 이 정도로 얼굴을 구기지는 않을 것이다. 한마디로 바보 멍청이처럼 주저앉아 질질 짜는 동안 자기 전에 안 지운 눈 화장은 연인과의 고대하던 섹스를 치르고 난 뒤 알고 싶지 않았던 끔찍한 진실을 알고 분통을 참지 못한 여자처럼 거멓게 번지고 있다.

사람들은 세상에서 가장 귀여운 판다는 알지만 가장 못생긴 판다는 모른다. 그 덩치 크고 보드라운 털을 가진 망할 대나무

추로스 미식가는 눈가에 자기 발바닥만 한 다크서클 반점도 가졌는데, 지금 내 꼴을 보면 해시태그 '귀여움'을 빼고 거의 대나무 중독자 놈과 닮아있다는 것을 알 수 있다.

'생각을 해 리키, 넌 바보같이 짜기만 하는 등신이 아니잖아. 어쩌면 신경계가 아찔해지는 술을 비우고 벌거벗은 할아버지가 탁상 위에서 춤추는 환각을 보다가 여기로 뛰어나와 그대로 잠든 것일지 몰라.'

매이브는 여자 혼자 술을 마시지 말라고 당부했지만 종종 술에 절어서 돌아와 거실에서 잠들고 나면 다음날 기억이 색 바랜 폴라로이드처럼 변해서 사고를 못 하는 일이 있었다. 그러니 아주 가능성 없는 얘기는 아니다. 하지만, 이런, 숙취현상이 없으니 뒷받침이 안 된다.

"집에 가고 싶어. 당신들 다 이상하게 굴잖아. 제발 날 상관없는 일에 끌어들이지 마, 제발…."

"세상에, 난들 집에 안 가고 싶겠어요? 난 이미 누가 죽는 걸 한 번 봤다고요!"

남자는 시시껄렁한 애들 호들갑을 받아주는 것에 지친 직장인처럼 고함쳤다.

"뭐? 누가 죽었는데? 여기서 누가 죽었어?"

잠잠해지던 불안감이 두 번째로 엄습했다. 그래 어쩐지 10명은 묻힐 것 같다고 했었잖아. 살인마는 약쟁이 얼굴 가죽을 뜯어서 제 민낯에 쓰고 다니는 정신 나간 놈일 것이고 벗겨먹고 남겨진—살점과 피비린내가 진동하는—너덜너덜한 시체는 염병할 칠리에 갖다 부을 것이다.

"클린턴 패스라는 사람이었는데 생전에 비디오 가게 일을 했고…"

"젠장 필립 그딴 거 안 물었어! 한 번도 그딴 거 궁금했던 적 없다고! 그러니 네 그 몽둥이로 잘 빨아놓은 찻잎 같은 옷 꼬락서니랑 재수 없는 아가리 가지고 내 앞에서 꺼지는 법을 스스로도 알고 있어야 돼! 내 말 알아들었어? 너도 그 방법을 알겠냐고!"

누가 죽었다는 말에 온몸이 소름으로 반응한 건 맞지만 으깬 감자처럼 처참하게 죽은 사람 이름이 뭔지 뭘 하는 사람이었는지 어떻게 죽었는지까지는 물어본 적 없다(무조건 그가 으깬 감자처럼 죽었다는 건 아니지만 보통 슬래셔 영화에선 다들 그런 식으로 끝을 맞이했다). 남자는 극도로 예민한 상태인 나를 보며 '미쳤군. 제대로 미쳤어. 직쏘에게서 살아남은 바보들처럼 말이지' 하고 생각할지 몰라도 남의 기분까지 신경 쓸 때가 아니었다. 난 라이터를 다시 들고 남자의 명치 쪽 옷깃을 잡았다.

"넌 필립이야, 그렇지? 그게 네 이름이지, 맞지?"

"어떻게 들었는지는 몰라도 그건 캐릭터 이름이에요." 남자의 동공은 흔들리고 눈살은 멀리 구불구불 솟은 산처럼 찌푸렸지만 떨리는 숨 사이로 차분함을 유지하려는 이성이 엿들렸다. 남자는 갑자기 내 어깨로 팔을 뻗었고, 정중하게 요청했다. "이제 일어나게 해주실래요? 누워있으면 불안하다고요."

"염병하네!" 난 남자의 옷깃을 뿌리치고 일어섰다. "어디 일어나서 아무 얘기나 지껄여봐. 네가 모든 걸 설명하고 내가 납득하는 그 긴 시간 동안 최선을 다해 들어줄 테니까. 오 이런, 그렇지, 넌 그렇게 못 하겠지. 왜냐면 네가 거기서 일어나는 순간 첫 번째로 널 불로 지져줄 거고 두 번째로 여기 널린 나뭇가지로 네 잘난 면상에 개미굴을 만들어 줄 거고 세 번째로 네 대가리에 바위를 수십 번 처박아 줄 테니까!"

살면서 뱉어본 적 없는 기상천외한 폭언들이 거세게 쏟아져 나왔다. 이 기세라면 길거리에 나돌아다니는 볼일 없는 양아치 아무나 건드려서 싸움 붙인다 해도 언쟁에서 질 수는 없을 것 같았다. 하지만 난 정말 그럴 생각이었다. 내겐 침착하게 사태를 종결시킬 수 있는 능력이 없었다. 아니 누구라도 지금만큼은 그 능력을 상실하게 될 것이다.

그러자 남자는 한숨을 내쉬고 욕을 중얼거리더니 거의 울 듯이 말했다.

"마음대로 해요! 날 죽이든지 말든지, 어쨌든 난 여기서 다시 눈을 뜰 거고 그때쯤이면 당신도 갈린 브로콜리처럼 죽어있을 거니까. 이제 만족해요?"

남자는 떨리는 목소리로 사소하게 호소하다 두 손으로 마른 세수를 반복했다. 차라리 죽이라는 말이 나오자 내가 심했나 싶은 마음이 들기 시작했다. 하지만 모두가 알듯 낯선 이는 쉽사리 믿어선 안 됐고, 난 그런 철칙을 머릿속 깊이 새겨두고 있었을 뿐이다.

'그런 식으로 자기위로를 하다니 대단한데. 이 남자는 지옥의 구렁텅이에서 빠져나왔던 옛 기억을 떠올리며 친구들이 여기 오지 않도록 말렸지만 찐따 새끼라는 말만 듣고 무시당해서 돌아온 거야. 너 자꾸 이렇게 대할래?'

그 빌어먹을 옛 기억이 뭔데? 알지도 못하는 남자의 과거를 지어내는 과대망상 공장의 컨베이어 벨트가 쉬지 않고 돌아가며 소음을 만들었다. 내 뇌 조직의 한구석은 항상 논쟁 거리를 지어내기에 급급했다. 혼란의 불씨가 더는 불똥을 튀지 않았다. 흥분이 가라앉았고, 이제야 고인 침을 조금 편하게 삼킬 수 있었다. 나는 서서 남자를 노려보았다. 남자는 들숨날숨을 계속하면서 다리를 굽혔다 폈다. 나도 불안하면 손가락 움직이는데.

"난 그냥…." 조금 욱할 뻔해서 마찰음이 났다. "난 그냥 집에 가고 싶어서 그런 거야. 난 널 모르고, 그리고 이건, 이건 너무 이상하잖아. 하지만 네가 정말 나처럼 위험에 처해있다면 우린 서로 도와야 해. 내 말이 틀려? 맞지? 솔직히 네가 나한테 못 믿을 이야기를 설명해 주면 좋겠지만 내 생각엔 그럴 시간이 없는 것 같은데." 손으로 얼굴을 감싸고 조용히 호흡하기만 하는 남자를 보자니 안쓰러우면서도 답답했다. "이봐, 네가 내 말에 동의하잖아? 그럼 일어서는 게 맞는 거야, 알겠어? 제발 내가 한 번 더 소리 지르게 만들지 마. 당신도 싫어하는 것 같으니까 서로 윈윈하는 길을 가자고. 지금부터. 응?"

남자는 마지못해 발을 딛고 일어섰다. 벌레처럼 누워있을 땐 그저 그래 보였는데 나보다 10센티미터 정도 큰 것 같았다. 남자는 이마를 짚었다.

"무슨 여자가 그렇게 화가 많아요?" 그는 언제 울었냐는 듯 아무렇지 않게 말했지만 벌건 눈시울이 제대로 남아 있었다. 눈에 보이는 흔적을 무시할 수는 없었다. 이런 때에 욕 듣고 울기나 하다니 편견일지 모르지만 남자 치고 멋없다는 생각이 들었다. 평소에도 울보인가?

"뭔 뜻이야? 그럼 남자는 화 많아도 된다는 거야? 이상한 소리 하지 말고 그냥 빨리 나가는 길이나 찾아."

남자가 허리춤에 손을 두고 고개를 저으며 갓길을 따라 걸음을 옮길 때쯤, 갑자기 그는 시선을 확 돌리더니 검지를 입에 댔다.

쉿.

그는 그런 소리를 냈다. 조급한 마음에 재빨리 주변을 살폈지만 혼란스러워서인지 정말로 뭣도 없었던 건지 아무런 형상도 찾을 수 없었다. 사방이 온통 나무와 흙이었고 보이는 길이라곤 마을로 향하는 갓길뿐이었다. 당장 베어 그릴스 같은 만능 캐릭터가 튀어나와서 우리를 생존의 길로 안내해 준다면 얼마나 좋을까? 나는 그야말로 누가 보면 살아남기라도 한 것처럼 환호성을 지르고 뚱뚱한 물개처럼 박수를 치고 머리가 띵해질 때까지 빙빙 돌다가 잡혀 죽을 만큼 기쁠 것이다. 나뭇잎 사이로 비치는 땡볕은 빠져나갈 수 없는 미로 같은 숲을 오래 데우고 있었다. 리키, 심호흡해. 넌 죽지 않아.

넌 죽지 않아. 주인공이 누군지 알지?

'하지만 난 주인공이 아니야.'

머리가 다시 핑 돌기 시작했다. 산소 공급이 어느새 뚝 끊긴 듯 모든 게 뿌예졌고 얼마 안 가 세상이 기울어졌다. 눈꺼풀이 미세한 떨림을 보였다. 가장 눈에 띄는 변화는 손가락이었다. 돈 들여서 꾸민 손톱이 껴있는 다섯 손가락이 이번엔 괴물이 사냥할 채비를 하는 양 징그럽게 구부러졌다. 작은 뇌를 가진 안 불쌍한 날파리들도 내 처지를 안타깝게 생각할까? 그럴 필요도 없지만 한편으론 그게 가능한지조차 의문이었다.

어디선가 바스락거렸다.

누군가 있다.

"진정하라고? 웃기고 있네." 불안한 마음에 작게 속삭였지만, 남자는 내 앞에 손바닥을 보이고 주위를 둘러보기만 했다. 나는 급한 대로 떨어진 나뭇가지를 주워들었다. 이런 일이 일어날 줄 알고 도축용 칼을 손에 쥐고 잠들었다면 정말 좋았을 텐데, 안 그래 리키? 하지만 여기서 깨어났을 땐 아무 곳에서도 찾을 수 없었을걸.

"그게 또 와요." 남자는 몸을 낮췄다. "젠장, 어… 침착하면 돼요. 여길 빠져나갈 방법을 알아요."

"알면 왜 말 안 한거야? 그러니까 처음부터 차 키 달라고 했잖아, 내가 뭐랬어?"

"그야 당신은 이 '공간'에서 나가고 싶어 하니까요!" 약하게 팔을 내두르며 성내듯 속삭인 그는 손바닥을 아래로 하고 낮추는 시늉을 했다. "화내서 미안해요. 저기, 내가 방법을 아니까 나만 믿어요."

난 얼굴을 구기며 의심쩍다는 의사를 표현했다.

"대체 왜 이래요? 잘 들어요. 날 안 믿으면 다 죽어요. 물리적으로도 비유적으로도 뒤가 구린 그 살인광의 장보기 리스트에 당신도 들어갈 거라고요. 미치광이가 만든 수프에 당신 손가락으로 우린 육수가 들어가길 원해요?"

대답은 당연히 '노'였다. 만약 그렇게 된다면 이날을 대비해서 내 손가락을 똥물에 절여놓지 않은 걸 무진장 후회하게 될 것이다. 나는 눈썹을 더 찌푸리고 을 크게 떴다. 말 안 해도 누구나 알아듣는 '네 눈엔 내가 그러려는 걸로 보여?' 제스처였다.

남자는 날 뒤에 세우고 말했다. "좋아요. 내 방법은 이거예요. 잘 봐요."

그러더니 남자는 날 두고 미친 듯이 뛰기 시작하는 것이었다. 빠르게 멀어지는 남자의 뒤통수를 마냥 보고 있을 수만은 없었고, 곧장 그의 꽁무니를 쫓아 내달렸다. 급작스러운 달리기 시합에 떨리는 다리가 적응하기 힘들다고 찡찡거렸다. 발을 헛디뎌 팔이 공중에서 허둥거렸지만 중심을 다잡고 큰 숨을 헉헉 토하며 멈출 줄 모르고 달렸다. 이어서 내리막길에 진입했다. 낮은 경사인데도 잘못하면 발목을 접지를 수 있었다. 그런 걱정에 대답하듯 뒤꿈치에 강한 충격이 두 번쯤 느껴졌고, 발바닥엔 거기 붙은 벌레를 보고 놀라 있는 힘을 다해 쳤을 때처럼 통증이 깔렸다. 이젠 더는 달릴 상태가 안 된다고 의심치 않았다. 뒷심을 잃고 앞으로 무너지자 반사적으로 손바닥을 내밀었고, 그 결과 최소한 여러 뇌진탕을 방지할 수 있었다.

고개를 들어 앞을 바라본 그곳엔 작은 집들을 등지고 선 남자가 있었다. 초라하게 엎어진 내 꼬락서니를 보니 자전거 타는 방식이 잘못되어 넘어질 수밖에 없었던 남자애가 된 것 같아서, 원래도 그랬지만 전혀 웃음이 나지 않았다. 남자는 가쁘게 호흡하며 넘어진 나를 바라보았다. 내려다본다는 느낌은 안 들었지만 어쩐지 짜증이 났다.

"지금 뭐 하는 거야? 내가 욕해서 이런 방식으로 날 엿 먹이겠다고?" 땅을 짚고 일어나니 크게 다친 구석은 보이지 않았다. 처음부터 심한 상해를 입으면 큰 리스크지. 그러나 팔꿈치나 손목, 팔뚝에는 쓸리고 까진 사소한 상처들이 심심찮게 보였다.

"네? 아뇨! 누가 뭐래요? 봐요. 여긴 마을이에요. 온통 주민들이라고요. 여기만큼 안전한 데가 어딨어요?" 남자는 가쁜 숨을 몰아쉬었다. "저기, 난 당신에게 이런 일이 생기면 가까운 곳으로 달려보라고 진심으로 권하고 싶어요. 그럼 내가 뭘 할 줄 알았는데요? 당신처럼 무모하게 라이터를 들고 불을 지른다? 아니면 나뭇가지로 머리에 두더지 굴을 만들어주거나 바위로 머리를 내려친다?"

"그래, 근데 두더지 굴이 아니라 개미굴이야. 두더지 굴은 나뭇가지 부피에 비하면 너무 크잖아."

"그래요, 개미굴… 아무튼 난 위험한 상황에선 사람이 많은 곳으로 죽어라 달리는 걸 추천해요. 도망은 언제나 상책이거든요."

"그럼 빨리 경찰에 신고해! 보통 일 아니니까! 아무 데나 들어가서 전화기 좀 빌려달라고 해. 전화기, 그깟 전화기 하나 못 빌려준다는 사람은 없겠지, 그럼."

"다 소용없어요. 내가 알아요."

"마을이 안전하다고 한 게 누군데?"

"어쨌든 안전한 건 맞잖아요. 내 말은 신고해도 소용없다는 거예요. 경찰이 오긴 하겠지만…." 남자는 곤란한 듯 미간을 짚었다. "어… 다 죽어버릴 거예요. 설명하자면 좀 길어요."

경찰 무능한 건 알고 있었지만 고작 이런 마을에서 살인마 하나 못 잡아서 다 죽는다고 하는 건 처음 본다. 나는 어처구니가 없어서 코웃음쳤다.

"살인마가 아무리 미쳤어도 여기 오는 모든 경찰을 죽일 수는 없어!"

"죽일 수 있어요! 그게 영화의 규칙이니까!"

그의 목소리가 메아리치고, 한동안 울림이 이어졌다.

"이건 영화예요. 여기선 아무도 우릴 구해줄 수 없어요. 그게 영화의 규칙이라고요. 망할 공포 영화의 규칙. 이런 데서 경찰은 우리 앞에서 배를 관통당해 죽거나 나중에 시체로 발견되거나 둘 중 하나예요. 그러니까 난 그냥 영화 속에 있는 내 친구들을 조용히 따라다닐 거라고 말하고 싶네요. 그동안 더 죽지 않는 방법을 찾아서 최소한 숲 밖으로는 나가보고 싶으니까."

퍽이나 반가운 말이었다. '이건 영화예요'라고? 어디서 말도 안 되는 소릴 지껄이나 싶었을 때, 내가 발견한 가장 도움 되는 단서, 인정할 수 없는 단서가 떠올랐다. 남자에게 화를 내던 여자 목소리가 언젠가 들어본 적 있다는 것과, 남자의 인상착의가 눈을 뜨기 전 틀어놓았던 영화 속의 남자와 비슷하다는 것을. 그리고 그 영화는 1982년에 만들어진 공포 영화라는 것을.

남자는 뒤돌아 한발 내딛는 것조차 버거운 듯 터벅터벅 힘없이 발을 들었다. 일행을 따라 들어왔지만 그의 친구들의 형체는 어디에도 보이지 않는다. 앞으로도 제대로 된 설명을 들을 시간이 없을 거란 강한 예감이 들었다. 맙소사, 진짜 이딴 들어본 적도 없는 쓰레기 영화에 들어온 거야?

만약 그렇다면 이건 〈더 파이널 걸스(The Final Girls, 2015)〉의 후속작이 될 수 있을 것이다.

'잠깐, 이건 아직 개봉도 안 한 영화잖아.'

이런, 제4의 벽을 깨고 시간대의 오류를 범해버렸다. 이 모든 건 잊고 오직 내 두려움에만 집중하시라.

나는 좆됐다.

📖

하지만 사람들은 그들이 이렇게까지
비뚤어진 근본적인 이유에 대해 얘기하길
꺼려하고 피했다.

3

트루먼쇼

Original by Peter Weir's 〈Truman Show〉

이틀간 빌려 지낼 여관은 대충 보면 청결했지만, 자세히 보지 않으면 놓칠 구석에 얼룩이 여전히 남아 있었다. 그러나 여기 입장하실 분들은 잘 알겠지만 그런 걸 살필 여유도 없이 바쁜 친구들이기에 외로운 얼룩들이 있었는지도 모르고 지나칠 것이다. 그러다 보면 시간은 우사인 볼트처럼 흐르고 그때쯤이면 남녀 두 명은 한 침대에서 알몸으로 뒹굴며 층간 소음 이슈를 만들지 않기를 바라야 할 것이다. 입구에 선 여관 주인—통통한 체형에 파란 모자를 쓰고 있었다—은 들어오는 일행을 바라보며 순진한 미소를 짓고는 파닥파닥 손짓해 담배 연기를 휠휠 날렸다.

"여기 진짜 멋진데? 빈티지 느낌 나고."

"넌 뭔가 애매할 때마다 멋지다고 하더라, 브리짓." 꽉 끼는 흰 티를 입은 제이크가 말했다. 끼는 티를 입었다고 해서 몸매가 입 떡 벌어지게 좋은 편은 아니었다. "왜 그냥 별로라고 말하지 않는 거야? 다른 데 갈 수도 있어."

"아니야, 진짜 멋져. 빈티지 느낌 난다니까."

"내가 보기엔 저거 부정적인 의미야." 검은색 스웨터 차림의 제키가 말을 얹었다.

"필립은 왜 아직도 안 오는 거지?" 브리짓은 그녀의 금발 머리칼을 앞으로 넘겨놓으며 말했다. "두고 온 게 있어서 들고 온다고 했는데."

"똥 급했나 보네." 청재킷을 입은 콜린이 농담을 내뱉었다.

"진짜야. 지금쯤이면 들어와야 하는데."

"한 발 빼고 오는 걸 수도 있지." 그가 다시 짓궂게 말했다.

일행과 브리짓은 콜린을 향해 눈을 흘기며 계단으로 발을 옮겼다. 뒤에 남겨진 콜린은 그저 자신의 농담이 과했는지 돌아보며 고개를 까딱거릴 뿐이었다.

한창 호기심 많고 예민한 시기의 십 대들은 그 나이에 봐선 안 될 것들을 보고 모방하기에 십상이다. 그들은 창고에서 통째로 무르익어가던 치즈가 마침내 버거 패티 위에 올려져 아름다운 색깔을 뽐내며 녹아내리는 것처럼, 어부의 손아귀에서 빠져나온 물 만난 물고기처럼 뭔가에 구애받지 않고 자유롭게 움직인다. 다만 조금 조잡하다고나 할까. 타인이 자신들에게 허락하지 않은 것들을 스스로 허락하고, 남들이 맛보는 혼란을 있는 그대로 즐기고 싶어 한다. 그중에는 사회가 정한 규범을 어기는 비범한 행위도 존재하는데, 도수 높은 술 마시기, 독한 담배 피우기, 코카인 빨기 정도는 애들 장난 수준이다. 그런 청소년들이 최근 당당하게 나타나기 시작한 가운데, 그보다 더 비뚤어진 것들이 있으니 이들이 남의 몸을 사거나 사람을 죽이지 않은 것만으로 사람들은 다행히 여겨야 했다. 하지만 사람들은 그들이 이렇게까지 비뚤어진 근본적인 이유에 대해 얘기하길 꺼려하고 피했다.

마지막 계단을 올라 입구에 등을 기대고 서 있던 제키는 제 팔뚝을 멍하니 노려보다 천천히 쓰다듬었다. 손등과 손목 같은 부위와 다르게 성하지 않은 데가 없었다. 신나서 방으로 뛰어 들어가는 친구들은 그녀를 쳐다보지도 않고 떠들었다. 서운한 감이 있었지만 제키는 다시 웃으며 그들을 따라 들어갔다.

"세상에. 너무 예쁘다!" 브리짓의 어조가 기쁜 듯 상승세를 보였다. "중요한 건 화장실이야. 너네 제이크 집 봤지? 화장실이 무슨 필통 같던데, 기억나?" 그러더니 그녀는 웃음을 참지 못하고 까르르 웃었다.

"그래, '중요한 건' 그거 때문에 드디어 이사를 간다는 사실이지." 제이크가 히죽대며 팔짱을 꼈다.

"오, 제이크. 네가 이사 가는 거 알고 있었지만 두 번이나 들으니까 너무 슬프다. 정말 보고 싶을 거야. 내 얼굴 보여? 얼마나 슬픈지 보이지?" 브리짓이 눈 구석을 아래로 당겨서 우스꽝스러운 얼굴을 만들었다.

"그래. 지겨운 너네 얼굴 더 안 봐도 돼서 나도 너무 좋다, 이 자식들아!" 제이크는 갑자기 후크 선장 같은 목소리를 내며 브리짓의 등을 툭 쳤다. 둘은 깔깔거리며 방 안을 돌아다녔다.

"내 아름다운 통나무집에 잘 왔어, 친구들." 제키의 바로 뒤 입구에서 카일이 불쑥 나타났다. 제키는 조금도 놀란 기색 없이 뒤를 보았다. 뽀글뽀글한 갈색 머리가 제일 눈에 띄었다.

"통나무집 아닌 거 다들 알거든?" 머리 긴 흑발의 여자가 따라붙었다. 카일과 키가 비슷하지만 좀 작고 거친 스타일의 패션을 선호하는 듯 보였다. 그렇다고 노출이 있는 건 아니었다.

"앤 에밋이야. 엄마가 데려가라고 해서… 아, 괜찮은 애니까 멀리 안 해도 돼."

카일이 에밋의 등을 떠밀자 그녀는 일행 앞에 섰다. 인생에서 한 번의 고민도 없이 길러온 듯한 머리카락이 밑으로 길게 뻗어 매끄럽게 찰랑거렸다. 눈 주변의 어두운 화장은 아주 진하지는 않았다. 짝다리를 짚으며 껌을 씹을 것 같던 그녀는 의외로 똑바로 서서 팔을 감싸고 총기 있는 눈으로 일행을 훑어보았다. 일행은 그녀에게서 눈을 떼지 못하고 아무도 흔들지 않는 마트료시카처럼 바라보기만 했다. 신기하거나 예뻐서는 아니고 그저 예정에 없었던 새 인물의 등장에 당황스러움과 어색함을 느끼는 것이었다. 말도 처음 섞는데 어떻게 지내야 할까 고민하는 눈치였다. 하루아침에 '안녕, 계집애야!'하고 인사할 수는 없는 노릇이니 말이다. 그들은 카일에게 그녀를 당장 내보내라고 하고 싶었지만 예의 없고 싸가지도 없는 녀석들로 보이고 싶지 않았다. 그래서 그들이 한 최종적인 암묵의 선택은, 그냥 그녀를 받아들이는 것이었다.

"오, 그럼. 어… 그래. 안녕? 에밋?" 브리짓이 먼저 말을 놓았다. 그녀는 세계의 이치를 통달한 신적인 존재가 아닌 이상 누구와도 대화를 이끌어 가는 친화적인 성격이었다.

"안녕! 맙소사, 친구들이랑 이런 데 있으니까 신기하다. 한 번도 수학여행 못 갔거든, 노먼 베이츠 같은 우리 엄마 때문에. 카일이 항상 말하던 애들이 너희인가 보다."

에밋은 쉬지 않고 조잘거리며 브리짓을 시작으로 제이크, 콜린을 가리켰다.

"가슴 큰 애, 호들갑 쩌는 애, 음담패설 장인이었나? 오, 우리 카일이 그렇게 말했다고 해서 괴롭히지는 마. 아주 착한 애들이라고 들었거든. 카일이 날 데려오고 싶어서 데려온 것도 아닐 테고, 안 그래? 카일?" 에밋이 고개를 돌리고 카일을 보며 말했다. 그러곤 제키 쪽으로 시선을 두었다. "워, 미안. 바로 앞에 있었는데 몰랐네. 아, 얘 알아. 카일이 나한테 안 말해준 애가 없네. 카일 얘기로는 너 정말 귀엽다던데. 세상에. 너 처녀니? 왜냐면 항상 그랬거든! 내가 본 작고 귀여운 여자애들은 한 번도 남자랑 안 한 애들이었어. 참고로 나도 안 해봤으니까 화 내진 마. 여자들은 섹스하는 순간 부쩍 크는 건가? 뭐 내 키는 평균을 좀 넘긴 타입이니까 그건 아니겠네."

에밋이라는 여자애는 말 그대로 평생 말문이 막힌 채 살아오기라도 한 것처럼 쉴 줄을 모르고 재잘거렸다. 친구들이랑 대화를 안 해봤나? 제키는 생각도 없이 에밋을 바라보았다. 확실히 다른 여자들에 비해 키가 좀 컸고, 호감을 살 법한 청순한 외모였다. 제키는 마냥 그녀를 훑어보다가 어색하게 구겨진 미소를 보이고 침대에 앉았다.

"그래, 에밋, 더는 안 말해도 돼. 사실 우리가 방금 술을 살짝 마셔서 머리가 좀 아프거든? 의학적으로는 이럴 때 방대한 양의 정보가 들어오면 두통이 심해져. 그러니까 말 많이, 크게 하는 건 잠시 동안은 자제해 주면 좋겠는데. 어때? 어려운 부탁은 아니지, 에밋?" 브리짓은 애써 친절한 미소를 지으며 이마에 걸친 선글라스를 침대에 내려놓았다.

"워어, 그래? 진짜 미안. 걱정 마. 그게 어려웠으면 난 지금쯤 오렌부르크 주 제6교도소에 들어가고도 남았을 거야." 에밋이 과하게 과장하며 말했다. 농담 치고는 진심인지 아닌지도 구별을 할 수가 없었다.

콜린이 입을 뗐다. "어… 우린 지금 피자 사러 갈 건데. 그래서…."

"이런 데 피자집이 어딨어?" 카일이 의아한 표정으로 서슴없이 물었다.

콜린은 그에게 진심으로 불주먹을 선사하고 싶었지만 대신 눈치 좀 보라는 의미에서 눈을 번뜩 크게 떴다. "렘포트 아랫마을에 안 팔려서 닫는다는 피자집이 있다 해서. 렘포트에 살았고 오자고 한 건 너니까 더 잘 알 거 아니야?"

"아랫마을에 피자집 있단 소리는 못 들었는데…."

"카일, 너 고집부리는 것 좀 안 했으면 좋겠다. 진심이야. 있는지 없는지는 가 봐야 아는 거야. 네가 맹신하는 네 기억이 틀렸으면 어떡할 건데? 너 때문에 우린 끝내주는 페퍼로니 피자를 못 먹게 되는 거지."

콜린이 참다못해 몰아붙였다. 카일은 그가 페퍼로니 피자가 아니라 당장 술이 필요하다는걸, 그리고 분위기가 졸업 파티 당일에 누가 죽기라도 한 것처럼 망쳐지지 않길 바란다는 걸 전혀 모르고 있었다. 평소 엄마 눈치도 못 살피는 녀석이 친구 눈치 잘 살필 거라고 기대하는 건 무리였으니 일행에게 놀라운 일은 아니었다.

"내가 언제 그랬는데?" 모두의 시선이 일제히 쏠리자 카일은 못내 입구에서 비켰다. "알았어! 없어도 난 몰라. 나도 배고 프니까 빨리 다녀와. 벌써 4시야." 그는 노을 지는 하늘의 색이 비쳐 보이는 창문을 가리키고는 계단 아래로 사라졌다.

"와, 카일 진짜 눈치 없는 거 알고 있었지만 심하다. 너네 뭐 사러 간다고?" 에밋이 능청을 떨었다. 브리짓은 당장이라도 그 녀의 면전에 대고 '카일이 널 데려온 게 눈치 없는 짓이라니까 '라고 말해주고 싶은 심정을 억눌렀다.

"우리 피자…."

"그래, 피자. 나도 너무 배고픈데 잘 됐다. 혹시나 서두르느 라고 차에 치여 죽거나 골절돼서 오진 말고. 나 여기서 기다릴 까?"

"당연하지, 우린 빨리 가서…."

브리짓이 끼어들어 콜린의 말을 잘라냈다. "잠깐. 나도 갈래. 끼리끼리 사고 칠까 봐 둘이 못 놔둘 것 같아서 그래. 괜찮 지?" 그녀는 함께 선 콜린과 제이크에게 사나운 눈빛을 보내며 고개를 낮추었다.

그들은 브리짓의 의도를 단번에 파악했지만 좀처럼 끼워주려 하지 않았다. 아마 귀찮고 마음에 안 드는 이 상황을 드라이브 내내 자신들에게 털어놓으며 욕지거리할 그녀의 모습이 상상이 돼서 그런 걸까? 콜린이 입을 꾹 다물고는 고개를 살살 저었 다.

"우릴 뭘로 보는 거야? 넌 여기서 뭐라도 하고 있어. 보드게 임이라든지, 그냥… 남은 샌드위치라도 먹든지. 금방 올게."

제이크는 따라가겠다는 그녀를 냉정하게 밀어냈다. 차를 타는 순간 그녀의 성질을 받아주는 쓰레기통 역할이 되기 싫었던 것도 있지만, 금방이라도 사고 칠 것 같이 행동하는 에밋을 담당할 수 있는 사람은 같은 여자기도 하고 발랄해서 공감대 형성이나 대화가 비교적 자유로운 브리짓이었기 때문이다. 제이크는 브리짓을 보다가 제키를 향해 슬쩍 눈짓했다. 외설스러운 이야기는 안 좋아하고, 걸즈토크에 자의로 끼지 않고, 까마귀처럼 까만 색깔만 고르지만 대체로 호의적이고 일이 귀찮아지는 —대화할 거리가 떨어진 브리짓의 도와달라는 신호를 무시해서 나중에 두고두고 화자되는—것을 싫어하기 때문에 셋이 같이 있으면 에밋과 괜찮은 시너지를 내서 저절로 친해지지 않을까 하는 생각이 들었다. 그리고 그 짐작은 반쯤 들어맞을 것이다.

"다녀와. 늦지 말고." 제키는 남자 둘을 번갈아보며 반대쪽에서 손을 흔들었다.

"피자 안 가져오면 죽을 줄 알아." 브리짓이 알게 모르게 싫증 내며 짐을 떨어트려 놓았다.

제이크는 제 까다로운 여자친구가 어느 순간 자신의 직장 상사로 변하지 않기를 바랐다. 하지만 그 일은 이미 일어난 듯 보였다. 그는 주눅 들어서 밭 일구러 가는 한가한 농부처럼 허리를 숙이고 먼저 나갔다. 이어서 콜린은 숙소에 남겨질 여자들에게 윙크를 하고—눈치를 봐서 그런지 매력은 모르겠고 매를 맞아야 할 것 같은 얼굴이 됐다—제이크를 따라나갔다.

"음, 그래서…." 정적이 감도는 구역에서 제키는 먼저 말을 꺼냈다. "이제 '땀 냄새 가득하고 뜨거운 차 안에 1시간가량 방치한 먹다 남은 샌드위치를 먹는다'에 동의하는 사람?"

운전을 해가는 도중에도 제이크는 '우리끼리 가서 재밌게 놀기로 약속된' 일정에 어떻게 에밋이 끼게 된 건지를 생각했다. 이미 뒤에서 모든 정황을 설명한 뽀글 머리가 세 자리를 전부 차지하고 드러누워 있음에도 말이다. 제이크와 콜린에겐 여전히 의문뿐이다. 이해는 했지만 이 사실을 받아들일 수 없는, 아니면 받아들여야 한다는 것이 통탄스러운 단계를 거치고 있었다. 카일은 이 분노한 운전자 모임을 피하려 했지만 '배고프니까 빨리 다녀오라'고 말한 순간 그들은 카일에게 뭐가 어떻게 된 일로 성격 이상한 여자애를 데려오게 된 건지 듣기 위해 이를 갈며 방에서 나왔다. 그러나 카일은 구질구질한 사정과 이야기를 늘어놓는 와중에도, 끝나고 나서도 이 사항을 먼저 말하지 않은 것에 대해 미안해야 할 이유도 모르고 필요도 못 느끼고 있었다. 자기 입장에선 뭐 예쁜 여자가 셋이니 아무래도 좋을 수밖에.

카일은 타고난 부잣집 애였다. 그들이 이곳 마을에 있는 여관에 그들만의 여행을 올 수 있었던 것도 돈이 차고 넘치는 카일, 그 자기가 데려온 여자애와 똑같이 성격 이상하고 눈치 없는 카일 덕분이었다. 카일에겐 돈이 있으니 여유도 많고 인생도 평탄하니까 지금까지 사람이 많이 꼬였다. 그들은 그중에서 살아남은 독기 가득한 십 대들이라고 볼 수 있다. 그의 마음에 들기 위해서 얼마나 많은 호의를 바치고 궁금하지 않은 취향에 재미를 들여주었는지 그들은 이제 기억할 새도 없었다. 당연하지 않았던 것이 당연하게 되어버리면, 고마워해야 할 것에 불평하게 되고 조금의 손실도 용납하지 못해서 백 번의 손해를 불러온다.

"에밋이라는 애가 엄마 친구 딸이다? 그래, 다 좋은데, 그게 우리랑 뭔 상관인데?" 제이크가 운전대에 놨던 오른쪽 손을 냅다 들며 말했다. "어쨌든 우리한테 그런 말은 없었잖아? 사전에 얘기라도 해줬어야지! '우리'만의 시간을 가지는 거 아니었어? 내가 잘못 알고 있었던 건가? 어?"

점점 제이크의 언성이 올라가자 콜린이 끼어들었다. "우리 말은, 한 번은 우리 시간을 가져보고 싶었다는 거지. 우린 그렇게 해 본 적 없거든."

"아 그러서? 저번엔 강아지 데려온 걸로 뭐라 하더니 이젠 '너네'만의 시간을 가지느라 내 사정은 상관없고 나는 또 빠져줘야겠다?" 콜린이 끼어든 건 아무래도 소용이 없었다. 카일의 언성도 제이크 못지않게 올라갔다.

"언제까지 과대해석 할 거야? 그냥 에밋을 꼭 데려왔어야 했냐고 말하는 거잖아. 그거에 대해 사과하는 게 그렇게 어려워? 같잖은 자존심 굽히기 싫어서?"

"넌 우리 엄마를 잘 알지도 못하잖아! 엄마가 그렇게 하는 게 맞다고 하면 그렇게 해야 하는 거야. 너네 엄마가 어떤지는 몰라도, 적어도 우리 엄마는 그런 사람이야. 그러니까 엄마가 하라고 해서 데려왔을 뿐이라고. 얼마나 말해줘야 알아들을 거야?"

"지금 네 입에서 빌어먹을 '엄마'라는 단어만 몇 번이나 나왔는지 셀 수가 없다! 나는 네가 미리 알려주지 않았다는 게 짜증 나는 거라고! 우리보다 일찍 드라이브해서 온 새끼가 어떻게 그동안 연락 한 번 할 생각을 못했지? 스스로도 이상하다고 생각하질 못하는 거야, 아니면 생각하기 싫은 거야?"

콜린이 혼란스러운 공기 속에서 다시 끼어들었다. "야… 너네 왜 그래? 여자 못 먹어서 싸우는 것처럼 보이네."

"넌 닥쳐, 콜린!" 제이크가 경적을 빵빵 두들기며 소리쳤다.

"그래 그 나불거리는 입 좀 닥쳐!" 카일이 거들며 고함쳤다.

콜린은 이럴 때만 한마음 한 뜻으로 한사람을 엿먹이는 둘이 애석하기만 하다. "갑자기 왜 지랄이야? 진심으로 뭐 잘못 먹었냐?"

"상황 파악 안 되면 그냥 가만히 있어! 안 그래도 머리 깨질 것 같으니까!" 제이크가 되려 성질을 내며 경적을 더 두들겼다.

그 순간, 물 흐르듯 잘 흘러가던 자동차가 돌부리에 걸린 듯 부쩍 앞으로 기울어 일행은 사탕 먹다 목에 걸린 사람처럼 튀어나갔고, 모든 게 불시에 우뚝 멈춰섰다. 제이크가 급하게 브레이크를 밟은 모양이었다.

제이크는 누구보다 먼저 별안간 욕설을 뱉으며 앞을 내다보았다. 히치하이커로 보이는 사람이 엄지를 치켜들고 서 있었다.

"저건 씨발 뭐야?" 뒤로 밀려난 카일이 몸을 일으키며 말했다.

콜린은 분노로 아드레날린이 분비되고 있지 않았고 한눈을 팔고 있지도 않았기 때문에 급정차의 충격을 고스란히 받은 채로 누가 떼어내려 해도 강력한 압착력을 자랑할 문어처럼 의자에 딱 붙어서 숨을 몰아쉬고 있었다. 타이어 마찰음이 끼익 하고 길게 울리는 순간 그는 삶의 끝을 직감했을지도 모른다. 하지만 다행히도 그런 끔찍한 일은 일어나지 않았다.

그들의 눈으로는 틀림없이 히치하이커였다. 앞으로 쭉 뻗은 길에 사람 한 명이 우두커니 서서 차 태워달라고 하는 꼴이 이상하게 느껴지긴 했지만, 저 뚱뚱한 가방과 꾀죄죄한 차림새를 보니 의심할 여지는 없었다. 모르는 사람의 부탁을 거절하는 성격이 아닌 콜린이 운전대를 잡았더라면 서슴없이 그를 태워주고는 고맙다고 하지도 않은 불쌍한 히치하이커에게 '천만에요'를 뿌듯하게 말할 것이다. 하지만 제이크는 그렇게 너그럽고 자비로운 성격이 아니었다. 아마 그의 사정을 듣기도 전에 창문을 열어서 '죄송해요, 죽은 할머니 장례식장에 가는 길이라서 힘들 것 같네요'라고 말한 뒤 엑셀을 힘차게 밟고 매연을 뿜어대며 달려갈 사람이었다. 사람 기분 상하게 하는 데에 특출난 재능이 있다는 의미다. 그러나 제이크는 다수결의 법칙을 실행하길 세상 누구보다 좋아했기에 카일의 수락이 있다면 콜린, 카일 두 명 대 제이크 한 명으로 히치하이커를 태울 자리를 마련할 수 있었다.

"저 새끼는 왜 길 한복판에 서 있는 거야? 밖에 안 나오고?" 제이크는 계속 불평했다. 히치하이커는 정면에서 차를 올려다보며 손을 흔들더니 왼쪽으로 다가왔다. 그는 창문을 열어줘야 한다는 생각에 짜증 났는지 이마를 탁 치고는 마지못해 창을 내렸다.

"저기, 제가 길을 잃었는데…."

히치하이커가 말을 끝내기도 전에 제이크가 말을 잘랐다. "죄송한데 우리 어머니 장례식장 가는 길이라서 안 될 것 같네요. 다른 사람 찾아보세요. 유감입니다."

"아니 그런 게 어딨어요? 잠깐만요! 제발 부탁이에요!"

그가 차를 붙잡으려 소리쳤지만 제이크는 아랑곳하지 않고 다시 액셀을 밟았다. 우웅 소리와 함께 차는 달리기 시작했다.

콜린은 그와 멀어져가는 차를 느끼며 몸을 일으켜 뒤를 돌아보았다. 기분이 언짢은 카일과 아주 작은 히치하이커가 보였다. 창문 너머의 외침이 먹먹한 웅얼거림처럼 들렸다.

"왜 그냥 태워주지 않은 거야?" 콜린이 찝찝한 마음에 물었다.

하지만 제이크는 이마를 찌푸리고 여전히 혼자 화에 잠겨있을 뿐이었다.

"넌 지금 이 상황에 지 지능 간수 못해서 길 잃은 놈을 태워주고 싶냐?" 제이크의 어조는 전혀 낮아지지 않았다. 침착이라는 걸 모르는 무능한 사나이 같았다.

"넌 그럼 이 더운 날씨에 길 잃어서 열사병으로 뒤질 사람보다 우리 싸우는 게 더 중요하냐? 네 지능이 더 간수 안 되고 있는 것 같은데."

언제나 소란이 일어나면 그건 대부분 제이크와 카일의 자존심 싸움 때문이었다. 필립의 생일엔 사준 시계를 한참 지난 자신의 생일에는 사주지 않았다는 이유로, 케이크에 자기 이름 예쁘게 써달라고 한 브리짓의 부탁은 들어줬으면서 케이크에 초 꽂지 말라는 자신의 부탁은 안 들어줬다는 이유로 등등 많은 일들이 있었다. 콜린은 생각했다. 최근 제이크는 스스로 하려고는 하던 예전과는 상당히 달라졌다고. 그건 걸어다니는 돈 자판기가 곁에 있으니 그런 거겠지. 아마 카일과 막 친해졌을 때도 얻어먹으려는 성향이 조금씩 엿보였을 것이다. 콜린은 제이크를 아주 모르진 않았다.

"이봐, 여기서 피 보기 싫으니까 그냥 닥치고 있어, 카일. 넌 한 번도 내 부탁은 들어준 적 없었잖아. 돈도 많으면서 잃을 게 뭐 있다고 그러는 건지 이해가 안 돼. 에밋이 그러는데, 너 눈치 없다더라. 돈은 있는데 지각력은 없나 봐?"

"맙소사. 그깟 네 부탁 안 들어준 거 가지고 그러는 거였어? 유감이네! 브리짓이랑 콜린을 핑계로 나한테 붙으려는 거 내가 모르는 줄 알았나? 어디까지 이렇게 뻔뻔한지 더 보여줄 거야? 미안한데 필요없거든?" 카일이 드디어 그 얘기를 꺼냈다. 노력 안하는 제이크. 뻔뻔한 제이크. 불쌍한 제이크. 그는 콜린이나 브리짓에게 했던 것처럼 누구에게나 좋은 친구가 될 수 있었지만 카일에겐 그러지 않았다.

한동안 제이크는, 마침내 입을 다물고 명상을 하기 시작했다. 물론 안전한 운전은 하면서. 예상보다 제이크의 분노가 부풀어서 콜린은 얌전하고 착한 역할로 남았지만 원래는 같이 몰아붙여서 에밋을 돌려보내려는 앙심을 품고 있었다. 에밋이 방에 들어온 순간부터 제이크와 함께 그럴 작정이었다. 이제 카일은 이들이 피자집을 핑계 삼아 자신에게 화내려 했다는 걸 깨달았다. 아랫마을엔 전확히 피자집이 없었다. 콜린은 뒤늦게 안전벨트를 꼭 매고 천천히 숨을 내쉬었다. 카일은 더이상 뒷좌석에 벌러덩 누워있을 생각이 없었다.

제이크는 브리짓에게 한탕 혼날 준비를 해야할지도 몰랐다.

"제키, 혼자서 뭐 해?"

침대에 누워 손가락을 만지작거리는 제키에게 브리짓이 선뜻 다가와 물었다. 그녀는 이제 흰 끈 나시를 입지도 않았고 분홍색 테두리가 하나뿐인 자랑인 선글라스도 들고 있지 않았다. 무엇보다 그녀의 얼굴은 꾸밈 없는 본판이었다. 제키는 그녀가 화장을 지운 적이 있었는지 자신의 기억을 빠르게 돌아보았다. 브리짓이 화장을 지운다? 이런, 기억을 좀 더 느리게 둘러봤어야 했나? 아무리 생각해도 그런 기억은 존재하지 않는 것 같았다. 브리짓은 언제나 남자들에게 사랑받고 예쁘다는 수식어가 붙는 전형적인 퀸카였다. 제키는 자신이 보지 말아야 할 것을 본 것 같았다. 화장을 지운 걸 모르고 있나? 내가 알려줘야 하나?

멍하니 뜬 눈으로 브리짓을 바라보고 있자 그녀가 툭 말을 꺼냈다.

"에밋은 자고 있어. 내가 너무 열심히 놀아줘서." 브리짓이 속삭였다. "괜찮은 애더라. 같이 지내도 문제 없을 것 같아. 맞다, 제키, 쌩얼 처음 보지?"

제키는 그녀가 화장을 지운 걸 알고 있다는 사실이 놀라웠다.

"멸종위기동물 보는 것처럼 보지는 말고. 화장 새로 하려고 지운 거거든."

그런 줄은 알고 있었지만 역시 놀라웠다. 제키는 "미안." 하고는 다시 몸을 돌려 벽을 보고 누웠다.

브리짓이 또다시 뒤에서 말했다. "난 내 친구들이 다들 행복했으면 좋겠어. 이런 말하는 건 다른 게 아니라 그냥… 가끔 내 기분 못 감춰서 너희 속상하게 한 일이 많은 것 같아서 새삼 미안해졌어. 너한테도 그랬겠지? 나 진짜 이상하게 보이겠다. 미안."

제키는 조금 귀찮다고 느끼며 고개를 돌렸다. "뭘. 남들이 보기엔 넌 본받기 좋은 인물이야."

"아니, 난 항상 너무 부족해. 다들 잘한다고 해도 그런 것 같지가 않아. 뭔가 더 많이 해야 할 것 같은 느낌 알아?" 브리짓은 슬슬 말을 더듬었다. "그러니까, 음, 그런 거지. 넌 매일 집에서 말 안 듣는 동생을 위해 써니 사이드 업을 해주고 그걸로 충분하지만 뭔가 더 해야 할 것 같은…"

"나도 알아, 브리짓." 제키는 결국 침대에서 일어나 발을 맞대고 앉았다. 그녀가 입은 헐렁한 흰 티가 탐났다. 바로 와서 옷을 갈아입을 생각이었는데 다른 잡념과 피로에 둘러싸여 미처 행동하지 못하고 있었다. "괜찮아? 거울 보면서 마음 추슬러. 누가 제일 예쁜지 보면서."

느닷없는 제키의 말에 브리짓이 싱긋 웃었다. 그녀의 윤기나는 머리칼이 양쪽 어깨 앞으로 흘렀다. "고마워. 가방이 어딨더라?"

제 물건이 어딨는지 알면서 모르는 척하는 것은 사람들의 공통점일까? 그녀가 막 침대 밑에서 가방을 꺼내려 할 때쯤, 제키는 바람이나 쐬고자 방을 내려갔다.

험악해 보이는 사람들이 북적이지 않는 복도를 지나 입구에 다다르기까진 곳곳에 배인 담배 냄새를 맡아야 했다. 입구에서 흘러들어온 여름 바람은 그만한 가치가 있었다. 고개를 들자 주황색으로 물든 하늘 밑에 익숙한 얼굴이 홀로 걸어오고 있었다. 제키는 그 얼굴이 누구의 것인지 알아보기 위해 안경을 안 가져온 수학 선생님처럼 눈을 가늘게 뜨고 인상을 써야만 했다. 내가 아는 얼굴인데. 그녀는 마치 그 사람의 걸음걸이도 놓치지 않으려는 듯 직접 다가갔다. 그녀의 보폭이 성큼성큼 벌어졌다. 그는 뭔가 자꾸 중얼거리며 걷고 있었다.

"이봐, 필립?" 그녀가 크게 불렀다.

필립이었다. 짙은 녹색 반소매 셔츠. 잊으려야 잊을 수 없는 색이었다. 그는 부름에 화답하듯 빠르게 고개를 들어 반응했다. 하지만 곧 다시 시선을 돌리며 뭐라 말하는 기색이었다. 단순히 입모양으로는 뭘 얘기하는지 알 수 없었다.

"필립!"

"제키?" 이번에 그는 그녀의 얼굴을 똑바로 바라보며 답했다. 서로 간격이 좁아지고 나서야 겨우 대화를 나눌 수 있었다.

"벌써 5시야. 그동안 뭐 했어? 브리짓은 네가 두고 온 게 있다고 하던데. 두고 온 게 혹시 드럼세탁기야?" 처음에는 화내는 듯하더니 그 뒤 제키는 그를 한껏 놀리며 웃었다.

"그냥 차에서 숨 좀 돌린 거야." 필립은 혼자 머리를 긁적였다.

"그래, 1시간 동안?" 제키는 못 믿겠다는 투였다.

"유감스럽게도 진짜거든."

"넌 거짓말한 적 없으니까 그렇다면 그런 거겠지."

"저기, 브리짓한테는 다른 건 없다고 해줘. 왜냐면 실제로 다른 건 없었고 너한테 말했던 것처럼 1시간 동안 숨 좀 돌린 거니까. 머리 식히려고 그랬는데 어쩌다 보니까 차에서 자버렸다고… 그렇게 말해줄래?" 필립의 목소리가 기어들어 가는 듯했다. "브리짓이 나한테… 많이 화난 것 같아. 자기 노력을 몰라준다 그랬나?"

"오, 그거 신경 쓰지 마. 방금도 좀 그럴 뻔했어. 그냥 요즘 감정 기복 심한가 봐."

"이게 다행인지 아닌지 모르겠는데."

"적어도 금방 잊는다는 점에서 다행이지." 제키는 필립에게 손가락질을 하며 말했다. "상대는 두고두고 기억할지 몰라도."

"참 다행이다?"

제키는 옅게 미소 지으며 필립의 등을 쳤다. "어서 들어가. 제이크랑 콜린이랑 카일은 자기들끼리 싸우러 간 모양이니까."

필립은 희미한 웃음을 내보이곤 터벅터벅 걸어들어갔다. 제키가 바라보는 그의 뒤통수는 언젠가 본 적 있던 누군가의 사진 속 자신의 뒷모습과 닮아 있었다.

제키는 익숙한 동질감을 느끼며 그를 뒤따랐다.

✂

내일이 없으면 오늘도 없다.

4
캐빈 피버

Original by Eli Roth's 〈Cabin Fever〉

나는 그야말로 찬밥 신세가 되어 물 밖으로 건져낸 늙은 물고기처럼 진이 빠진 채 누워있었다. 두 침대가 양쪽 벽을 차지한 그 사이의 마룻바닥에 말이다. 몇 분만 더 있으면 아무도 날 신경 쓰지 않고 찾지도 않아서 고대 이집트 미라가 되어 세상에서 사라질 것만 같았다. 방을 몇 번씩 오가는 사람들을 보며 든 생각은, 끝내줄 예정이었던 그들만의 휴가에 부디 나도 끼워줬으면 하는 것이었다. 이래 봬도 왕년에 학교에서 노래 좀 했던 사람인지라, 이런 데 내가 없으면 걔네 진짜 아까운 거다. 캠프파이어에서 술 마시고 주정뱅이처럼 머리를 흔들고 터는 미친 사람을, 이상하게 노래 하나는 맛깔나게 말아주는 사람을 영원히 보지 못하고 넘어갈 테니. 하지만 여기 있는 이들 중 그 누구도 내 목청 수준을 궁금해하지 않았다. 그냥 평범한 또래 여자를 좋아하고 또래 남자에게 불같이 성을 내는 게 다였다. 그게 가장 거슬렸다. 나를 끼워주고 말고는 상관없이 몸매에 비해 끼는 티를 입은 남자애가 폭탄 근처에 있다가 온 듯한 뽀글머리 남자애한테 밑도 끝도 없이 화만 내고 있었다. 게다가 여기 누워있는 20분 동안 대체 찌질한 남자애 둘이서 뭐 때문에 싸우고 난리인지 알아낼 수 없었다. 알아내는 것이 의무는 아니었지만 순수한 궁금증은 의식하지 않든 의식하든 그새 서서히 불어나기 일쑤였다. 내가 왜 그 남자를 괜히 따라들어와서 예민한 남자애들의 싸움을 구경하고 있어야 하는지. 내 안에 커져가는 불만과 답답함, 그리고 지금은 잦아든 불안의 씨앗을 아무렇지 않은 청소부 아줌마처럼 능숙하게 짓누를 수 있다면 정말 좋을 텐데. 아예 싹도 트지 못하도록 그냥 확.

팔짱을 낀 채 누워서 여자들이 머리를 감고 들어오는 모습을 지켜보다 남자가 왼쪽 침대에 털썩 앉는 게 보였다. 그는 한 손으로 머리를 쥐어박으며 한숨을 토했다. 여자친구와의 말다툼에서 중대한 실수를 저지른 정도가 아닌 이상 이런 모습이 나오기엔 어렵다. 아니, 이젠 쉬운 일인지 모른다. 왜냐면 여긴 빌어먹을 영화 속이니까.

"문제 있어? 살인마 치고는 안색이 영 별로군."

"살인마가 아니니까 그렇죠." 남자는 고개를 뒤로 기울이며 작게 말했다. "그냥 브리짓이라는 애 감당하기 힘들어서요. 뭐전 그걸 가만히 듣는 역할이라서 딱히 뭐라 할 말은 없고요."

지나가면서 금발 여자애를 브리짓이라고 부르는 남자를 본 적 있다. "그래, 이게 망할 영화라서 넌 그냥 대본대로 해야 한다고?" 난 체념하고 고개를 돌려 남자를 부드럽게 바라보았다. "그럼 나는 대본에도 없는데 대체 왜 대화해 주는 건데? 난 여기서 죽을 거야. 영락 없이. 집에서 여유롭게 위스키 한 병을 클리어하고 소파에서 뒤집혀 자다가 죽는 행복한 백수 인생을 맞이하지 못한 채 말이지."

"당신은 사람들 눈에 안 보이니까 제가 당신과 대화하는 게 눈에만 안 띄면 이상하게 취급받을 이유가 없죠." 남자는 두 손을 시트에 짚었다. "등장인물들이 여기가 영화라는 걸 알면 그 배우들을 끌어들일 거예요. 정확한 이유는 모르지만 그전에는 그랬어요. 그러니까 제발 말 걸 때는 눈에 안 띄게 해줘요."

"여기 갇혀서 잃을 것도 없는 사람이 남 신경 쓰기 바쁘네." 난 살짝 비아냥거리듯이 눈을 흘겼다. "진작에 여기 같이 갇힌 사람이나 신경 써주지?"

"세상에, 처음에 만난 사람이랑 똑같은 말을 하네요. 당신은 당장 불안에 빠져서 모르겠지만 엄청 신경 쓰고 있어요. 일찍이든 늦게든 여기 와선 의미 없지만 제발 되도록 일찍 깨달아 주셨으면 좋겠네요." 남자는 차라리 받아들이기로 한 듯 기분 나쁘지 않은 웃음을 보였다.

"네가 날 어떻게 볼 수 있는 거지? 선택받은 전사 뭐 이런 설정이 아니고서야…."

"모르겠어요. 제 캐릭터가 완성되지 않아서?"

완성되지 않은 캐릭터라. 반반한 외모에 어울리지 않는 성격이 그 때문이었나? 그러니까 내 앞에 있는 게 필립이 아닌, 그를 연기한 배우라고?

너무 생생한 꿈은 현실과 혼동되기도 하지.

매이브는 먹구름이 무럭무럭 자라고 지붕 위에 오줌이 쏟아지고 천둥번개가 세찬 연주를 들려주는 날마다 내가 꾸는 곰팡이 핀 악몽에 대해 위로를 건네곤 했다. 그 악몽은 마치, 모든 게 프랑스어로 된 카페가 있는데 거기 메뉴가 '빅 슈거 스위트 스트로베리 아마겟돈 블래스트 샷'과 같은 이름투성이인 것처럼 난해한 내용에다 종류도 가지가지였다. 산처럼 솟아오르는 파도에 덮쳐지면 그 안에서 고민하는 남자의 자세로 변기에 앉아 폭풍을 자아내는 이상한 사람을 만났고, 오아시스* 콘서트에서 스키드로우** 노래를 부르는 리암 갤러거를 보고 있으면 그레이엄 콕슨***이 펜더 기타를 들고 〈There's No Other Way〉 리프를 연주하며 슬라이드 해서 난입했고, 호프집에서 생맥주와 프라이드치킨을 즐기고 있으면 '다들 내가 프랑켄슈타인인 줄 아는데 사실 프랑켄슈타인은 나를 만든 미친 과학자 이름이야'라며 눈을 부릅뜨고 뮤지컬 여주인공처럼 감미롭게 노래 부르는 프랑켄슈타인을 볼 수 있었다(자기는 프랑켄슈타인이 아니라고 하던 프랑켄슈타인에겐 심심한 사과를 보낸다). 좋은 꿈을 꾸고 인생도 나른한 참견쟁이들은 악몽이라더니 별거 없다고 생각하겠는데 내겐 그런 터무니없고 혼란스러운 꿈들이 마이클 잭슨의 〈Billie Jean〉을 최대 음량으로 틀어놓은 헤드셋을 머리에 쓰고 2시간 동안 드럼을 치는 것과 같이 느껴졌다. 그러다 보면 조금씩 '올드팝 꽤 괜찮은데'하고 착각하게 되는 것처럼 ─올드팝이나 디스코를 좋아하는 사람들에겐 미안하다─그런 난잡한 꿈도 오래 꾸다 보면 '이게 내 현실이야'라고 착각하게 되는 것이다. 그 호프집 꿈을 꾸었을 땐 실제로 술 퍼먹고 뻗은 거지만. 아무튼 이 꿈에 대해 매이브는 내게 꿈은 꿈일 뿐이라는 걸 거듭 강조했다. 인간의 내면에 내재된 잠재적 공포가 무의식 속에 나타난 것뿐이라고.

---

* Oasis. 1991년 영국, 노엘 갤러거와 리암 갤러거를 중심으로 결성된 록 밴드.
** Skid Row. 1986년 미국에서 결성된 글램 메탈 밴드.
*** Graham Coxon. 영국의 브릿팝 록 밴드 블러의 기타리스트.

너무 생생한 꿈은 현실과 혼동되기도 하지.

하지만 난 단 한 번도 바닷속의 똥 싸는 남자나 완성 안 된 캐릭터에 대해 두려움을 느낀 적 없었다.

그냥 특이한 정신병에 걸린 것 아닐까?

"그거 알아? 네 말을 들으면 들을 수록 머리가 아파져. 그러니까 난 차라리 여기 죽은 듯이 누워있을래."

그는 눈을 가늘게 뜨곤 힐끗 날 바라보았다. "참 아쉽네요."

다시 지겨운 정적이 시작됐다. 다만 복도와 아래층에서 남자의 친구들이 왁자지껄 떠들어댔다. 걔넨 어떤지 몰라도—영화의 설정상 어떤지 몰라도—나의 십 대 시절은 참 파란만장했다. 어느 순간 엄마를 만날 수 없었던 4살 때도 그러지 않았는데 이상하게 15살 때부터 그랬다. 모든 십 대들의 향수와 같은 시절이지. 교실에 하늘소 두 마리를 풀어놔서 고생시킨 선생님과 네가 내 엄마인 줄 아냐고 뒤늦게 성이나 냈던 매이브에게 사과하러 날아가도 모자랄 판에 이런 일이 벌어진 건 아예 내 천성 탓이 아닌가 싶다. 그때 밑에서 병이 깨지는 소리와 '콜린'이라는 이름이 웃음과 함께 오갔다. 이런. 사고 치는 건 나랑은 상관없지만 뒤처리는 자기들 몫이어야 할 텐데. 공포 영화에서 예의 없이 굴면 벌받거든.

"그래서, 인트로에 들어있는 당신 원래 이름은 뭔데?"

"그린이에요." 그린은 자기 옷깃을 살짝 잡아당기며 으쓱해 보였다.

"촌스러운 옷 색이랑 똑같네." 하필 이름도 그린이고 옷 색도 그린이라니, 웃긴 우연이 아닐 수가 없어서 피식 웃음이 나

74

왔다.

"하나도 안 촌스럽거든요."

"미안. 개인적으로 그렇게 생각해서."

"당신 이름은 뭐예요?"

나는 조금 고민했다. "미스 인비저블이지."

"저도 이상한 말 하려면 종일 할 수 있는데 안 했다는 걸 알고 계셨으면 해요." 그린이 어이없어하며 입꼬리를 올렸다.

묘하게 마음이 편해진 덕에 꼬고 있던 다리를 풀고 대자로 누웠다. "리키 페이턴."

"이름 괜찮네요." 그린이 처음으로 부드럽게 웃는다.

"필립! 안 내려오면 술 안 남는다!"

한 여자애가 소리치며 그를 불러댔다. 뭔 술 게임을 하려는지 자기들끼리 아주 신이 났다. 그린은 내게 손바닥을 보이고 급하게 내려갔다. 하지만 혼자 있다는 불안감 때문에 직접 뒤따라가 보지 않을 수 없었다.

계단을 내려가자 처음 들어올 때 봤던 오른쪽에 문 두 개짜리 여닫이문이 있었다. 먹먹하게 들려오던 함성과 웃음소리가 바로 여기 안에서 나는 거였나 보군. 묘하게 풍기는 페퍼로니 피자 냄새를 따라 문 너머로 이동했다. 그들은 문이 열리는 걸 보지 못했다.

거의 바와 유사해 보이는 아늑한 공간이 시야를 가득 채웠다. 못 말리는 청소년들이 둥근 테이블에 둘러앉아서 투명한 잔을 가지고 무어라 크게 외쳐대고 있었다. 여기 들른 다른 사람들을 생각하지 못하는 모습이 정말 인상적이다. 나 같았으면 내 스트레스 때문에 쫓겨날까 봐 무서워서 오후 4시마다 밖으로 나가 실컷 비명을 내지르고 들어왔을 텐데 녀석들은 겁도 없다. 귀걸이를 하고 헤비메탈을 즐겨듣고 팔뚝에 문신이 가득한 양아치를 복도에서 만나봐야 정신을 차릴 것인가? 좋은 메탈 밴드를 추천해 준다면 쥐 패이지 않고 빠져나갈 수는 있을 것이다(메탈 밴드를 즐겨듣지만 폭력적이지 않은 소심한 사람들에게 내 편견을 드러내 미안하다). 2미터쯤 떨어져서 지켜보고 있을 때, 돌연 그들의 소란은 잦아들었다. 이유 불명인 상황을 목격하면 궁금해서 찾아보고 싶은 게 당연하다. 나는 그들에게 보이지 않는다는 걸 알고 서슴없이 걸어왔다. 이윽고 그린이 재빨리 돌아보았다. 그는 심하지 않을 정도로만 눈썹을 찌푸렸다.

테이블에선 그들이 고개를 내뺀 채 콜린을 바라보았다. 그의 뒤에는 산산조각 난 술병 조각이 샅샅이 흩어져 있었다.

"좋아, 대신 제이크한테 말하지 않는다고 매앵세에해." 콜린이 오른쪽 새끼손가락을 올려 보였다. "안 그러면 썰이구 뭐구 없다 인마들아!"

그는 어린 왕자에 등장해도 될 정도로 상당히 취한 상태였다. 어릴 적 술에 절어 들어온 나를 보는 매이브의 기분이 바로 이랬을까?

"약속할게. 걔 어디 갔더라?" 까만 생머리가 인상적인 여자애가 주위를 두리번거렸다.

"화장실 좀 가고 담배 피운다는 것 같던데." 그 옆에서 갈색빛이 보이는 단발머리 여자애가 거들었다. 다들 낮에 봤던 얼굴인데 이젠 편안한 잠옷 차림으로 해롱거리며 앉아있는 걸 보니 나까지 나른한 게 보기 좋았다.

뒤에서 필립이 어깨를 톡톡 두드리기에 그를 홱 돌려보았다. 그가 긴 깜장 머리 여자애를 가리키며 입모양으로 말하길 ′에밋′, 단발머리 여자애를 가리키며 말하길 ′제키′, 테이블에 엎드린 채로 잠에 들 것만 같은 금발머리 여자애를 가리키며 말하길 ′브리짓′이랬다.

"내 생각엔 에밋이 파이널 걸이야." 안 들릴 걸 알고 신나게 얘기했다. 그린은 그저 고개를 저었다.

콜린이라는 남자애는 누구도 말리지 않기에 친구들 앞에서 떠들기 시작했다.

"사실 아까 낮에 히치하이커를 봤어. 근데 제이크는 안 태우려 하더라고! 그래서 카일이 엄청 뭐라 했지, 불쌍한 히치하이커가 더워 죽게 생겼는데 자기들 싸우는 게 대수냐고. 나도 그건 동의해! 근데… 아, 제이크는 다수결을 입에 달고 살면서 자기한테 불리하면 갑자기 성향을 바꿔버리지. 불쌍한 제이크! 우린 히치하이커를 못 태워줬어. 많이 힘들어 보였는데…." 콜린이 갑자기 흐느끼며 눈에서 뭔가를 훔쳤다. "걔 열사병으로 죽었을 거야… 우린 태웠어야 했어. 그 바보를 태웠어야 했다고… 제이크…."

"갑자기 왜 그래, 콜린? 그 정도까진 아니었을 거야. 그리고 넌 모르겠지만 생각보다 이 마을을 오가는 사람들은 많아. 다들 그 일을 잊었거든. 누구든 그 사람을 태우고 마을을 여행하거나 나갔을 거야, 걱정 마."

브리짓이 정말 상냥하게 웃으며 콜린을 달래는데 순간 속눈썹이 팔랑거리는 줄 알았다. 이런 초저예산 영화에 훌륭한 미인을 섭외하다니 감독의 능력도 아주 만만하진 않은 듯하다. 그보다 '그 일'이란 영화 속의 가상의 사건을 말하는 거겠지? 스크림의 우즈보로 대학살 같은 거? 이왕 죽는 거 뭔 설정인지나 들어보고 죽자.

"'그 일'이 뭔데?" 제키가 의아한 듯 물었다.

"별거 아냐. 렘포트 마을에서 대학살 사건이 일어났다는 거 다들 몰랐어? 몇십 년도 더 된 이야기인데. 범인은 미쳤다나 봐. 아직까지도 여기 돌아다닌다는 소름 끼치는 소문이 있지."

"좋아, 이런 얘긴 그만하자. 내 솜털이 발발 떠는 것 같아." 에밋이 몸서리를 치며 브리짓을 툭툭 쳤다.

나왔다. 이곳에 도는 오래된 전설 설명하기! 그럼 친구들은 화자에게 진짜일 리가 없다거나 소름 끼친다는 반응들을 보인다. 그리고 에밋 때문에 그 이야기를 제대로 듣지 못하게 됐다.

"잠깐, 설마 실제 사건을 모티브로 만든 건 아니죠?"

"뭐… 실제 사건은 모르겠지만 어떤 대학살에서 살인마가 미친 뒤 발목이 묶여 밤마다 마을을 배회한다는 부분을 차용한 건 맞아요."

"그게 그거 아닌가?" 난 그린을 쏘아보았다. "살인마는 어떻게 생겼어?"

"어… 대걸레를 머리에 뒤집어 쓴 것처럼 생겼어요. 배공관이나 수리공처럼 보이는 점프수트를 입었고요."

"얼굴 가죽이나 무서운 가면을 쓴 게 아니라 대걸레를 뒤집어 썼다고? 대체 어떤 살인마가 그래…?" 난 그린이 하는 말의 반 정도는 이해하지 못해서 인상을 구겼다. 그린은 눈썹을 치켜올리며 자긴 모른다는 얼굴을 보였다.

"너 겁 없는 줄 알았는데, 에밋. 제키랑 똑같구나?" 브리짓은 짓궂게 웃더니 에밋의 머리를 마구 헝클어트렸다.

내 학창 시절엔 저런 친구가 없었지. 있다고 해도 끽해야 매이브였을 게 뻔하고… 잘 기억은 안 나지만. 고등학교 때 상담사는 내 성격 문제라고 했으니까 이제 와서 다른 동반자가 생기길 바라는 건 욕심일 거고.

그때 성품과 마음을 고쳐먹었더라면 인생의 노선이 올바른 방향으로 나아갔을지 더 어지럽게 틀어졌을지는 모르는 일이다. 하지만 역시 그렇게 생각해도 지나간 선택을 후회하고 다잡고 싶었다. 그런데 어쩜담. 평생을 그러고 있다가 단백질투성이 성인 남성 하나는 거뜬하게 갈려나가는 슬래셔 영화 속의 보이지 않는 엑스트라 1번이 되어 숨 쉬고 있는데.

리키, 이럴 때가 아니야.

'그래, 이럴 때가 아니야.'

노선이 어떻게 되었을지는 모르는 일이다. 올해로 26살인 미혼 여성이면 앞날이 창창하지, 그렇지 않나? 60살을 넘긴 노인도 번지점프를 하는 세상인데 26살이 해선 안 되는 일이 뭐가 있지?

나한테 기회가 있다고?

'하늘이 무너져도 솟아날 구멍은 있다더니.'

차라리 죽기 살기로 빠져나갈 방법을 찾아서 처음부터 다시 시작하는 거다. 매이브와 함께 폰크라운을 떠나 아무도 페이턴을 괴롭히지 않는 곳으로 터전을 잡자. 새 이웃들에게 작은 선물이라도 돌리고 길에서 자전거를 타거나 맨발로 달리는 귀여운 꼬마들에게 부드럽게 손짓하는 인생을 살기엔 아직 늦지 않았다.

이봐, 일단 그러려면 이 망할 필름을 찢어버려야지.

나한테 테이프가 없군그래. 젠장.

"근데 그러고 나서 뭔가 쿵하는 소리가 들렸어."

"카일이 방귀 뀌는 소리였겠지." 에밋이 장난스레 혀를 내밀었다. "나 화장실 좀 다녀올게." 그녀는 얄미운 목소리로 도나 서머의 〈Hot Stuff〉를 흥얼거리며 바로 내 앞을 지나쳐 갔다.

제키 옆에 쭈그려 또 뭔 얘기를 하나 싶어 귀를 기울이려는데, 에밋이 헉하는 소리가 구석에서 울렸다. 그녀는 메두사라도 마주친 듯이 굳어있다 발랄한 척 손짓하고 문 앞의 남자를 또 지나쳐 나갔다. 제이크였다. 문신이 없고 메탈만 안 들을 뿐 몸은 괴팍한 조폭과 맞먹는 정도였다. 보드게임하다 목말라서 나가려던 누구라도 활짝 연 문 앞에서 저런 사람을 마주치면 화들짝 놀라 문을 열던 순간으로 되돌아올 것이다.

"제이크? 좀 늦었네." 브리짓이 멋쩍게 웃었다. 그러다 쭉 뒤에 서 있었던 그린을 발견하곤 갑자기 벌떡 일어나 남은 의자들을 가리키며 영상 배속한 듯이 말했다. "오 필립 있는 줄 몰랐네, 자리 많으니까 아무 데나 원하는 데 앉아 그럼 술 좀 줄까?"

"나 빼고 재밌는 얘기한 거 아니지?" 안 좋은 첫인상 때문인지 제이크의 목소리는 그르렁거리는 것처럼 들렸다. 꼴에 사이즈도 작은 티 입은 것 좀 봐라. 자신을 어필하고 싶은 전형적인 악인 포지션이다.

"오히려 아쉬운 건 필립일걸. 콜린이랑 내가 샤르도네를 싹 비워버렸거든."

제발 알코올중독 치료사가 와서 콜린과 제키를 데려가라. 이 것들이 지 간이 9개인 줄 알고 저녁부터 술을 들이켜고 있다. 내가 여기 일원이었다면 진작에 빨간 사이렌을 시끄럽게 울려 대며 등짝을 10번씩 때려주었을 것이다.

"괜찮아. 샤르도네 안 좋아해."

그린이 익숙하다는 듯 바로 답했다. 대본을 완전히 기억할 수는 없으니 사소하게 다른 부분도 있겠지만 그래도 반응이 바 로바로 나올 정도로 숙지한 건 배우의 자질이구나 싶었다. 나 도 어릴 때 보육원에서 반짝이는 물고기 비늘 같은 게 달린 하 와이안풍 치마를 입고 선생님들 앞에서 다 같이 유치한 춤을 추며 재롱을 부려야 했는데, 특히 연극 파트에선 대본 두 마디 도 기억을 못 해서 무대를 망쳤다. 선생님들은 내게 그럴 수도 있다며 위로했지만 열심히 준비한 다른 아이들이 나를 싫어할 게 뻔해서 분한 마음에 선생님과 각박한 세상을 향해 소리 지 르며 발을 쿵쿵 굴렀다. 어릴 때 기억이 너무 생생해도 문제다. 흑역사의 도가니에 빠져 허우적거리다 끝내 100번쯤 그들에게 사과하게 되기 때문이다. 이로써 미안해야 할 사람들 리스트에 3명이나 입주하게 되었다.

"그래? 난 네가 단 거 좋아하는 줄 알았는데."

"편견이야. 담배를 안 피긴 하지만." 그린은 눈을 찌푸렸다.

"진짜 담배 안 피워?" 궁금한 마음에 물었다.

그린은 날 빤히 쳐다보다 시선을 돌렸다.

"거기 뭐 묻었어? 이상한 데를 쳐다보네." 제이크가 날카롭게 말했다. 내 생각엔 저게 먼저 죽는다. 저 언짢은 말투를 봐라. 편의점 알바가 봉투 드리냐고 물어보면 그럼 이걸 들고 가냐고 성질낼 인간이다. 그린은 제이크의 말에 따로 대응하지 않았다.

콜린은 제이크에게 그의 얘기를 한 걸 들키기 싫어서 입을 다물고 술잔을 바라보았다. 얼굴에 붉은 기가 티 나게 올라왔다. 원래도 좀 하는 술꾼이었나? 시퍼렇게 어린 것이 벌써부터 저렇게 마셔대면 다시는 간을 되돌릴 수 없을 텐데?

"지금 몇 시지?" 브리짓은 왠지 초조해 보였다.

"네 손목에 그 시계는 뭔데? 제발 잠깐만 팔을 들어봐." 너무 답답해서 절로 말이 튀어나왔다. 하지만 당연하게도 아무도 듣지 못했다. 같은 도축장 사람들이 꿀꿀한 날에 힘만 빼며 한심한 짓을 하고 있으면 내가 일깨워주곤 했는데, 여기선 아무도 듣지를 못하니 불편함만 커졌다. 그들이 내 손길을 느낄 수만 있다면 당장 다가가서 그들의 귀를 잡고 그 속으로 뜨거운 꼬챙이를 찔러 넣어 귓구멍을 뚫어주고 싶었다.

"브리짓, 팔 들어봐."

그린이 그녀를 대신 일깨워주고 나서야 그녀는 시간 정보를 알 수 있었다. "6시네."

"8시부터는 조용히 해야 해."

"그때까지 멀었는데, 뭐. 영화나 한 편 볼래?" 제키가 콜린의 술잔을 제 쪽으로 끌어당겼다.

일행이 이 방에 6명이서 대체 어떻게 잘 생각으로 잡은 것인가 골똘히 생각해 보니 '거기까지는 예상 못 했다'라는 결론에 도달했다. 침대는 싱글용인데 거기 두 명이 껴서 자야 했고, 바닥까지 쓰면 어찌어찌 6명이 들어갈 수 있긴 했다.

하지만 8명이라는 수는 그들의 머리엔 존재하지도 않았다.

난 애초에 여기 있는 사람도 아니었으니 그렇다 치고, 그래도 그런까지 합치면 7명인데. 너희가 침대든 바닥이든 거기서 편하게 앉아 브라운관 속 움직이는 프레임을 하나하나 맛보고 있을 동안 필립은 벽에 기대서 영화가 어떻게 진행되는지도 모르고 저린 다리를 신경 써야 한다고. 아래층에서 얼굴은커녕 목소리도 들리지 않았던 카일은 어느새 좋다고 여기 앉아 콜라 한 병을 들고 거의 1분에 한 모금씩 마시고 있었다. 내가 눈에 안 띄는 걸 다행으로 알아라. 그랬다면 여자고 남자고 한 명씩 다리를 잡아서 밖으로 끌고 나갔을 테니까. 화장실에 4명씩 들어가서 누워봐야 정신을 차리겠지? 배려라곤 없는 것들!

제키가 시뻘건 볼을 벽 쪽으로 돌린 채 코를 골며 자는 콜린을 때리자 그의 코골이가 뚝 끊겼다. 외형적으로도 기능적으로도 덜떨어지는 TV 속에선 희생자들이 창고에 들어갔다가 아무 호신 기구도 찾지 못한 채 갇히자 치즈 스틱이 품절된 걸 목격한 사람처럼 비명을 질렀다. 언젠가 화장실 문고리가 고장 나서 무력하게 갇힌 적이 있는데 잠들면 쏘우와 유사한 전개가 될 것 같아서 눈을 부릅뜨고 집안의 소리에 집중했다. 다행히도 매이브가 그날 밤엔 오기로 해서 안전하게 구조될 수 있었다. 문고리가 처참하게 부서지긴 했지만 발이 사슬로 묶여서 한 발자국도 움직일 수 없는 로렌스 고든이 되는 것보단 나았다. 불을 싹 꺼둔 방이라도 TV의 불빛이 관객석을 밝게 비추었다.

그린과 함께 서서 영화 보는 일에 지쳤다. 하류 장르에서 큰 걸 바라지도 않지만 영화계의 유행을 잘 따라갔다는 감상도 딱히 들지 않았다. 아무리 복제 불량품 인스턴트식품이라도 차별점을 만들기 위해 더 짜거나 더 맵거나 조금 특이한 재료를 넣어주기도 하는데 이건 아니었다. 개인적으로 슬래셔 영화의 살인마의 생명은 프랜차이즈로 이어나갈 수 있는 상징적인 외모라고 생각한다. 나는 그린이 더 있든지 말든지는 상관없이 그 자리를 떠나 다른 방 문틈을 들여다보며 빈 방을 찾아다녔다. 여기다.

문고리를 돌리자 딸깍하고 열렸다. 6명이나 들어찬 그 방과 똑같았다. 좋고 안 좋고 없어. 여관이 다 그렇지. 그리고 무엇보다 싱글 침대는 싱글만 써야지. 그러고는 침대로 격하게 뛰어들었다. 여기 나만 시끄러운 거 아니니까 가볍게 뛰는 정도는 괜찮아.

그런데 문이 넓게 열렸다.

"페이턴?"

뜻밖에도 문을 연 범인은 그린이었다. 10살 때, 밤마다 유독 잠에 들기를 어려워했는데 때문에 매이브가 날 몇 년 동안은 꾸준히 재워줘야 했다. 그 과정에서 매이브가 문을 살짝 열어젖히곤 내 이름을 부르는 순간이 있었는데, 그린의 행동은 조금 그녀와 닮았다.

"날 죽이러 온 게 아니길 바랄게." 눕혔던 몸을 무겁게 일으켰다. 솔직히 이젠 이 말도 안 되는 모든 상황을 받아들인 상태라서 뭐든 상관없었다. 정말 느리고 끔찍한 방법으로 날 죽이지 않는다면 말이다. "그리고 공포 영화에선 그런 식으로 행동하면 죽기 십상이라고. 무슨 일이야?"

"음, 일단 첫 번째로," 그린이 머뭇거렸다. "음… 그 해골 셔츠 멋지네요. 처음 봤을 때 인상적이었거든요, 그래서 그냥 말하고 싶었는데, 뭐… 그 뒤는 알죠? 당신이 엄청 오버해서…"

"워워, 그 얘긴 이제 하지 말자고." 폭발적이었던 그 순간을 떠올리면 그에게 너무 미안했다.

"알았어요." 그린은 반대편 침대에 앉았다. "괜찮아요?"

"어떤 것 같은데?"

"그냥 봐서 모르겠는데요."

"괜찮은지 아닌지 보려면 빌어먹을 의사까지 불러야 되겠단 거야?" 내가 다 헛웃음이 나왔다. 어허, 이거 이거 죄짓고 교도소로 끌려간 친구한테도 면회 가서 괜찮냐고 물어볼 사람일세. "글쎄, 평소랑 다른 거 없네. 차라리 여기서 편하게 죽을지도 모르겠어."

"괜찮을 거예요. 당신이 여길 나갈 방법이 있어요."

"뭐? 정말?"

그린의 입에서 나온 건 한참 예상 밖의 발언이었다! 그럼 왜 진작에 말 안 해준 거야? 그걸 알았더라면 신나서 방방 뛰어다니며 즐길 것만 다 즐기고 빨리 빠져나갔을 텐데! 한동안 우울 최대치를 찍었던 낯빛이 서서히 환해지고 몸이 둥실둥실 떠오를 것만 같고 기쁨의 열기로 달아오르는 것이 생생하게 느껴졌다. 살아나가는구나! 리키 페이턴이 급변하는 환경과 불행을 뚫고 거뜬하게 살아나옵니다!

"장난해? 너도 나가고 나도 나갈 수 있단 말이잖아!"

"잠깐, 잠깐. 저한테도 있다는 말은 안 했어요."

이게 뭔 소린가 싶어 고개를 갸웃거렸다. "뭔 말이야?"

"당신한테 나갈 방법이 있다고요. 저는 없어요."

"하지만… 왜?" 목소리가 기어들어갔다.

"당신은 살아있고 저는 아니니까요. 죽은 자는 돌아오지 않잖아요."

"네가 죽었다고? 웃기시네. 나랑 대화하는 이 똘마니는 어떻게 설명할 건데?"

어처구니가 없어 물었다. 방금 전까진 미치도록 기뻤는데 별안간 심장의 고동이 불안하게 빨라졌다.

"사정이 다 있어요. 그래서… 아무튼 당신은 나가고 나는 남는다는 뜻이죠." 그린의 안면에서 옅은 미소가 스쳤다. "이미 죽었는데 잃을 게 뭐가 있겠어요. 할 수 있는 만큼 도와드릴게요. 그러니까 거래해요."

"뭔 거래?" 난 기어코 양반다리를 하고 앉아 경청하기 시작했다.

"나가면…." 그린은 자신이 생각해도 어이없는 소망을 품은 듯 작게 새어 나온 웃음을 삼켰다. "우리 엄마 무덤에 꽃을 놓아주세요. 해바라기나 라일락이 좋을 것 같아요. 바빠서 장례식도 못 다녀왔거든요, 음, 그래서… 그러니까….”

그의 말끝이 맺어지지 못한 채로 어떤 웅얼거림에 삼켜져 깊숙한 심해로 빨려 들어갔다. 그 굵고 투명한 물은 너무 많은 말을 내포하고 있어서 쉽게 바닥을 적셨다. 그의 떨군 고개 밑으로 빗물이 계속 떨어졌다.

“거래 같은 소리 하네!” 나는 어쩐지 울화가 치밀어 올라 벌떡 일어났다. 침대가 삐걱거렸다. “이봐, 너희 엄마 무덤에 그렇게 풀을 놓고 싶으면 네가 직접 해. 하나 살고 하나 죽는다고? 이게 쏘우였으면 존 크레이머든 아만다 영이든 직쏘 새끼들 나한테 죽었어!”

나는 버럭버럭 고함을 쳤다. 형용할 수 없는 감정이 심장을 죄이면서 눈시울이 뜨거워졌다. 너무 더운 탓이다. 눈을 수십 번 깜빡이며 머리 위로 손을 포갰다. 눈이고 머리고 다리고 안 아픈 곳이 없다. 그린의 눈이 뭔 소린지 모르겠다는 듯 이리저리로 흔들렸다.

“별다른 방법이….”

난 다급하게 침대에 앉아 그린의 어깨를 단단히 잡았다.

“있어! 씨발 있다고! 너 영화 후반에서 영웅 된답시고 자살하는 캐릭터 되기만 해봐. 아무도 못 살리고 결국 분량 때우기용으로 출연한 역대 최악의 쓰레기 캐릭터로 만들어 줄 테니까! 알았어?”

“진정해요! 당신 정말… 우리 엄마를 닮았네요.”

그린의 까마귀 같은 검은 눈이 물속에서 빛났다.

나는 천천히 팔을 내려놓고 대신에 이마를 감싸 쥐었다. 죽은 사람까지 신경 쓸 때가 아니지, 그건 부인할 수 없다. 죽은 사람은 돌아오지 않는다. 하지만 코앞에 있는 이 사람을 내가 어떻게 받아들여야 하는데? 영화 속의 인물이 아닌, 감정이 있고 살아서 숨을 쉬잖아.

그는 인간이야.

바깥에서 박수갈채가 들려왔다. 영화가 드디어 끝난 모양이었다. 그리고 내 생각엔 그린을 저기서 재우면 안 될 것 같았다.

"방으로 돌아갈 생각은 추호도 하지 마." 일어나 문을 조용히 닫았다. 불을 끄자 안으로 흘러들어온 달빛만이 조명이 되어 비췄다. 정말 푸른 방이었다.

"저기 있으면 양쪽 압력으로 죽을걸요." 그린은 느릿느릿 이불을 주워 자기 몸에 덮곤 바로 누웠다. "그런데 존이랑 아만다는 누구죠?"

"말해도 모를 거야. 옷 안 갈아입어?"

"그거 감독 실수인 것 같아요. 갈아입을 옷이 없어요."

나도 모르게 풋 웃음이 나왔다. "나도 딱히 입을 만한 게 없어. 뭔 대수야? 그냥 자자."

침대에 정자세로 눕자 곧 땅에 묻히는 시체가 된 것만 같아서 그냥 고개를 벽으로 돌렸다. 제키도 아까 이렇게 자던데. 하지만 벽을 보고 있으니 묘하게 불안감이 들어 눈을 감은 그린에게로 시선을 두었다. 그러나 불안감은 쉽게 가시지 않았다.

"페이턴."

"어?"

"혹시 불안해요?" 그린이 작게 속삭였다. "뒤척이는 소리 여기까지 들려요."

그의 어투를 보아 그는 충분히 피곤했고, 최소한 5분이면 깊은 잠에 빠져들 것 같았다.

"조금."

"옆에 와도 돼요."

"뭐? 으, 징그러워."

"알았어요." 그린이 미안한 듯 어조를 줄였다. "내일부터 조심해요. 잘 자요."

그 말을 끝으로 방에는 끔찍한 침묵이 돌았다. 이제 확신하게 됐는데, 내가 어릴 때 밤마다 잠을 못 잤던 건 역시 고요한 공기 때문이었다. 몇 분이 지났는지도 모르고 생각 없이 천장을 바라보았다. 하트, 별, 구름, 무지개, 달 모양으로 구성되어 있는 형광 스티커를 떼어다가 붙이면 적어도 덜 무섭지 않을까. 근데 여긴 그런 게 없으니까.

고민 끝에 조심스레 일어나 그린 곁으로 다가왔다. 자세히 듣지 않으면 들리지 않는 작은 코골이를 하는 걸 보니 예상대로 노곤한 잠에 든 듯했다. 옆에 눕기엔 너무 좁겠지? 그러다 나는, 침대에 팔을 올려 고개를 기대었다. 익숙지 않은 온기가 곁에서 느껴지는데도 피하고 싶지 않았다. 그 바보 같은 녹색 셔츠가 짙은 어둠에 물들었다. 그거 보면 웃겨서 좋던데 아쉽다.

주변 화장도 못 지운 눈꺼풀이 무거워지기 시작했다.

'드디어 자는구나.'

그러고 보니 잠을 잘 수 없었던 것 외에도 나는 잠을 자는 것 자체를 유난히 싫어했다. 오늘만 할 수 있는 것이 있고 내

일이 오면 못 하는 것이 있으니까. 내일이 온다는 게 싫었다. 내일이 오면 기껏 마쳐놓은 하기 싫은 일을 또 해야 하니까. 그리고 그런 나날이 계속되면 내 나이는 어느새 80언저리에 닿아있기 마련이니까. 하지만 가끔은 잠이라는 못된 통로를 써서 내일로 움직여야 할 때가 있다는 것 같아, 리키.

'내일이 없으면 오늘도 없다.'

잠을 자기 위해 이 말을 되뇌는 날이 올 줄은 몰랐는데.

"우린 여기서 나갈 거야."

구름이 달을 감쌌다. 이상한 열병에 걸린 느낌이었다.

📖

하지만 세상 일은
그렇게 돌아가지 않아.

5
데드 캠프

Original by Rob Schmidt's 〈Wrong Turn〉

코끝에 앉은 탄내가 안쪽으로 기었다.

콜린은 자신이 꿈을 꾸고 있다고 생각했다. 긴장을 풀고 편히 늘어진 몸과, 생맥주와 화이트 와인을 들이켰던 기억이 그 주장에 힘을 실어주었기 때문이다. 게다가 두개골이 덮은 쪼글쪼글한 고깃덩어리는 아늑한 자기만의 공간에서 마구 쿵쿵 뛰어 현기증을 유발했다. 콜린은 실눈 사이로 보이는 모든 게 까마득한 순간 속에서 이건 꿈이 아니라고 생각할 만한 증거를 가지고 있지 않았다. 목젖까지 내려오는 통증에 얇은 숨소리가 새었다.

"얘들아…."

아래에서 환호인지 소란인지 모를 시끄러운 소리가 거듭 들려왔다. 맥없이 고개를 돌려 주위를 보니 사람의 형체는 없었다. 고속도로 한가운데서 광견병 걸린 개한테 물린 남자가 똥 싸고 있다고 하면 잘 준비를 하다가도 뛰어나갈 녀석들 같으니라고. 하지만 콜린은 누구나 그런 이를 보면 콘텐츠를 찾은 뉴스 기자가 되어서 꼬랑지를 흔들며 달려온다는 걸 알고 있었다.

콜린은 일어나 창문을 내다보았다.

"어…." 그는 눈을 세게 비볐다. "젠장, 뭐야?"

짙고 뿌연 연기가 공기를 타고 구불구불 피어오르고 있었다. 크게 부푼 연기가 안면에 닿자마자 수프 끓일 때 생겨난 수증기에 얼굴을 데었던 기억이 주마등처럼 나타났다 사라졌다. 전자레인지에 데운 튀김 요리 못지않은 열기에 이마고 등이고 할 것 없이 삐질삐질 땀이 빠져나왔다. 이건 안 좋은데. 브리짓, 제이크, 제키는 캠프파이어라도 하는 모양인지 한밤중의 숲을 밝히는 불난리 주위에서 머리를 쥐어짜며 서로를 향해 고함을 치고 있었다. 불장난하다가 숲 전체를 홀딱 태워먹게 생겼나 본데 그렇게 조심하라고 해도 '더 재밌는 농담이나 생각해'라며 무시했던 녀석들이 그럼 그렇지. 브리짓은 안전핀 뽑는 법도 모르냐며 제이크에게 불같이 소리 지른다. 제키는 대체 카일은 어딨는 거냐며 갈 곳 잃은 두 손을 휘젓는다. 제이크는 제발 둘 다 닥치랬지만 소화기를 똑바로 겨누지도 못한다.

콜린은 창문으로 쳐들어오는 검은 구름에 숨이 막힐 것 같아 고개를 뒤로 뺐다. 가늘게 떨리던 숨이 캑캑거렸다. 입이 텁텁한 게 혀에 계란찜 탄 부분만 붙여놓은 듯했다.

그들을 한심하게 여긴 콜린은 그럼에도 남일 같지 않다 느껴 휘청거리는 몸을 끌고 아래로 내려갔다. 더딘 걸음이 한 계단씩 디딜 때마다 몸은 쿵쿵거렸다. 원래 로비 의자에 등을 기대고 아무것도 안 든 오크에 발을 뻗은 채 누워서 코를 골고 있어야 할 여관 주인은 보이지 않았다. 아마 계산대 밑에서 곯아떨어져 있지 않을까. 피다 만 담배와 재떨이만이 그 위에 외로이 자리했다.

"얘들아?"

그들이 소리치는 소리가 점점 가까웠다. 그 소리는 브리짓이 헐벗어서 내지른 제이크의 탄성도 아니고, 제키가 집적대는 남자 면상을 마구 패주어서 내지른 브리짓의 만류도 아니었다. 나무로 된 여관 건물 모서리를 돌자 밝은 빛이 눈에 들어왔다. 그들은 안절부절 못하고 각자에게 억지를 부리며 탓하고 있었다.

"제이크?"

콜린은 그중 제이크의 이름을 외쳐보았다. 그러나 그들 모두 빠르게 그를 보았다가 원래 하던 일로 시선을 돌렸다. 길 가던 야생 멧돼지라도 잡아서 바비큐 파티하게? 이제 그만 난리 치고 들어오시지. 콜린은 그 말들을 모두 삼켰다. 두통이 눈을 대담하게 찌를뿐더러 반고리관이 끊임없이 회전하는 느낌을 받았기 때문이다.

"너 때문에 에밋이 불타서 죽을 거라고! 말을 귓등으로 알아처먹는 거야? 소화기 쓰는 법도 몰라?"

"아니! 에밋이 죽는 건 나 때문이 아니라 이 빌어먹을 불을 갖다 붙인 년 때문이야!"

"안전핀이나 뽑아, 씨발 멍청한 새끼야!"

브리짓과 제이크가 격렬한 말싸움을 벌이고 있었다. 그들은 비명 지를 시간이 없었다. 하지만 그들이 둘러싼 가운데 강렬한 화염에 휩싸여 장렬하게 죽어나가는 한 XX 염색체를 가진 인간은 마지막 단말마를 토할 힘이 남아있었다.

'그녀'는 온 힘을 다해 바닥을 구르고 팔과 다리를 허우적거리다 멈추었다. 술 먹은 지 오래 안 돼서 그런진 모르겠는데 꽤 오징어포 냄새가 나는 것 같기도 했다. 살점 탄내는 삽시간에 주위로 번졌고, 결국 제이크가 들고 있던 소화기는 그가 잡은 이래 한 번도 분사되지 못하고 내던져졌다. 제이크는 뭐든지 망가트리는 데에만 소질이 있었다.

아무것도 한 게 없는데 '그녀'에게 붙은 매서운 불길이 시간이 지나 눈에 띄게 쪼그라들었다. 그 모습이 눈 뜨고 보기 힘들 만큼 징그러워서 차라리 없어지란 마음으로 당장 나무라도 베어 장작으로 불을 때워버리고 싶었다. 형체가 남았지만 '에밋'은 남지 않았다. 그곳엔 갓 구운 바비큐와 〈공포의 휴가길(The Hills Have Eyes, 1977)〉의 전개를 빠르게 따라가지 못한 일행이 뚱하니 서 있을 뿐이다. 얼마나 놀라운 일인가. 처음부터 그들이 내쫓으려 했던 무고한 여자애가 먹음직스러운—상당한 일산화탄소 사이에서 은밀하게 풍겨오는 비린내—통구이가 되어 손발이 오그라들었다. 공공장소에서 타인의 사랑 염장질을 목격한 사람도 저만큼 오그라들 수는 없었다. 오, 에밋, 네 앞에 있던 녀석들의 대화가 얼마나 역겨웠으면 죽을 때도 저렇게 갔을까. 그리고 널 싫어했던 거 미안해. 아주 잠깐이었지만. 콜린은 그리 와닿지 않은 애도를 마음속으로 되뇌었다.

제이크는 거친 숨을 토하다 침을 칵 내뱉었다. "젠장 대체 뭐야!"

그는 끓어오르는 화를 주체하지 못하고 자신이 내던진 소화기를 마구 쳤다. 소화기가 뒤쪽 수풀로 굴러갔다.

"에밋…."

브리짓은 치솟는 분노와 울분을 억누른 채 얼굴을 더는 알아볼 수 없는 그녀에게로 다가갔다. 불씨는 비교적 크기가 줄어들었을 뿐 그 뜨거운 열기는 조금도 식지 않았다. 떨리는 입술 뒤로 이를 꾹 부딪쳤다. 타닥타닥 타오르는 소리가 정적 속의 유일한 환기였다.

브리짓은 사나운 눈길로 제이크를 노려본다. "이 살인자."

"뭐?" 제이크가 거의 소리치듯 되묻는다.

"우리가 영화 보려고 올라갔을 때, 그리고 끝날 때까지도 에밋은 없었어. 게다가 넌 영화가 시작한 지 10분도 안 지나서 나갔잖아!" 브리짓이 쏘아붙이자 참고 있던 그녀의 눈물이 터지듯 흘러내렸다. "네가 다시 들어온 건 영화 중반부터였어. 우리랑 같이 영화 보던 시간이 기껏해야 40분 밖에 안 돼."

"영화관에서 영화 보다가 똥 싸러 간 사람은 살인자라는 거야?" 제이크는 특기인 '언성 높이기'를 시전했다. 누구라도 제이크를 제 편으로 조련하면 아주 쓸만한 개가 될 텐데. '제이크, 물어!' 그러면 그는 '알겠습니다'하고는 온갖 망언으로 상대를 물어뜯는다.

"넌 20분이나 거기 없었어!"

"그럼 어쩌라고! 너네가 과자를 아작거리는 동안 창문에 엉덩이를 걸치고 똥 쌀까? 말이 되는 소리를 해!"

"똥 싸는 데 20분이나 걸린단 말이야?"

맞다. 제이크에겐 아무에게나 말하지 않은 비밀이 있는데, 그건 자신에게 변비가 있다는 사실이다. 예전엔 괜찮았는데 사춘기 들어서부터 똥이 안 나오기 시작했다는 듯하다. 어쨌든 자기 남자친구한테 살인자라고 하는 브리짓의 깡은 박수를 치고 싫을 만큼 대단했다.

"염병할 똥 얘기 좀 그만해!" 제키가 소리쳤다. 그녀는 심각한 상황 속 소화기관의 더러운 부산물 얘기가 싫었다.

콜린은 숙취가 풀리지 않은 채로 서서 똥이란 단어 말고는 제대로 들은 게 없는지 별안간 미친 듯이 웃기 시작했다. 원래도 저급한 말에 깔깔거리는 애였으니 이제 와선 이상한 일이 아니었다.

"콜린!" 브리짓이 얼굴을 구기며 홱 돌아본다.

콜린은 그때까지 제 얼굴에 주먹이 닿을 거라고 예상치 못했다. 그는 제이크의 주먹에 맞고 억하며 엎어졌다. 볼에 벌침 100번은 꽂힌 느낌이었다. 여전히 안개가 뇌를 감싼 채 물러나지 않았다.

"웃긴 뭘 웃어? 네가 이랬냐?"

아쉽게도 틀렸다. 그는 그냥 제이크의 변비에 대한 얘기가 참을 수 없이 웃겼던 것뿐이다.

"그냥 네 변비 얘기하는 게 웃겨서 그런 거야…." 콜린이 어눌하게 말했다. "다들 엄청 진지하게." 콜린은 웃음을 멈출 기색이 아니었다. 아무튼 그의 유머 코드는 아주 이상했다.

"제이크, 그만해."

이중에서 가장 침착하다 할 수 있는 제키가 그를 말렸다. 제키는 양팔을 감싸는 자세로 최대한 안정을 취하고 있었다. 그 바보 같은 자세는 실제로 효과가 있었다.

제이크는 내팽개쳐진 콜린을 냅두고 돌아섰다.

"어떡할지 생각해야 해. 시체를 그냥 놔둘 수는 없잖아." 제키는 갑자기 팔을 풀며 다급하게 말했다.

그렇다. 아무리 몇 시간 전에 카일이 그들에 대해 얘기했던 걸 당사자 앞에서 신나게 떠들어대며 뻔뻔하게 방에서 잠들었을 정도로 쌩쌩했어도 죽은 건 죽은 거다. 누가 자신을 죽였는지에 대한 여러 근거 중 하나인 똥 싸는 시간을 논의하는데도 웃지도 울지도 않으니까. 하지만 이 일과 이것을 '어떻게' 할지는 지금까지 있었던 사회의 수많은 사례로부터 어렵지 않게 찾아볼 수 있었다. 제키의 질문은 적어도 그들에겐 무의미했다.

"경찰에 신고해야지! 로비에 전화기가 한 대 있었어. 내가 가서…."

제키는 냉담하게 브리짓의 말을 끊었다. "우리가 죽인 줄 알 거야."

"하지만 안 했잖아!"

"안 믿어줄 거라고!"

"닥쳐, 제키! 지금 네 불안장애 받아줄 시간 없어! 난 신고할 거야. 우리가 한 게 아니니까. 경찰이 도와줄 수 있어."

브리짓은 두려움에 흐느끼며 입구로 달려갔다. 제키는 당혹스러움을 감추지 못하고 눈살을 찌푸렸다. 아까 낮에 감성팔이 좀 받아줬더니 또 저런다. 브리짓은 언제나 '너희를 위해서'라면서 안 풀리는 일이 있으면 남의 약점을 들먹이며 폭언을 내뱉었다. 나보다 네가 더 정신과 상담이 필요해 보이는데. 제키는 뛰어가는 그녀의 뒤통수를 바라보며 그런 개인적인 의견을 곱씹었다. 당장 아주 불안해서 과민반응 한 건 맞지만 하지 말라는 건 아니었다.

제키가 제이크를 바라보자 그가 흠칫한다. "왜? 너도 내가 살인마인 것 같아?"

제키는 그렇다거나 아니라고 확신할 수 없어 시선을 피했다.

"미안한데, 얘들아," 콜린이 어기적어기적 땅을 짚고 일어나고 있었다. "너무 아파… 머리가. 방에 가면 안 돼?"

에밋이 거센 불길에 집어삼켜져 타죽는 걸 보고도 머리 아프니 방으로 가겠단 말을 하는 콜린이 제키에겐 꼴사나웠다. 물론 죽을 만큼 아프다면 어쩔 수 없지만 밤새 술을 흘려 넣었던 부주의한 본인 탓이 큰 법 아니겠나? 아니면 약하게 태어나 알코올에 흘린 쉬운 성격 탓을 하든가. 그럴 거면 왜 내려온 걸까? 제키가 화를 참는 동안 제이크는 콜린의 겨드랑이 밑으로 손을 넣어 들어 올렸다. 거의 자기 의지가 없는 듯한 흐물흐물거리는 몸뚱이는 철 잡동사니가 채워진 포대 두 자루는 가볍게 옮기는 그에게 시체나 다름없었다. 잠에 언제 들지 모르는 이 말하는 덩어리는 그냥 죽은 듯이 누워있어도 모자랄 판에 걱정한다고 계단을 내려왔다. 목욕하다가도 제 집 개가 밥을 어떻게 먹는가 보러 나올 사람이다.

"뭐, 잘못 먹었나 봐, 젠장…." 콜린은 시름시름 앓으며 어찌어찌 발을 옮기려 노력했다.

"그놈의 술이 문제야."

제이크가 콜린을 끌고 입구로 어적어적 옮길 때쯤 브리짓이 시체라도 본 사람처럼 비명을 지르며 달려 나왔다. 이 경험을 토대로 고등학교 할로윈 행사에 연극으로 참여해도 손색없을 것이다. 운이 좋으면 공포 영화계에도 진출해서 훌륭한 비명을 자랑하는 여배우로 거듭나 모든 감독들의 러브콜을 받을지도 모른다. 하지만 매번 할로윈 시즌이 다가올 때마다 지나가는 사람들은 이렇게 말할 것이다. '환각을 보는 버디 리치가 모든 록밴드의 드러머를 드럼 스틱으로 죽이고 다니는 영화의 여주인공 맞죠?' 그리고 추석마다 오는 친척들은 이렇게 말할 것이다. '웨스 크레이븐 졸작 여주 납셨군! 다들 갓 자른 남의 손바닥으로 박수나 쳐줍세!'

"포드가 죽었어!"

"잠깐, 포드가 누군데?" 제키가 신경질적으로 묻는다.

"여관 주인!"

바로 통통하고 순진하고 담배와 칠면조 맛을 좋아하는 포드, 록 앤 롤 사인이 그려진 파란 모자를 사랑하고 로비 탁상 밑에 각종 CD를 모으는 게 취미인 포드, 머리에 쌓인 잡지식이 계산을 종종 방해해서 어리바리하는 그 포드 말이다. 처음부터 죽을 예정이었던 불쌍한 엑스트라인 포드를 위해 우리 모두 잠시 두 손을 모으고 애도를 표하자. 지금 그는 다른 방에서 우연히 발견한 포르노 테이프를 분실물 상자에 넣으려고 들고 가다 신원불명의 살인마에게 배가 찔려 죽은 채로 싸늘하게 누워 있으니.

"오, 포드, 그래도 그가 특이한 포르노를 볼 거라곤 생각하지 않았는데… 그는 테이프를 너무 소중하게 안고 있었어…."

이 혼란스러운 바비에겐 부드러운 목소리로 시체의 사인과 현재 상황을 설명해 줄 내레이터가 필요했다. 다시 말하지만 그는 포르노를 보려던 게 아니라 잔뜩 찡그린 얼굴로 테이프를 분실물 상자에 넣으러 가고 있었다. 그 포르노의 존재 의미나 의도가 뭐든 간에, 배설물을 먹는 것에 재미를 붙인 여자가 동네 남자들을 타락—어떤 의미인지 말 안 해도 알 것이다—시킨다는 내용의 포르노를 마주치면 그런 반응이 나오는 건 자연스럽다. 어쨌거나 이 상황을 통해 우리는 다잉 메시지를 남기는 게 최선이라는 걸 깨닫고 실천할 수 있다. 피로 쓴 글씨 하나 없어서 이상한 취향을 가졌던 남자로 기억되게 생겼으니까. 죽기 전 남길 만한 문구를 평소에 생각해두어도 좋다.

"뭔 소리야? 신고는 했어?"

"전화선이 끊겨있었어!"

"아, 젠장." 제이크는 목에 힘을 주었다. 긴장하면 나타나는 그의 버릇이었다. 그는 자신이 든 가벼운 육체를 바라보았다. "이 새끼 자는데?"

"자는 거 확실해?"

제키의 목소리는 이제야 떨림을 보였다. 콜린은 입을 벌렸고 눈이 풀렸고 무엇보다 괴상한 농담을 치거나 아프다고 찡찡대지 않으니 확실히 잠에 들었다. 깨워도 일어나지 않을 굉장히 아프신 콜린은 이 상황에선 그들에게 크나큰 짐이었다. 그다지 힘도 안 세고, 똑똑하지 않고, 때를 안 가리고 농담이나 치고, 골치 아픈 짓거리를 하는 콜린을 과연 그들이 짊어져야 할까?

"콜린을 데려가면 늦을 거야. 살인마는 근처에 있어. 지금도 어디서 우리 얘기를 듣고 있을지 몰라."

제키의 말은 공중에 산소가 있는 것만큼 당연했다. 지금이 아니더라도 항상 그랬다. 놀러 갈 때마다 딸려오는 불멸의 징크스 같은 존재였다. 그러나 다들 모종의 이유로 차를 탈 수 없던 오늘, 아니 정확히 말하면 어제, 콜린은 유일하게 차를 몰 수 있었다. 갓길에 세워놨던 그 하얀 차가 바로 그의 소유다. 따지고 보면 돈 안 들이고 귀찮은—표를 사거나 정확한 시간에 도착해야 하거나 수단을 갈아타야 하는—일은 콜린 덕분에 일어나지 않았다. 덕분에 화장실 가고 싶으면 멈추고 먹을 거 사고 싶으면 멈추고 아무 데나 흥미 있는 곳에 자유롭게 들러볼 수 있었다. 차 안은 또 얼마나 넓은지 생각해 보면 절대적으로 고마운 녀석이었지만, 그간의 행보를 떠올리면 차 하나쯤은 가져가도 되지 않냐는 심보가 들었다.

"콜린을 버리고 가자는 거야? 말도 안 돼!" 브리짓은 그렇게 연민 많은 인물이 아닌데도 호들갑을 떨었다. "여자 두 명에 남자 하나면 제이크 혼자 우릴 어떻게 지켜!"

뭔가 했더니 역시 자신의 생존을 위한 수단으로 생각하고 있었다. 제키는 그 말에 동의할 수 없었다. 500쪽짜리 양장본 6권이 든 상자도 1분을 못 드는 애가 어떻게 여자를 지킬 만큼의 힘을 발휘한단 말인가?

"네 남친이 있잖아, 안 그래? 제이크가 있어. 제이크, 절대 네 여친을 버리지 않을 거지?"

"날 살인자로 모는 여자가 날 믿고 싶겠어? 퍽이나."

"아니야. 제이크, 아냐. 너무 혼란스러워서 그런 거야. 날 믿어. 진심이야."

브리짓은 눈을 크게 뜨고 제이크를 타일렀다. 누구도 믿기 싫지만 믿어야 했다. 브리짓은 평소에 그러지 않았지만 이젠 그래야 한다.

"날 남친으로 안 본 거 같은데."

"제이크, 제발. 무서워. 무섭다고."

브리짓의 눈에서 왕방울만 한 눈물이 뚝 떨어졌다. 그 약한 모습이 제이크의 보호 본능을 자극하기에 충분했던 모양이다.

"내가 널 버리겠어?" 제이크는 콜린를 받치던 팔을 뒤로 빼고 그녀에게 다가가 세게 껴안았다. 그리고 제키에겐 달갑지 않은 시선을 보냈다. "그래서 콜린은 어떡할 건데?"

"데려가든지 버리든지. 그걸 결정해야 돼. 어쨌든 차 키는 있어야 하고. 제일 중요한 건 그거야."

제키는 그들의 눈물 없이는 못 볼 따뜻한 포옹을 못마땅하게 바라보았다. 과연 그 아름다운 희생정신이 피투성이 살인마를 만났을 때도 여전할지 궁금하군. 제키는 코로 공기를 마신 뒤 콜린의 재킷, 바지 주머니를 들춰보았다. 어디에도 키는 보이지 않았다.

"뭐 있어?"

"젠장, 콜린은 물건을 옷에 넣어놓지 않아. 잃어버릴까 봐 걱정해서."

이런, 그렇다. 콜린은 걱정이 아주 많았다. 뭐든지 가방에 넣지 않으면 성에 안 차서 자꾸만 옷 주머니를 뒤지는 녀석이었다. 그것도 1분 간격으로!

"그럼 어떡해? 숲 안으로 뛰어?" 브리짓이 제이크의 가슴팍에서 고개를 들었다.

"진정해. 일단 우리한테는 방법이 두 가지 있어. 첫 번째는 우리 방으로 올라가서 콜린의 가방에서 차 키를 꺼내오는 거고, 두 번째는, 여긴 마을이야. 우리만 있는 게 아니니까 가까운 집으로 뛰어서 신고해 달라고 하면 돼."

"아, 나 기억 나. 여기 들어오기 전에 집 진짜 많았잖아!"

브리짓의 막힌 목소리가 기쁨을 띤다.

"그럼 지금 당장…"

퍽!

"뭐, 뭐…."

어떤 형체가 브리짓의 머리를 내려쳤다. 제이크는 앞으로 힘없이 쓰러지는 브리짓을 급하게 받쳤다. 제이크는 살면서 그녀의 땀 냄새를 이번에 처음 맡았다.

코앞에 대걸레를 뒤집어 쓴, 주황색 점프수트를 입고 망치를 든 사람이 서 있었다. 그가 손에 쥔 망치에 소량의 피가 묻었다. 분명히 수다쟁이 브리짓의 정수리에서 나온 피겠지. 제이크는 그녀가 쓰러지는 걸 바로 앞에서 봤으니 의심할 여지가 없다.

제키가 뒤늦게 돌아보자, 그 기괴한 대걸레 인간과 시선이 마주친 느낌이었다. 그의 얼굴은 복면 따위에 가려져 희미한 윤곽으로 이목구비만 알 수 있었다. 제키는 그 순간 온몸의 체모가 파르르 떨며 체구를 곤두세우는 것을 느꼈다.

"제이크…." 제키는 조심스레 말을 내뱉었다.

"이런 씨발!"

제이크가 망치를 든 그에게 매섭게 달려들었다. 그들은 죽든 말든 죽기 살기로 뒤엉켜 흙 위를 뒹굴었다. 하지만 오직 제이크의 힘겨운 신음만이 들렸고, 다른 이의 소리는 섞이지 않았다. 즉, 그 대걸레 녀석은 말은커녕 앓는 소리를 내지도 않았다. 마치 무언극을 하듯이 단 한마디도 꺼내지 않고 제이크의 배를 차 밀어냈다. 그는 반항하지 못하고 가볍게 떨어졌다. 대걸레는 아랫배를 부여잡고 고통을 호소하는 제이크의 머리 옆에 쭈그려 앉았다.

"안 돼⋯." 제키가 허무하게 말을 흘렸다.

대걸레 살인마는 제키를 흘깃 쳐다보다가 자신의 중요한 일로 관심을 돌렸다. 바로 그의 머리를 내려치는 일이었다. 그의 딱딱한 돌머리를 쇳덩어리가 강하게 쳤다.

"안 돼!"

제키는 뒷걸음치다 뒤돌아서 미친 듯이 달리기 시작했다. 두 다리가 벌벌 떨리는데 결코 달리기를 멈출 만한 때는 아니었다. 잠자리에 들기 전에 냄새나는 화장실을 다녀와서 참 다행이다. 안 그랬으면 무슨 일이 벌어졌겠어? 어둠과 새벽 모기가 전부인 숲을 가로지르면서 오줌을 싸질렀겠지. 우거지 숲속 수풀에 옷깃이 걸릴 때마다 아드레날린이 본분을 다했고, 그 탓에 신경 써서 입은 검은색 스웨터가 군데군데 찢겼다.

아!

오늘은 정말 운이 나쁘다. 하필이면 흙 속에 파묻힌 돌부리에 뻔하게 걸려 넘어졌다. 검은 것이 사박사박 달려오는 소리가 너무도 잘 들리는데 발목을 삐었다. 아드레날린은 대체하는 게 뭐지? 날 자극해서 아끼는 옷을 잡아뜯게 만드는 거?

제키의 흐느끼는 얼굴 옆에 마지막 발소리가 안착했다.

"이건 꿈이야…."

제키가 중얼거렸다. 오늘 예정되어 있던 자신들만의 여행이 꿈이라고, 화장하지 않은 브리짓의 얼굴이 꿈이라고, 거친 불길에 타들어가며 몸통을 내던지던 에밋이 꿈이라고, 자신이 쓰러진 땅에서 느껴지는 썩은 냄새가 꿈이라고. 자신만은 꿈에서 깨어나 밝은 햇살이 비치는 창문 아래 침대에서 하루를 시작하기를, 베이컨과 샐러드를 먹으며 라디오의 잘생긴 목소리를 듣기를, 여유 있게 걸어온 학교 앞에서 친구들과 만나 자신의 꿈에 대한 얘기는 절대 하지 않기를.

하지만 세상 일은 그렇게 돌아가지 않아.

"살려줘."

그러니 그렇게 놔둘 수는 없지.

대걸레는 망치를 고쳐잡았다.

✂

인간이 추구하는 쾌락과 자극은
자신을 포함한 타인의 살아가는 이유이자
불치병에 이르는 이유이기도 하다.

6
어거스트 언더그라운드

Original by Fred Vogel's ⟨August Underground⟩

인간이 추구하는 쾌락과 자극은 자신을 포함한 타인의 살아
가는 이유이자 불치병에 이르는 이유이기도 하다. 닿을 수 없
는 별, 끝없는 만족을 좇다 보면 의지와 열정이 안쪽에서부터
타들어간다. 세상에 영원한 것은 없기에 무한을 동경하면 그런
일이 벌어진다.

한마디로 모처럼의 쉬는 날에 심하게 잔인한 영화나 보거나
마약을 빠는 인생을 오래도록 살면 세상만사에 질려 자살하거
나 자극을 찾기 위해 인간으로서 해선 안 될 부도덕한 행위까
지도 저지르게 된다는 뜻이다.

잠깐, '모처럼의 쉬는 날에 심하게 잔인한 영화나 보거나'라
는 말에 대해 정정한다. 영화가 픽션이라는 걸 인지하고 자신
의 본래 가치관에 영향을 받지 않는 사람도 있는 반면, 현실과
픽션을 구분하지 못하고 뇌를 도파민 지옥에 내어주는 사람이
있다는 말이었다. 여러분은 당연히 알겠지만 나는 물론 도파민
따위에 굴복하지 않기 때문에 전자에 해당했다. 마약을 하거나
사람을 안 죽여도 평일 오후의 집에서 매이브와 함께 점심을
먹는 것만으로 도파민이 분비되는데 뭐 하러 주변인들도 자신
도 골치 아파지는 일을 주도하는지?

하지만 가끔은 마약을 필요로 해야 한다는 걸 오늘 느낀다. 견딜 수 없는 현실을 쾌락으로 잊어야 하니까.

이런 말을 하는 이유는, 어제 잠에 들고도 이 망할 꿈에서 깨어나지 않았기 때문이다. 꿈이겠어? 내가 꿈이라고 생각하는 현실에서 빠져나가려고 칼로 배를 찌르거나 손가락을 잘라봤자 유일하게 변하는 건 나의 물리적 상태뿐이야. 고통에 비명을 질러도 누구의 귀도 찢지 못한 채 외롭게 죽어가겠지. 슬래셔 영화는 판타지가 아니라서 살거나 죽거나 둘 중 하나거든. 리키, 너도 알 거야. 네 인생엔 의미도 없고 자극도 없어서 매일 하류 영화를 보며 *생명을 경시하잖아.*

또 예전 같은 악몽을 꿨다. 한 남자가 분필을 씹어 먹는데 뽀드득거리지 않고 분필 낀 윗니와 아랫니가 부딪칠 때마다 귀뚜라미가 우는소리가 파괴적으로 울려 퍼졌다. 마치 저음질의 MP3을 변기에도 담고 다진 고기가 담긴 볼에도 파묻고 기름 두른 프라이팬에도 구운 결과물을 극대화된 청력으로 듣는 기분이었다. 그럴 거면 나도 걸을 때마다 저음질의 삐빅이 소리가 나게 해주든가. 기분이라도 냈을 텐데. 탐탁지 않은 기분을 혀 밑에 머금고 고개를 들었다. 삐빅한 눈곱이 시야의 구석에 있었다. 눈곱 뺄 때 제일 짜증 나는 게 뭔지 아는가? 눈꺼풀 쪽을 손가락으로 비비면 눈곱이 떨어지기는커녕 매끄럽고 싱싱한 내 눈 안으로 다이빙하는 일이 더 잦다는 것이다. 그리고 그것은 내 눈을 마구 찌르며 밀물 안에서 즐겁게 헤엄친다. 끈적한 눈물이 찔끔 나왔다.

"그린." 침대로 팔을 쭉 뻗었다. "그린?"

이상하다. 밤에 느꼈던 낯선 온기도 사람의 모양도 전혀 느껴지지 않는다. 눈곱을 쫓아내기 위해 노력하는 눈을 손목으로 닦고서 초점이 돌아올 때까지 시트를 가만 응시했다. 눈이 4개가 된 것 같은 시각이 점점 완화되고 있었다. 그 사이 뻐근한 몸을 펴고 목을 좌우로 당기며 시간이 흘러가게 두었다.

"그린?"

눈을 비비며 침대를 더듬거려도 사람의 기척이나 형체는 손에 잡히지 않는다. 찡그린 눈으로 침대를 보는데….

맙소사. 그린이 없다!

"그린!"

그때와 같이 누런 햇살이 방을 밝혔다. 설마, 화장실 간 거겠지. 혼자 가기 무서웠더라도 여자를 앞에 세워놓을 순 없을 테니 내가 여기 있는 건 당연해.

그리고 난 뒤늦게 건물이 너무 고요하다는 사실을 깨닫는다.

지금이 몇 시지? 꼭두새벽이 아니고서야 이런 불쾌한 정적이 햇볕 내리쬐는 대낮에 가라앉을 리가 없다. 머리에 전등이 들어온 듯 정신이 번뜩였다. 다급하게 일어서다 하마터면 앞으로 머리를 박을 뻔했다. 문턱 앞에 서서 왼쪽 등호 수가 쓰인 벽을 올려다보았다. 다 낡은 시계가 4시 31분을 가리키고 있었다. 이쯤이면 어제 머물던 사람들이 일어나서 한창 로비에서 떠들거나 바에서 떠들고 있어야 하지 않나? 내가 영화의 전개를 따라가지 못한 건가?

잔뜩 긴장한 채로 문턱을 넘었다. 삐걱거리는 마룻바닥 소리에 괜히 공포 영화가 아니라는 걸 체감한다. 누가 혹시나 들을

까 싶어 발꿈치를 느릿느릿 끌었다. 소름 끼치는 삐걱 소리는 전혀 잦아들지 않았다. 어젯밤까지만 해도 모든 문이 굳게 닫혀있었는데 이젠 몇몇 방이 살짝 열렸거나 활짝 열려있었다. 가장 일리 있고 현실적이며 긍정적인 생각을 해본다. 투숙객들은 12시 30분 이전에 이미 떠났다. 이곳이 어떤 마을인지는 몰라도 주변을 보면 도시에 비해 상당히 외진 곳은 분명하니 일찍 출발해야 했을 것이다. 자, 이제 가장 일리 없고 비현실적이며 부정적인 생각을 해보자. 이곳은 영화 속이다. 장르 특성상 평범하게 모두 떠났다는 전개는 시청자들의 흥미와 욕구를 자극할 수 없다.

그러니까 즉, 그들은 모두 내가 깨어나기 전에 죽었거나 납치됐다.

내 얕은 4개월의 지식에 의하면 말이지.

여기서 하나 짚고 넘어가자. 나는 내가 처음 이곳에 왔을 때 꼼짝없이 갇혀 난자당해 죽을 줄 알았다. 그 왜, 〈큐브(Cube, 1997)〉에서는 거대한 밀실에 갇혀 아주 정교하게 만들어진 그물망 와이어에 깔끔하게 썰려 죽지 않는가? 빠르지만 끔찍한 죽음이 아닐 수가 없다. 하지만 여러분은 지금까지 뭘 보았는가? 난 영화 속의 인물들에게 보이지 않는다.

브리짓=영화 속의 인물. 살인마=영화 속의 인물.

이 공식을 이해했다면 지금부터 난 무적의 여전사가 된다.

'좋아, 리키. 네 발소리는 아무도 못 들어. 그리고 네 번진 눈 화장도 아무도 못 봐. 그러니까 까치발 들고 돌아다닐 필요 없어. 이제 멍청한 십 대들과 불쌍한 그린을 구하러 가보자고.'

하지만 내 몸은 거부했다. 왜냐고? 일단 가장 큰 이유는, 그들이 어디로 갔는지 모르기 때문이다. 비교적 작은 이유는, 영화로 보는 참혹한 살해 현장과 실제로 보는 살해 현장은 받는 느낌이 확연히 다를 것 아닌가? 어딘지 안다 하더라도 지금 가면 보기 좋게 다져진 시체를 봐야 하는데 반가울 리가 없다. 그런데 꼭 죽었다는 법은 없잖아. 아마 걔넨 어딘가에 묶여서 신체적 고문이 아니라 하나도 안 궁금한 남의 집 사정을 듣고 있을지 몰라. 그렇다면 천만다행일 거야. 정신적 괴로움에 시달리겠지만, 그렇다면 천만다행이지.

스산함에 굽혔던 허리를 들었다. 무슨 원리인지는 몰라도 허리를 펴니까 코로 공기가 더 잘 들어오는 것 같다. 내 코는 건조한 편이라서 좋은 징조는 아니다. 신선한 공기를 대가로 간지러움과 코가 당겨지는 듯한 고통을 얻는다. 당장 이 층을 둘러볼 여유가 없어서 그냥 무작정 아래로 내려온다. 본래 차가운 공기는 아래로 떨어진다는 걸 오래전 지루한 과학 시간에 들었던 것도 같다. 매일 점심에 금방 튀긴 짭조름한 치킨과 벨기에산 초콜릿과 스프링클 뿌린 바닐라 아이스크림을 먹고 싶어 하는 학생들에게 물리와 화학과 크게는 정치 얘기를 들먹이던 과학 선생님은 머리 앞쪽이 거의 텅 비어있어서 전등 불빛에 선생님 머리가 빛날 때마다 키득키득 웃고는 했다. 여하튼 1층이 더 음산한 건 다 과학적인 이유가 있다는 소리지. 절대 사방에 피가 튀겨있어서 그런 건 아닐 거다. 외딴 마을의 학살 현장은 원하지도 보고 싶지도 않다.

'내일부터 조심하라니. 왜 이런 전개가 있다는 걸 알려주지

않은 거지? 내가 조심하라고 명령만 입력하면 알아서 하는 깡통 기계처럼 보이나?'

같이 살아서 나가려면 정보를 주고받는 데 의심이 없어야 하는데 그린은 무슨 일이 일어나는지도 안 알려주고 그냥 빨리 눈을 감았다.

'내가 살 방법이 있다면서? 제 발로 죽으러 갈 거면 그건 알려주지 그랬어. 여기서 대체 뭘 하란 거야.'

원래 같으면 안 풀리는 일 때문에 화를 참지 못하고 전방에 고함을 발사했겠지만 전날 몰아서 터트린 분노 덕분인지 훨씬 감정을 다스리기 쉬워졌다. 하지만 그린의 행동은 내가 냉장고에 넣고 4년간 먹지 않은 음식에 대해 조금도 말을 얹지 않는 매이브 만큼 이해되지 않았다. 물어보지 않은 내 잘못이라고 하지 말길 바란다. 그날 내 스트레스와 공포는 조화를 이루어 빠삐용의 힘과 맞먹는 피로를 만들었고, 당장 돌로 만들어진 침대 위라도 눕지 않으면 죽을 지경이었다. 게다가 영화의 클리셰만 따라가보면 낮에 일어나는 살인은 없었으니 한창 십 대들이 유치하게 놀고 있을 안전한 때에, 하룻밤의 수면으로 피로를 해소했을 때 그의 얘기를 들을 계획이었다. 누가 사람들이 북적이는 마을에, 그것도 대낮에 살육 파티를 벌인단 말인가?

'슬래셔 영화에선 불가능한 것도 아니야.'

로비의 계산대 안쪽 벽에 1976년 달력이 붙어있었다. 배경이 1976년까지 거슬러 내려간다니. 혹시 몰라 벽을 둘러싼 계산대를 쭉 살펴보았다. 낡아 보이는 클립보드에 빨간 동그라미가 쳐진 날짜와 작은 글씨가 있었다.

July 14, 1976
하이드 앨러배스터 !!중요!!

클립보드에도 같은 연도가 쓰여있으니 적어도 시대에 뒤처진 달력은 아닌 듯하다. 주위에 어지럽게 널린 다른 문서를 뒤지다 또 다른 클립보드를 찾았다. 흑연과 지우개 자국이 곳곳에 묻은 종이에는 날짜와 누군지 모를 이름들이 세로로 길게 나열되어 있었다. 하지만 어느 줄부터는 익히 듣고 본 이름이 줄줄이 나타났다.

7/14 카일 앨러배스터 12:15

7/14 에밋 피어스 12:15

7/14 콜린 워커 15:10

7/14 브리짓 마르티네즈 15:10

7/14 제이크 리처드슨 15:10

7/14 제키 밀러 15:10

7/14 홀트 메이너드 15:45 (아마)

7/14 그린 서트클리프 16:35 (아마?)

누가 들어왔다 가는지 기록하는 모양이다. 그게 맞다면 카일이랑 에밋은 뭔데 저렇게나 일찍 들어온 거지?

'카일이란 애는 부자고 에밋이란 애는 엄마 친구 딸이에요. 카일 엄마가 시켜서 어쩌다 여기 왔다는데, 근데 이런 설정은

대체 왜 넣은 거죠? 이게 영화에 꼭 필요한 거예요?'

그린과 대차게 싸운 뒤 마을로 내려가는 길에 들었던 말이 떠올랐다. 듣자 하니 좀 사는 집인 카일네가 엄마 친구 딸이랑 일찍 와서 숙박비를 내줬나 보네. 이런 설정은 대체 왜 넣은 거냐고? 네가 없는 통에 굳이 말하자면 그 설정이 필요하진 않아. 하지만 관객들의 니즈를 충족시켜주는 역할이지. 쉽게 말해 서비스 신이라는 건데⋯ 글쎄, 그때의―80년대의―공포 영화는 업계에서 살아남을만한 요소가 필요했고, 그중 하나가 바보들의 더러운 욕구 충족이었을 뿐이야. 뭔 소리냐면 에밋은 영화에서 섹스하고 죽는 역할일 수도 있단 말이지. 그게 룰이었어. 하지만 명심해! 내 지식에 의하면 에밋은 파이널 걸이야.

홀트라는 사람은 본 적이 없으니 기록 시간대가 겹친 걸로 보인다. 그린은 안 보이는 나랑 가장 늦게 왔으니까 맨 마지막에 서 있는 게 맞고. 그럼 걔네가 들어온 게 어제니까, 어제는 7월 14일⋯ 그럼 오늘은 7월 15일이다. 영화 시간대로는. 너네 휴일이나 기념일에 밖에 나가면 안 되는 거 몰랐구나!

이럴 때가 아니지.

계산대 뒤쪽에 공간이 하나 있다. 아마 '관계자 외 출입 금지'와 같은 용도를 하는 것 같다. 불길하게 열려있는 문 뒤로 굉장한 시퀀스의 기운이 느껴진다. 세상에, 이게 만약 게임이고 '들어가겠습니까?'라는 문구를 띄워줬다면 10분은 기본으로 고민하는 사이에 핫도그를 두 번이나 먹어치웠을 것이다. 묘하게 불쾌한 철분 냄새가 풍기는 건 기분 탓이라 믿고 싶다. 난 어렸을 적부터 망설이는 법을 몰라서 인간관계는 주먹으로 풀었고 뜻대로 안 되면 나의 머릿속 폭풍우와 화산 폭발과 외계인 대 인간의 전쟁과 개인적인 의견을 주변에 마구 뿜내고 다녔다. 그런데 지금은 주먹으로도 못 풀고 개인적인 의견 표출로도 풀 수 없다. 내 단단한 손으로 할 수 있는 일이라고는 365일 쉬지 않고 여관을 쳐서 파괴하거나 운이 좋다면 살인마를 죽이는 것이었다. 나쁜 소식은, 난 여태 살면서 운이라는 게 따라주지 않았단 것이다. 내가 보이지 않고 영향을 끼칠 수도 없는 건 그 징크스가 여기서도 발현했기 때문이 아닐까? 아니, 그냥 내 쓸모없는 대가리 때문일 것이다. 그럼 뒤에 오크통이 가득할 것 같은 나무 문을 열어젖히고 나서 피가 끌려간 자국을 본 것도 과연 그 때문일지 설명해보시지, 리키.

'야, 뭔 말을 하고 싶은 건데?'

내 쓸모없는 대가리와 이 핏자국이 뭔 상관이지? 쓸데없는 생각 좀 그만해. 중요한 건 여기 핏자국이 있다는 거야! 혈관에서 끓어오르는 오싹함과 뇌를 빙글빙글 돌리는 호기심이 맞붙은 결과, 난 재빨리 문을 활짝 젖히고 안을 내다보았다.

"오, 신이시여."

처음 들어올 때 봤던 주인장의 배 주위에 썩은 토마토 소스 같은 피가 푸석하게 말라있었다. 그 중앙에는 충분히 녹슨 칼이 엑스칼리버처럼 홀로 꽂혀있어 뽑아야 할 것 같은 충동을 일으켰다. 그의 질식한 고등어 눈은 생기를 잃고 허공을 꿰뚫어보았는데….

지금까지 이런 정보들을 알았으면 보통은 토악질이 3번 이어진 뒤 위를 게워내야 하는데, 그런데, 그 일이 벌어지지 않았다. 희미하고 분명한 피비린내에 기도가 떨며 역한 느낌을 받긴 했지만 동공은 시선을 어디에 둘지 잘 알고 있었다. 갓 잡아놓곤 더위에 오래 노출되어 썩은 고기가 된 몸에 다가갔다. 틀림없이 의도적으로 살해당한 시체였다.

"그곳에서는 맘껏 포르노를 보길…."

하지만 그가 특이한 취향을 가지고 있는 줄은 몰랐다. 모두 어릴 땐 똥 얘기만 들어도 깔깔거린다지만 성인이 돼서도 여러 의미로 똥을 좋아하는 사람은 처음 본다. 그의 옆구리 바로 왼쪽에 놓인 포르노 테이프 앞면에는 변기에 거꾸로 앉은 남자의 엉덩이 밑에서 알몸의 여자가 혀를 내밀고 뭔가를 기다리는 사진이 있었다. 배경은 밥 먹을 때 봤다가 3일은 굶을 법한 식욕 억제제 수준의 더러운 화장실이었다. 난잡한 텍스트는 굳이 안 파봐도 비슷한 타깃층을 겨눈 자극적인 태그들일 것이다. 이 해괴한 테이프 때문에 솔직히 불쌍하다는 생각이 좀 덜 들었다. 보통은 바보 같고 순수한 남자가 위기의 상황에선 사납고 멋진 싸움꾼으로 돌변하는 반전이 있어야 할 텐데, 이런 반전 면모는 원한 적 없었다. 그래도 난 저주를 퍼붓지 않는 사람이고, 개인의 취향 차이로 뭐라고 할 수는 없는 노릇이고 이젠 죽었으니 어느 종교의 논리대로라면 지옥에 가겠지만 웬만하면 좋은 곳에 가서 잘 맞는 포르노를 찾길 바란다.

일단 신기한 건, 생각보다 역겹다거나 무섭지 않다! 방금 알게 된 한 사람의 다소 충격적인 면 덕분인지 뭔지 오히려 여러 상황이 나의 모험심을 자극했다. 폴른이 언젠가 말하길, 몇몇 공포 영화에는 음침하고 어두운 지하실이 어김없이 등장한다고 했다. 숨겨진 공간이라는 점이 관객들의 흥미와 공포를 끌어올린다 그랬나. 그 안에서 어떤 일이 있었을지 아니면 어떤 일이 생길지 아니면 뭐가 존재하고 있을지 앞서 상상하게 된다고. 아무튼 그건 지금 가장 중요한 단서가 될 수 있다. 지금부터 딱 봐도 수상해 보이는 해치를 찾는 것이다.

주인장의 취미 공간을 빠져나와 건물 출입구에 섰다. 무더운 여름의 가운데에 우두커니 남겨진 기분이었다. 열기와 자연을 실은 공기가 콧구멍을 치고 들어오는 순간에 그랬다. 바라건대, 만약 빠져나가게 된다면 어떤 경로로든 다시는 이곳에 올 일이 없기를 바란다. 다시는 아지랑이 피어오르는 땅과 온몸을 적시는 땀내와 나무집의 계피 향을 맡을 일이 없기를 바란다.

우선 햇볕 아래로 나와 건물 앞벽과 땅이 맞닿는 곳을 샅샅이 뒤져보았다. 누가 버린 음식물 근처에 개미가 득실거리는 광경만 있을 뿐이었다. 다시금 떠올리긴 싫지만 누가 뱉어놓은 진한 토사물도 있었다. 왼쪽으로 돌아가 나름대로 열심히 찾아보았다. 역시 그렇다 할만한 거라곤 없었다. 사소하지만 좋은 소식이라면 제이크가 피는 듯했던 담뱃갑을 발견했다는 것이다. 주위에는 4갈래의 쭉 이어진 선이 파여있었는데, 대충 봐도 누군가의 손이 흙에 꽂힌 채 끌려갔다는 걸 알 수 있었다. 불가항력의 힘을 행사하는 살인마에게 질질 끌려가는 도중 살기 위해 발악했다는 것이다. 하지만 누구의 것인지는 알 수 없었다. 그 흔적으로부터 멀지 않은 곳에 한눈에 보이는 짙은 얼룩이 세 개 정도 조금 크게 퍼져있었다. 굳이 알아내려 하지 않아도 어떤 액체였는지 알법했다. 실제로 여기 몇 명이나 있었는지는 모르지만 이 실마리를 봐서 최소한 세 명은 습격당했을 것이다. 그들을 공격한 무기는 이 망치일까? 마른 핏자국이 평평한 면과 뭉툭한 모서리에 눈에 띄게 묻어있었다.

'글쎄, 세 명이나 있었는데 망치 하나로 전부 죽였다고?'

하지만 내 생각은 금방 바뀌었다:

'그래. 이건 영화잖아. 특히 슬래셔에서는 터무니없이 많은 사람들이 희생되지. 터무니없는 방식으로 망자의 땅으로 가고.'

손가락으로 땅을 긁어댄 자국 외에도 다른 희미한 선이 보였다. 손가락 두께보단 훨씬 넓지만 타이어보다는 작았다. 그때 참을 수 없는 증명 욕구가 들어서 망치를 집어 들고―생각보다 상당히 무거웠다―그 넓은 자국에 모서리를 대보았다.

이런 우연의 일치가!

숲 안쪽으로 이어진 넓은 자국은 망치의 모서리 크기와 일치했다. 망치를 가지고 숲으로 들어갔거나 나왔을 것이다.

게다가 누군가의 검붉게 탄 몸뚱이도 발견했다.

"웩."

언제 죽었는지는 몰라도 여자인 건 확실해 보였다. 아래로 기장이 넓게 뻗은 나팔바지와 쨍한 분홍색 긴소매 재킷만 봐선 성별을 특정하기 어렵다 생각할 수도 있지만 이전에 이런 차림을 본 적이 있다면 얘기가 달랐다.

"에밋? 난 네가 파이널 걸인 줄 알았는데!"

내가 4개월 동안 폴른에게 배운 것과 봐왔던 영화들을 생각하면 그럴 수가 없었다! 에밋은 처녀인 데다가 스타일도 다른 여자애들에 비하면 살짝 '펑키'하지 않나? 성적 어필을 원하는 몸이라고는 볼 수 없다. 이성 교제에 흥미가 없다는 뜻이다. 흥미로운 일에 대해선 저돌적이기까지 했는데! 폴른만 믿고 모든 영화의 앞으로의 전개를 예측해왔는데 처음으로 어긋나버렸다. 하지만 이건 내 실수이기도 전에 감독의 잘못이다. 슬래셔를 만든다면서 기본적인 원칙도 모르는… 잠깐, 그전에 이 영화가 슬래셔라고 했던가?

'테이프엔 제목 말곤 아무것도 안 적혀있었지. 하지만 전반적인 전개를 봐선 그게 맞아.'

그나저나 마을에서 사람을 불태워 죽이다니 자신감이 대단하다. 내가 범인이었다면 '저기, 죄송한데 잠시 그쪽 입 좀 막을게요, 참고로 수건에 안 좋은 물질도 묻혔어요'라고 한 뒤 죽였을 것이다. 에밋, 파이널 걸의 자질을 가졌지만 너무 빨리 떠나버린 것에 대해 명복을 빌게. 그리고 여기서 나가면 뭘 모르는 감독을 잡아서 1시간 동안 특강을 해주지.

'에밋, 근데, 딥 퍼플*이라니! 넌 죽어서는 안됐어!'

에밋이 입은 옷에 딥 퍼플의 로고가 박혀있는 걸 뒤늦게 발견했다. 이렇게 완벽한 취향을 가지고 있는데도 진심으로 죽였단 말이야? 이거 안 되겠네. 이 말도 안 되는 영화에서 빨리 나가고 싶은 마음이 더 커졌다. 그래야 감독 머리채를 잡을 수 있으니까.

나는 에밋의 텁텁한 시체를 놔두고 건물 오른쪽으로 향했지만 벽쪽에 쌓인 둥근 기둥 모양의 통나무 빼곤 특별한 건 없었다.

그럼 가장 가능성 있는 건 당연히 건물의 뒤쪽이겠지!

---

* Deep Purple. 1968년 영국에서 결성된 하드 록 밴드.

난 몸이 붕 뜨는 듯한 감각과 긴장하는 심장을 들고 뒤편으로 곧장 뛰었다. 하지만 기대와 달리 그딴 건 없었다.

"제발, 꼭 이래야겠어?"

절로 탄식이 터졌다. 그런데 그 순간, 내 눈은 흙 밑에서 작게 반짝이는 걸 잡았다. 정확하진 않은데 곡선 모양이고 위로 솟아있는 듯했다. 손으로 쥘 수 있을 것 같다. 무릎을 굽혀서 뭔지 살펴보지도 않고 바로 잡아당겼다. 어딘가로 통하는 문의 손잡이일 거란 예상은 빗나가지 않았다. 리키, 너 운 좋은 거야! 오래 들고 있기 버거운 철문이 열리고, 아래에서 불빛이

깜빡거리는지 어둡다가 밝았다가 마음대로다. 누군가의 발소리나 물건을 끄는 듯한 소리는 들리지 않았지만, 올라오는 인상적인 냄새만으로 등잔 밑에 숨은 공포가 느껴졌다. 바로 아래, 부서질 것 같은 사다리가 매달려있었다.

'마음의 준비할 시간 없어.'

몸을 돌려 사다리에 발을 딛자 삐걱거리는 소리와 흔들거림이 신발 굽을 울렸다. 삐죽삐죽 뜨고 자기들끼리 조금씩 뒤엉킨 머리카락 때문에 머리도 안 빗고 목욕도 안 한 지 일주일은 된 것 같았다. 사실은 이틀이지만 그렇다고 해도 과언이 아니다. 흉부까지 몸을 내리고 나서 손으로 디딤대를 짚으며 내려가는데 붉은 기도 있고 끈적한 뭔가가 다닥다닥 붙는 느낌이 들어서 불쾌했다. 지하실은 사람을 납치하기 딱 좋은 곳이지. 근데 여관 밑에 이런 공간을 만들어두다니 대체 뭘 위해서? 뭐 〈호스텔(Hostel, 2005)〉에서는 여자랑 놀러 간 멍청한 남자들이 고문 페티시즘을 가진 변태들한테 잡혀가지곤 미치도록 넓은

건물로 끌려들어 가서 놀잇감으로 전락하는 내용이 들어있긴 했는데. 속편 나올지는 모르겠더라. 이 영화 때문에 한동안 우리 집 지하실을 절대 혼자서 들어가지 못했다. 내 인생 잔인한 정도로는 손에 꼽는다. 조쉬의 잘린 아킬레스건, 수많은 사람들의 절단된 다리, 팔, 입이 막힌 채 토한 불쌍한 팩스턴—그건 정말 역겨웠고 상상하기도 싫었다—, 웃긴 건 난 아직도 눈이 뽑힌 뒤 시신경을 잘린 카나의 안구에서 흘러내리던 노란 액체의 정체를 알지 못한단 것이다. 솔직히 말하면 그건 머스터드 소스 같았다. 이 지하공간도 순전히 누군가의 재미를 위해 만들어졌을지 모른다. 하지만 여관의 주인장은 죽었다. 복잡하게 생각하지 말자. 이런 숙박시설에는 준비해야 할 것도 많고 보관할 것도 많을 테니 이 정도의 지하시설이 구비되어 있는 건 놀랍지 않다. 하도 영화를 봐대니까 일반인의 머리로 사고를 할 수가 없게 된 것 같다. 평범한 멜로 영화에서도 남녀 둘이 3초 이상 눈을 마주치기만 하면 '아, 저것들 섹스하겠네, 그러고 나면….' 이따위의 생각만 든다.

마침내 축축한 지하에 발이 닿았다. 마음 같아선 '우후!'하고 함성을 지르고 싶었다. 지를 수 있지 않냐고? 간단하게 생각해라. 여러분이 공포 영화 볼 때 숨죽이고 주먹을 꽉 쥐게 되는 것과 같은 원리다.

머리카락을 뒤로 넘기기에 머리핀 하나로는 충분하지 않다. 이런 일이 일어날 줄 알았으면 주머니에 머리끈 10개를 쑤셔 넣고 자는 건데! 어제부터 시작된 이 지긋지긋한 '모험' 때문에 어이없이 후회하게 되는 과거가 너무 많다. 그때의 나는 미래를 예지할 수 있는 능력이 있던 것도 아닌데도. 난 흘러내리는 삐죽삐죽한 단발머리를 목덜미 뒤로 계속 넘겼다. 그래도 머리 핀 하나라도 있어 망정이지, 없었어 봐, 지금쯤 내 눈은 수없이 많은 앞머리에 몇백 번을 찔려 마구 눈을 비비고 눈물도 한바탕 흘리고 있었을걸. 난 수천년을 눈 가리고 살아온 수상한 존재 포지션을 얻긴 싫었기에 내 앞에 머리끈이 떨어지기를 간절히 빌었다. 다만 꽈배기처럼 생긴 머리끈은 안 된다. 내 외모로 보기에 살짝 깨는 면이 있다.

누가 보면 다른 일보다 백 배는 중요해 보이는 머리끈 생각을 하며 앞으로 나아가자, 협소한 입구에서 벗어나 확장된 넓은 공간이 나왔다. 양쪽에 붙은 철문에는 두꺼운 쇠창살이 빛났고, 그 위에는 빛이 죽어가는 조명이 있었다. 지하실은 늘 그렇듯 전체적으로 음울하고 음침하고 초록빛이 짙게 깔렸다. 지하실이 만약 분홍색이었다면 창살 붙은 문 대신 하트 모양 메시지 카드가 걸린 원목 문과 그 뒤에 레이스, 커튼으로 장식된 방이 있었을 것이다. 게다가 지독하게 넓은 침대도 딸려왔겠고. 감독들은 공포 영화에 있어 그런 공간은 무서움을 주기에 적절치 않다고 생각하는 모양이지만, 그건 본인들 재량의 문제다. 아무리 사람들이 나돌아다니는 낮이라도, 사람들이 엉덩이를 흔들며 노는 파티장이라도, 파도가 밀려오면 함성을 지르며 몸을 맡길 수 있는 해변이라도 무서운 장소가 될 수 있다. 이상한 사람이 접근해서 작업을 걸 수도, 사람들 틈에 섞여들어가 뒤에서 찌를 수도, 물속에서 튀어나오거나 물에 청산가리를 풀 수도 있는 일이다. 그러니 에로틱한 분위기가 감도는 아기 제작소 안에서 연인 둘의 피 튀기는 몸싸움이 벌어지는 것도 불가능하거나 무섭지 않은 게 아니다. 특히 지하일수록 더더욱! 감독들은 더 새롭고 신선한 장소를 적극적으로 이용할 필요가 있다. 이런 전형적인 살인의 장 말고.

어디선가 물이 뚝뚝 떨어지는 메아리가 친다. 벽과 천장에 때가 안 낀 곳이 없고, 심지어 파이프에서는 물이 새고 있었다. 기분 나쁜 물소리가 바로 이거였군. 한 발짝 나갈 때마다 불안하게 소리가 사방으로 울렸다.

'괜찮아. 전혀 걱정할 게 아니야. 걔넨 날 보지도 듣지도 못하잖아. 그리고 여기 사람 있다는 증거 있어?'

맞아. 사람이 꼭 있다고는 단정 지을 수 없어. 하지만 살인마가 세 명이나 데리고 먼 길을 도망쳤겠어? 제일 가까운 지하실이 있는데? 나였다면 지름길을 버리고 울창한 숲이나 사람들이 득실거리는 마을 한가운데를, 그것도 세 구의 시체를 끌고 가면서 어슬렁거리진 않겠어. 번거롭고 힘이 드는 작업이고 눈에 띌 위험이 있잖아. 정말 그러는 사람이 있다면 그건 멍청이거나 고도로 힘이 발달한 근육 돼지일 거야.

난 오른쪽 문으로 가 창살 너머를 내다보았다. 기괴할 정도로 길게 뻗은 오싹한 복도 끝에 모서리가 겨우 보였다. 여기선 아무것도 얻을 수 없겠다 싶어 왼쪽 문으로 갔다. 그 너머에는 똑같이 긴 복도가 있었는데, 방이 여러 개였다. 양쪽 다 합해서 10개의 문이 있는 것 같다. 갈수록 희미해지는 복도 맨 끝까지 몇 개가 더 있을진 몰라도 눈으로 보이는 것만큼은 그랬다. 저 끝에는 오른쪽과 똑같이 모퉁이가 있는 건 분명하다. 뭐라도 발견했다는 점에서 내가 열어야 할 문은 이 문이라는 게 정해졌다.

긴장하지 마.

나는 손에 힘을 주고 문을 밀어 열었다.

우선 왼쪽에 있는 문 너머를 내다보았다. 굉장히 폭력적이고 사디즘적인 족쇄만 덩그러니 놓여있었다. 그럼 그렇지. 처음부터 결정적인 걸 발견할 수 있다면 그건 더이상 무력한 희생자가 아니겠지.

그때, 뒤편에서 누군가 까무러치게 소리를 질러대는 바람에 덩달아 나도 비명이 터져 나왔다. 순식간에 그곳은 비명이 난무하는 음치들의 싱어롱 파티가 되었고, 그와 나는 서로의 못생긴 얼굴을 마주 보며 사이좋게 비명을 주고받았다. 저건 대체 누구야? 창살 뒤로 가려진 그의 얼굴은 정말 우스웠다. 크게 뜬 눈과 쩍 벌린 입과 그 안의 혀가 내밀어진 모습을 보자니 놀랍게도 두려움이 잦아들었다. 내 비명은 마치 그러데이션처럼 서서히 줄어들었고 드디어 그곳엔 누군지 모를 그의 비명만이 1초쯤 퍼지다 조용해졌다.

"미쳤어요? 당신 누구예요?" 내가 팔을 벌리며 묻는다.

"미쳤냐고요? 그쪽은 제가 보여요?" 나처럼 머리가 삐죽삐죽 튀어나온 짧은 머리의 소유자가 다 쉰 목소리로 답했다.

"네! 제가 묻고 싶은 건 그냥 당신이 미쳤는지 아닌지 뿐이에요! 미쳤으면 아무 말이나 해요!"

"세상에, 맙소사, 이건 말도 안 돼."

"아무 말이나 하랬죠? 좋아요. 당신은 미쳤어요."

"난 안 미쳤다고요!" 검은 티셔츠에 빨간 체크 남방을 걸친 그가 신경질적으로 소리치며 별안간 창살을 잡고 흔든다. "어떻게 들어왔어요? 정말 내가 보여요?"

"이 사람이 속고만 살았나…." 그의 의심하는 태도에 머리가 돌 것 같았다. 그럼 우리가 어떻게 대화하고 있는지 좀 생각해 보시지? "이봐요, 꺼내줄 테니까 나와요."

"어어, 그거 건들지 마요! 그럴 시간에 빨리 숨기나 해요, 제발. 저도 언제 '그들'이 올지 몰라요. 그쪽은 사람 하나에 목숨을 걸고 싶어요?"

"'그들'이 누군데요?" 너무 오버한다고 생각하다가도 이런 음침한 지하에 갇힌 사람의 입장에 서서 보면 심하게 불안할 만도 하다.

터벅.

터벅터벅.

아주 멀지만 가까운 곳으로부터 늘어지는 발소리가 땅을 두드렸다.

온몸이 싸해지는 감각에 복도 끝에서 눈을 돌리자 창살 뒤 둥그렇게 눈을 뜬 그와 마주쳤다. 파이프에서 추락하는 물소리, 벽 안쪽에서 기어다니는 무언가, 사방으로 퍼진 찌든 때와 곰팡이, 가쁜 숨소리가 사운드트랙이 되어 들려왔다. 정말 발 빠르게 숨어야 될 것 같은 온도가 조성되니 머릿속이 뿌예졌다.

"어디든 숨어요!"

그가 작게 속삭인다. 숨는다 해도 대체 어딜 가란 말이야? 난 급하게 그가 갇힌 방문을 흔들었다. 쇠막대가 걸려있어서 열리지 않는다는 사실을 뒤늦게 깨닫고 막대를 옆으로 치웠다. 그 문이 열렸을 때 기쁨이 느껴진 건 덫에 걸린 제리를 구해서가 아니라 톰이 숨을 구멍을 찾아서였다.

"뭐 하는 거예요? 여긴 왜 들어와요? 죽고 싶어서 작정했어요?" 그는 허둥지둥 움직이는 나를 보며 황당한 투로 소곤거렸다.

"당신 꺼내서 냅다 던지기 전에 그냥 조용히 있어요."

난 반드럽게 고개를 이리저리 저으며 꿇어앉아서 바닥을 훑고 더듬거렸다. 따로 쓸만한 거 없을까? 구린내 나는 양말이나 꽈배기 모양 머리끈이나 하다못해 그냥 구슬이라도 좋으니까 제발 뭐라도 없을까?

'쇠막대!'

행운이 따랐는지 구석에 녹슨 쇠막대가 떨어져 있었다. 게다가… 낫 모양이다!

'원래 이 부분에서 파이널 걸이 쇠막대를 챙겼겠군.'

모든 행운은 주변에 널려있었다. 최후에 살아남을 여자를 위해 각종 단서와 도구를 뿌려놨을 테니까. 난 그걸 이용하기만 하면 된다!

난 재빨리 유령 찾는 도구처럼 보이는 쇠막대를 챙기고서 그의 방 안으로 예고 없이 들어와 문을 닫았다. 그는 옆에서 황당한 듯 웅얼거렸고 발소리는 더 가까워졌다. 난 이곳에서 나름 침착함을 유지하는 법을 배웠다. 방 안은 빛이 잘 들지 않아 어둡고 훨씬 축축한 콘크리트 덩어리의 빈속 같았다. 한마디로 골렘의 뱃속에 들어온 것 같달까. 창살 그림자가 바닥을 장식했다.

"맙소사, 미친 건 내가 아니라 당신이네요." 하지만 그는 내 손에 들린 막대를 가만 보더니 고개를 들었다. "아닐 수도 있고요."

난 나를 볼 수 있는 그의 존재와 빨리 숨으라던 그의 말을 여전히 이해할 수 없지만, 소름 끼치는 환경 속에서 혹시 모를 의심을 하게 되는 건 정상적인 반응이었다. 만약 내가 여기 너무 오래 머물러서 등장인물과 동화됐다면 그들에게 내가 보일 수도 있다. 아주 멍청하기 그지없는 '만약에' 속성의 추측일 뿐이지만. 나는 쇠막대를 손에 들고 창살 사이로 내놓았다. 나만큼의 두께라면 팔 정도는 그냥 들어가게 생겼더니만 밖으로 팔을 내뺄수록 팔뚝이 꼈다. 안간힘을 쓰며 쇠막대의 기울어진 부분을 잡고 문에 걸친 잠금장치를 쳐서 왼쪽으로 밀어냈다. 젖 먹던 힘으로 친 건데 잠그는 막대는 구멍으로 들어가지도 않았다.

"손목을 써봐요." 그가 숨죽인 채 입을 뗐다.

정말이지 나는 쉬운 방법을 두고 어려운 길로 가기를 좋아한다. 온 힘을 몰아주었던 팔뚝에 힘을 빼고 손목을 위쪽으로 가볍게 움직이자 쇠막대가 드디어 문쪽의 막대를 구멍에 처넣는 데 성공한다. 손이고 발이고 가리지 않고 다 떨렸다. 발소리가 코앞에 있는 듯했다.

"당신 셔츠 좀…." 그러자 남자는 의아한 듯 눈썹을 치켜올렸고, 말을 들으려고 하질 않는 느낌이라 이를 악물고 소리치듯 속삭였다. "우리 둘 다 죽는 꼴 보고 싶어요?"

다행스럽게도 그는 이번엔 협조적이었다. 그는 제 빨간 체크 남방을 쏜살같이 벗고는 말했다. "누워요. 아니다, 이쪽에 수그려앉아요." 남자는 입구 쪽 구석을 가리켰다. 이 정도면 우리가 행동하는 걸 듣지 않았을까 싶을 만큼 발소리가 크게 나자 얼굴이 찡그려진다. 난 그가 가리킨 구석에 수그려앉아 무릎을 감싸 안았다. 그는 창살 밖을 의식하며 내게 남방을 덮어주었다. "절대로 말하면 안 돼요." 그러고는 그 자신도 바닥에 자세를 잡고 누웠다.

나도 자기 전 내 왼쪽과 오른쪽의 창문이 미지의 힘에 의해 덜컹거리고 활짝 열려 사악한 악마의 얼굴을 보여줄까 봐 두려울 때면 딱 지금, 옆으로 누워서 100퍼센트 무해한 엄지손가락을 빠는 갓난아기처럼 앉아있었다. 그리고 실제로 악마의 얼굴은 나오지 않았지만 정말 창문이 거센 바람에 덜컹거리면 할 수 있는 최대한의 힘으로 면상을 구기고 날카로운 시선을 보냈는데, 그건 내 얼굴도 만만치 않게 무서운 기운을 풍기게 만들어 그때 존재한다고 믿었던 귀신이나 악마를 쫓아내려는 기특한 시도였다. 그 시절의 내 인상은 매이브가 틈틈이 내 볼을 조물조물 만질 만큼 둥그런 강아지상이었기에 설령 초자연적인 존재가 진짜 있다 하더라도 통하지 않았을 것이다. 하지만 지금 나를 두렵게 하는 건 밤마다 느닷없이 성악을 해대며 하얀 천을 뒤집어쓰고 날아다니는 유령도, 빨간 토마토 같은 피부색과 염소의 커다란 뿔을 가지고 꼴에 황금색 삼지창을 휘두르는 악마도 아닌 그저 운동을 많이 한 인간이었다. 난 그의 눈에 띄지 않을 것이고, 그러니 이상한 얼굴로 그를 위협할 필요도 없다.

그러니 발소리가 문 앞에서 멈춰도 두려울 필요 없다.

시야와 몸을 가린 옷 너머로 그 무엇도 보이지 않았다. 희망도 고통도 없었고, 사람도 공기도 없었다. 우리에게 있는 것은 소리, 고막을 두드리는 청각적 단서뿐이었다. 앞에 선 사람이 뭘 하든지 눈을 깜빡이고 땀을 흘리는 것만 빼면 그의 움직임은 전부 알아챌 수 있었다. 그저 '움직인다'라는 것만 말이다. 그는 지금 움직이고 있었다.

짜증 섞인 한숨을 쉰다. 발소리가 오른쪽으로 멀어진다. 문이 열렸다가 닫힌다.

옷자락을 슬그머니 잡고서 머리 아래로 천천히 내렸다. 그는 여전히 죽은 듯이 누워있었다. 땀샘이 적극적으로 제 의무를 다 하고 심장은 혼자 신나서 신속하게 펌프질을 실시하고 있었다. 뜨겁고 싱싱한 젊은 피가 몸 전체에 빠르게 퍼졌다.

"이봐요."

외로운 독방에 내 목소리가 울렸다. 그는 느릿느릿 고개를 들고 날 보더니 다시 머리를 뉘고 한숨을 내쉬었다.

"죽는 줄 알았네."

"여기 있으면 진짜 죽을걸요. 일어나요. 어서 여기서 나가자고요."

"셔츠는 대체 왜 달라고 한 거죠?"

"시각적인 효과가 있어서요. 어? 셔츠가 없네? 그럼 구석을 볼 거고, 셔츠 자락이 나타나겠죠. 저기 벗어뒀군! 그럼 짜잔, 원래도 없는 사람이지만 전 여기 없는 사람이 되죠."

"그냥 불안해서 그런 거 아니고요?"

그는 족집게처럼 맞는 말만 쏙쏙 골라서 나를 찔렀다. 나도 족집게처럼 그의 머리카락을 쏙쏙 뽑아내고 싶을 만큼 말이다. 실제로 난 불안하면 이불을 머리끝까지 뒤집어쓰고 눈을 부릅 뜬다. 그리곤 마음속으로 기억나는 성경 구절을 읽다가 하나도 기억이 안 나서 '주문을 못 외워서 죄송해요, 하느님 마리아님 예수님, 근데 젠장 당신들이 먼저 어렵게 썼잖아요!'라며 감정 을 호소하기도 했지. 원인 모를 불안을 진정시키기에 전혀 도 움이 안 됐지만, 나중에 매이브가 들러서 나초를 갖다 줘서 맛 이 어떤지도 모르고 씹다가 불안했는지조차 잊어버린 채 잠에 들 수 있었다. 참고로 그땐 등교하는 날이었고, 중요한 발표를 하나도 준비 안 했으며 다음날 아침까지 밤을 새워서 모든 걸 만회해야 했다.

사실 나는 사실 체크 남방을 좋아하는 편인데, 지금까지 주 변에서 촌스럽다고 짖어대서 직접 입거나 저거 예쁘다고 말하 지 못했다. 하지만 이젠 말할 수 있다. 이 남자가 입은 남방은 내 입장에서 굉장히 멋지고 탐난다. 그가 만약 죽는 역할이라 면 이 남방만은 전리품으로 챙겨가고 싶다. 조심 또 조심, 그러 나 빠르게 자리에서 일어난 그 남자는 내게서 멋진 겉옷을 잡 아챘다.

"뭔 정신으로 나가서 돌아다니게요? 전 이미 망했어요. 나가 든 여기 있든 강도와 시간의 차이만 있을 뿐이에요." 그는 남 방을 야무지게 껴입기 시작했다. "나가면 개죽음이고 여기 있 으면… 똑같이 개죽음이지만 준비의 시간을 가질 수 있죠. 죽 기 전 준비 말이에요."

이럴 수가. 이런 극악무도한 곳에 들어왔다는 이유만으로 탈출할 기회를 버리겠다고 하다니! 제발 영화에서 가장 멍청한 선택을 한 남자 캐릭터가 되기를 자처하지 말아줬으면 좋겠는데. 이건 시식 코너에서 음식 하나를 먹어보고는 '여긴 희망이 없어요, 당장 이 식당을 폐업하세요. 손님들이 이딴 음식을 먹으면 내일부터 하나둘씩 죽어나갈 거예요. 더 이상 시식을 하지 않겠어요'라며 평가를 포기하는 자기애 강한 셰프의 만행이나 다름이 없다. 그 앞에 환상적인 크림치즈를 얹은 아몬드 바닐라 아이스크림 한 그릇이 있는데도 맛보지 않겠다는 것 아닌가? 게다가 아이스크림의 완벽한 시식을 도와줄 전문가까지 있는데(그게 바로 나다)!

"그 말은 자살하겠다는 것처럼 들리네요." 난 물기는 없지만 축축한 느낌이 드는 자리에서 일어난다. 무릎과 종아리가 저릿저릿 쑤셨다. 마치 흐린 날 각종 미생물과 작은 벌레들이 바위 아래서 기어다니는 차가운 호수에 30분은 들어앉아있다 나온 것 같았다. 뭐 모기가 없는 게 어디야.

"그러는 그쪽도 나가봤자 얼마 안 가서 죽을 텐데 그건 자살이 아니고요?"

그가 입은 멋진 남방이 불쌍할 정도로 남자는 태엽을 돌리면 둥탁둥탁 북을 두들기는 원숭이 인형처럼 날 짜증 나게 했다. 내가 인형의 주인이었다면 그걸 파괴하길 일삼았을 것이다. 원숭이가 쓴 악단 모자가 튀어나가고, 팔과 다리가 골절 수준을 벗어나고, 걔가 든 싸구려 북도 어딘가로 튕길 것이다. 다시 말하지만 '원숭이 인형' 말이다. 난 길가는 고양이만 보면 5달러까지는 기본으로 소비하는 지독한 동물 애호가다. 다른 생명을 학대하는 취미는 없다.

"난 그냥 영화를 보기보단 상영 이벤트에 참여하길 택한 것뿐이에요."

열심히 북을 치는 남자를 보았다. 두렵기보다 허무한 얼굴이었다.

"확률이나 결과는 알 수 없지만 어쨌든 성공하거나 당첨되면 경품이 떨어지죠."

사람들이 최신형 가전제품이나 기능성 화장품, 아니면 있어도 인생에서 쓸 일도 없을 수제 장난감, 행사를 상징하는 형태의 기념품—그러니까 분홍색 삼각형, 재활용 픽토그램 배지, 등에서 콧물을 뿜는 고래 가방 등—을 준다고 하는 건 '모처럼 행사에 왔는데 빈손으로 가면 좀 그렇지'라고 생각하는 사람들을 홀리려 드는 수작이거나 정말 좋은 의도로 지구의 건강에 이바지하기 위해 주변 사람들을 설득하려는 것이다. 하지만 유감이게도 내 삶의 대부분의 추첨 이벤트는 '모처럼 행사에 왔는데 빈손으로 가면 좀 그렇지' 유형인 나를 아주 잘 이용하는 사람들이 이끄는 것이었다. 갖고 싶었던 경품을 품에 안아본 적이 손에 꼽는다. 대표적인 예로는 할로윈을 기념하는 작은 동네 축제에서 작은 호박 인형을 장난감 총으로 다섯 번 맞추면 손톱만 한 별이 박힌 마녀 모자를 쓴 검은색 거대 토끼 인형을 준다고 해서 성공했던 경험이 있다. 나는 당시 총을 좋아하는 매이브에게 종종 총 잡는 법과 안전장치 푸는 법, 쏘는 법, 장전하는 법 등을 배웠는데—진짜 총은 아니니 안심하라—덕분에 그 얄밉게 웃어대는 호박 인형을 10발 중 딱 5발로 처리할 수 있었다. 하지만 게임장 주인이라는 사람이 한 발 빗나 갔다면서 인형을 안 주려고 하길래 아무것도 모르던 나는 고래 고래 따지던 매이브의 손에 이끌려 그곳에서 나왔다. 내가 5발 을 다 맞췄다는 사실은 나중에 매이브에게서 들었다. 매이브가 다른 가게에서 따로 돈 주고 토끼 인형을 사준 호의에 보답해 눈물은 흐르지 않았지만, 내가 뭐랬던가? 내겐 운이 따라주지 않는 징크스가 있다고. 물론 살다보면 운이 좋았다고 느끼고 오늘이 인생에서 가장 행복한 날이라고 느끼는 때가 분명 있지 만 내게 그런 순간이 찾아올 때는 모두 매이브의 노고 덕분이 었다는 걸 깨달은 날부터는 절대 행운을 믿지 않았다. 그러니 이 상영 이벤트가 내게 교활한 사기를 칠지는 누구도 모르는 일이다.

"당신 이름은 뭐죠?" 난 부디 지하의 끝에 경품이 있길 빌 며 조심스레 물었다.

"힐즈. 어거스트 힐즈예요." 그는 반대편 구석에 기대어 앉았 다. "다들 날 어기라고 부르는데 솔직히 말하면 마음에 안 들 었어요. 머리에 혹 난 못생긴 금붕어한테 지어줄 법한 이름이 잖아요. 멍청해 보여요. 그냥 힐즈라고 불러요."

어기라는 별칭도 나쁘지 않은데? 이렇게 말하면 그의 어떤 지점을 자극할 것 같아서 의견을 공유하길 포기했다. 그는 날 빤히 보더니 턱을 까딱거렸다.

"나는 약삭빠른 미니 마우스예요." 난 눈썹을 치켜올렸다.

"지금 장난할 기분 아니거든요?" 그가 이어서 차가운 반응 을 보인다.

"오, 미니 마우스 싫어해요?"

"이봐요. 지금까지도 내 여동생은 미니 마우스와 미키 마우스가 하트 안에서 손잡고 '달콤한' 시선을 나누는 이상한 커플티를 나랑 입으려고 해요. 그딴 게 귀엽대요, 그래서 발표회 때 입고 와달라지를 않나, 아무튼 난 미니 마우스랑 미키 마우스가 싫어요. 내가 좋아하는 건 오리 캐릭터라고요."

힐즈는 성을 내면서도 목소리가 퍼지지 않게 속삭였다. 뭐여동생이 성애적인 의미로 입어달란 것도 아니고 오빠를 유린하는 의미로 입어달란 것도 아닌데 좀 입어주지. 이렇게 말하면 또 그의 어느 지점을 건드리겠지? 생각없이 장난쳐본 건데 그에게 미니 마우스에 얽힌 복잡한 사연이 있을 줄은 미처 몰랐다. 다신 미니 마우스 얘기는 하지 말아야겠다.

"알았어요, 그럼 난 데이지를 하죠."

"데이지 안 좋아해요."

"내가 그거 물었어요?" 난 일부러 입술을 꾹 다물고 입꼬리를 올렸다.

"됐어요, 그래서 이름이 뭔데요?" 힐즈는 터질 듯한 화를 참으려는 듯 별안간 팔을 뻗고 손가락을 꿈틀거리고 한숨을 쉰다.

"리키 페이턴. 참고로 난 내 이름이 좋아요."

"내 이름보단 낫네, 뭐 이런 말을 듣고 싶은 거예요?"

"그런 건 아니고요."

내 이름은 엄마가 날 낳기도 전에 할머니께서 지어주셨다고 한다. 내가 어떻게 자라길 기대하셨는지 몰라도 뜻은 강한 이의 재산이라고 한다. 이름에 걸맞게 컸는지 굳이 물어보고 싶은 마음도 없고, 이젠 물어볼 수도 없다. 다들 이름이 있으니 그렇게 불리며 사는 것뿐이다.

"뭐가 됐든 난 당신도 같이 나가야 한다고 봐요."

"지하를 나가면 뭐해요? 영화가 안 끝나는데."

잡았다. 결정적인 단서! 그냥 지극히 눈이 좋은 등장인물이 환각을 보고 있겠거니 했는데 정말 이 공간에 대해서도 알고 날 볼 줄 아는 현실의 사람이었어? 어떤 경로로 여기 있는 거지?

"당신도 여기 갇혔어요?"

"그럼 내가 뭘로 보여요? '영화'를 말하는 거라면 맞아요."

난 소파에서 영화를 보다가 잠들었고, 꾸는 꿈에서는 캠벨 토마토 수프 냄새가 났었고, 눈을 떠보니 토마토 수프의 잔향과 함께 이곳에서 깨어났지. 그럼 이 사람도 혹시 그렇게?

"난 눈 깜빡하니 여기였어요."

눈만 깜빡거렸는데 여기로 왔다니. 적어도 난 한참 전에 일을 관둬서 잠잘 시간이 있었다는 게 다행스럽게 느껴졌다. 안 그랬다면 잡혀서 죽기 전에 과로로 죽었을 것이다.

"다들 우릴 못 보잖아요. 그냥 나가기만 하면 되는 거예요! 그리고 그린을 구하…"

"이런, 그쪽 처음인 거 잊고 있었네요."

남자는 가볍게 목을 돌리더니 하염없이 천장을 향해 시선을 쏘았다. 마치 보여줄 게 있다는 듯한 재능 많은 영국인의 하이 톤과 말투였다. 영국인인지 아닌지는 나중에 흥얼거리는 노래를 통해 알아볼 수 있을 것이다. 난 절대 '영국인들은 국가 부를 때 〈Don't Look Back In Anger〉만 부른다던데 진짜야?' 같은 사람이 아니다. 근데 뭐가 처음이라는 거지? 처음 보는 이상한 남자한테 저런 말을 들으니 의도와는 상관없이 묘하게 기분이 안 좋았다. 그럼 지는 경력 있다는 소리인가?

"처음 아닌데요?" 나도 모르게 언성이 고열에서 터지는 옥수수 알처럼 확 튀었다. 1차 보호막으로 이성을 겸비해둬서 다행이다.

"그럼 왜 자꾸 이상한 소리를 하는 거예요?"

"그거랑 이거랑 뭔 상관인데요?"

"여기 오신 게 처음 아니에요?"

아하. "맞아요! 어떻게 알았어요?"

"제가 여기 처음 왔을 때랑 똑같은 말을 해서요."

그래, 이 사람은 나랑은 다르게 좀 해본 사람인가 보네. 여기서 일어난 게 처음이 아니야. 똑같은 말이라면 '다들 우릴 못 보잖아요'를 말하는 건가? 그 말이 뭐가 이상해? 마치 공부를 포함해서 못하는 게 없는 우등생이 '수학은 그냥 푸니까 부럽다'라는 말을 듣고는 '수학을 잘해야 하는 내 고통은 왜 생각하지 않는 건데? 이 무례한 것들아'라고 답하는 걸 본 기분이었다. 바보야, 그냥 나가면 되잖아. 뭘 망설여?

"제가 처음에 어디서 일어났을 것 같아요?"

난 오래전부터 자기만 알고 남들은 모르는 걸 묻는 사람들이 싫었다. 남에게 눈치 줄 의사가 다분해 보이기 때문이다.

"여관 앞이었어요. 에밋은 불타고 있었고, 다른 애들은 비명을 질러대고 있었죠. 예상치도 못한 일이라 도망칠 수밖에 없었어요. 그러다가 누가 뒤에서 날 쳤고, 휘까닥." 남자는 우스꽝스럽게 혀를 내밀었다. "그게 다예요."

"왜 예상을 못해요? 처음 온 게 아니라면서요."

"아, 음, 그게… 그 장면은 처음이었어요. 그보다 그린을 알아요?"

"잘 알죠. 처음에 만난 살인마거든요."

아직도 그린이 살인마인 줄 알았던 순간이 멀게 느껴져 틈만 나면 농담으로 우려먹기 좋았다. 그린이 불쾌해하지만 않는다면 말이다. 원래도 인상적인 순간이 있으면 나와 매이브 사이에서 안줏거리가 되곤 했다. 특히 예전에 머리를 축 내려 묶었다가 토킹 헤즈* 옷을 입은 남자에게 버디 홀리 노래를 좋아할 것 같다는 말을 들었던 경험이 전설이다(참고로 난 그때 블루 오이스터 컬트**에 빠져있었다).

남자는 뭔 소리냐는 표정을 짓고 입을 벌리고 있다.

"농담이에요. 직접 들어서 아는데, 자긴 죽었대요. 그래서 여기서 나갈 방법이 없다고… 나처럼 살아있는 사람은 나갈 수 있대요. 하지만 난 안 믿어요. 눈앞에 멀쩡히 살아있는 사람이 현실로 나갈 수 없다는 걸 믿어요?"

"저도 처음에 만났을 때 그러더라고요. 자긴 죽었으니 이제 나갈 방법이 없다면서 울고불고 난리도 아니던데요. 그 사람이랑 방법을 찾아봤지만 아무래도 못 나간다는 건 사실인 것 같아요. 그렇다 할 단서를 못 찾았거든요."

문득 그린의 눈에서 떨어지던 눈물이 떠올랐다. 그의 입이

---

* Talking Heads. 1974년 미국에서 결성된 뉴웨이브 록 밴드.
** Blue Oyster Cult. 1967년 미국에서 결성된 록 밴드.

주절거리던 단어들, 어머니, 무덤, 해바라기, 라일락, 그리고….

'당신 정말… 우리 엄마를 닮았네요.'

나는 부끄러워서도 아니고 화가 나서도 아닌 의문의 열기를 가라앉히려고 마른 입술 위에 혀를 날름거렸다. 어느 때보다 입술이 푸석푸석 말라있었다. 보통 이럴 때는 불쾌해서 밖에 나가지도 않으려 했는데, 지금은 강제적인 상황이 나를 잘 이끌고 있다. 웃어야 할지 울어야 할지.

"당신이 그걸 예상하지 못했다면, 앞으로 벌어질 운명들도 예상하지 못한다는 거네요."

"뭐… 틀린 말은 아니죠."

"그럼 빨리 나와요. 우린 움직일 거예요."

난 다시 우울한 독방의 창살 밖으로 쇠막대를 뻗어 손목을 마구 움직였다. 탁 치는 소리가 들리자 바깥의 잠금장치가 옆으로 밀려나는 장면이 머릿속에 선명하게 그려졌다.

힐즈라는 사람은 여전히 그곳에 서서 나를 못 미덥다는 듯 흘겨보고 있었다. 남자들의 이런 시선은 나도 달갑지 않았지만 살아있는 사람을 그냥 두고 갈 수는 없는 노릇이었다. 나는 그에게 마지막이라 생각하고 물었다.

"계속 거기 있을 거예요? 정말 죽는 게 소원이라면 그렇게 해요. 난 최신형 가전제품 받고 싶으니까."

내가 문을 닫으려 하자 힐즈가 급하게 달려와 문을 잡았다. "잠깐!"

그의 다급한 목소리가 들리자 이유 없이 기분이 한층 들떴다. "왜요? 마음이 바뀌셨나?"

"미니 마우스 머리띠가 받고 싶은 사람도 돼요?"

그의 터무니없는 질문에 난 씩 웃었다. "그럼요."

살인마에게 우리 모습이 보일수도 있다는 걸 알려준 그의 경험 이야기는 잘 들었다. 즉, 이 상황은 도박이라는 거네. 어떤 거한텐 걸릴 수도 있고 어떤 거한텐 안 걸릴 수도 있다? 이거 감독의 시나리오와 의지와는 상관없는 것 같은데.

애초에 내가 이 영화에 어떻게 들어오게 된 걸까? 그래, 이건 〈나이트메어(A Nightmare on Elm Street, 1984)〉랑 비슷한 거야. 하루 일과를 마치고 포근한 침대에 뛰어들어 잠에 들면 끔찍한 악몽 속에서 프레디 크루거로부터 도망다녀야 해. 그 손에 닿아있는 날카로운 칼날에 두려워하고 울면서, 그토록 가기 싫어했던 학교를 갈 수 있길 바라게 되지. 그건 평범한 삶이니까.

'하지만 이건 체다치즈와 새빨간 토마토, 두껍게 썬 돼지고기를 듬뿍 넣은 바삭바삭한 토스트에 코카인을 뿌린 기분인걸.'

코카인을 해 본 적도 없고 인정하기도 싫지만 사실은 그랬다. 숨을 쉬지 않는 고깃덩어리를 손질하는 직업에 질려서 재밌는 걸 찾고자 일상으로 여행을 떠났지만 매한가지였다. 그런데 이건… 이건 일상과는 거리가 멀어도 한참 멀었다. 후덥지근한 공기가 현관을 막는 날에 소파에 누워 감자튀김을 먹거나 식탁에 앉아 캠벨 크림 수프를 먹는 지겨운 나날에서 벗어난 것이다. 후덥지근한 공기가 주위를 좁혀오는 날에 피비린내가 끓고 험상궂은 살인마에게 쉴 새 없이 쫓기는 그 상황이 견딜 수 없이 가쁘고 공포스러웠다. 그 공포는 내가 움직일 원동력이었고, 상상력이 끊임없는 예측을 늘여놓는 원인이었다. 주위를 둘러싼 위험들이 날 멈추지 못하게 만들었다. '멈춰 있었던' 예전과는 다르게.

조금은 재밌다, 그건 누군가는 동의하지 못할 지극히 개인적인 의견이었다.

"한 번 와봤다면서요? 어디로 가야하는지 알겠어요?"

"아니, 여기까지 와 본 적이 없어서…." 힐즈는 이깟 질문이 뭐라고 안 그래도 작은 목소리를 더욱 줄였다. "예감상 저쪽일 것 같아요." 그러면서 그는 좌측, 정면, 우측으로 나뉜 길 중 오른쪽을 가리켰다.

"그게 뭔 예감인데요?"

"내가 원래 이런 영화를 좋아해서 잘 알아요." 남자의 속삭임이 갑자기 살짝 커졌다.

"진짜요? 나도 좋아하는데! 여기 같이 들어온 건 아마 운명일지 몰라요!"

현실의 주변인들은 이런 영화는 소름 끼치고 잔인하다면서 손사래를 쳤는데, 여긴 살인마도 있고 인질도 있는데다가 냄새도 고약하고 공포 영화를 좋아하는 사람까지 내 옆에 있다! 몸은 지치고 힘들지만 보잘 것 없는 나도 여기서는 사람들을 구출하고 행동하는 파이널 걸이었다. 틀림없이 마지막까지 생존할 수 있다는 자신감이 오븐에서 부풀어오르는 머핀처럼 커졌다.

"제일 좋아하는 영화가 뭐에요?"

"말해도 모를걸요." 그는 말을 줄인다.

"괜찮아요. 하나 말해봐요. 그럼 나중에 나갔을 때 나도 한 번 찾아볼 수 있잖아요?"

"굳이 지금 그걸 얘기해야겠어요?"

힐즈의 거부 반응에도 나는 그를 올려다보며 미소지었다. "언제 얘기해줄 건데요?"

그는 마지못해 한숨을 짓는다. "잠깐만요." 뭔가 깊이 고민하는지 한동안 침묵하더니 불쑥 답했다. "<앨리스, 스위트 앨리스(Alice, Sweet Alice, 1976)>."

"왜 그렇게 고민해요? 찜해둔 다른 영화라도 있었어요?" 진지하게 생각하는 그의 모습이 웃겨서 헛웃음이 절로 나왔다.

"그런 건 없는데, 이 영화 제목이 두 개라서…."

"하나는 뭐예요?"

"커뮤니언Communion. 원래는 커뮤니언이에요."

"미안해요. 정말 하나도 모르겠네요. 언젯적 영화죠?"

"1976년."

"취향이 원래 좀…?"

"이게 어때서요? 엄청 무서웠거든요?"

"지금 2006년이잖아요."

"2000년대 들어서는 영화가 근본이 없어졌거든요?"

"거짓말." 난 팔짱을 꼈다. "호스텔에서 자살한 여자 이름은?"

"카나." 그는 갑자기 놀란 듯 눈을 부릅 떴다. "젠장."

"당신 거짓말 진짜 못하네요." 뭔 상황에 따라 쓰는 족집게를 따로 놔두는 건지 이번엔 웃긴 짓거리만 골라서 하고 있는 그의 행동이 너무 우스웠다. "꼭 당신들처럼 그땐 어땠는데 지금은 어떠니 하면서 괜한 부심 부리는 사람들이 있거든요."

"누가 그래요? 근본 없다는 게 재미없단 의미도 아니잖아요."

"완전 그런 의미거든요? 지퍼스 크리퍼스, 새벽의 저주, 레지던트 이블, 데드 캠프*, 볼 게 얼마나 많은데요?"

이런 말하긴 싫지만 보통 특정 장르에 대한 자신의 마니아 기질을 뽐내고 싶어 하는 사람들은 남들과는 다른 특별한 점이 있기를 원한다. 나도 그런 시기를 겪어봐서 뭔가에 대한 쓸데 없는 부심 부리기는 잘 알고 있었다. 여러분은 기억도 나지 않을 맨 처음 부분에서 내가 '난 이런 것도 봤다'를 시전하기 위해 끔찍하고 역겨운 필름들을 스스로 찾아보기도 했다는 것 기억나는가? 이런 영화는 왜 만드는 건지 순수하게 궁금해질 만큼 정도가 심한 영화를 하나 봤었다. 뭐, 여자와 남자가 지하실에 있다는 것만 들으면 대충 뭔 내용인지 짐작할 수 있을지도 모르겠다. 궁금하다고 해서 '영화를 찾습니다' 공고를 붙일 생각은 마라. 가치도 교훈도 없는 불쾌한 영화니까. 아무튼 내가 이럴 때가 있었듯이, 힐즈는 오직 2000년대 이전의 고전 공포 영화들만 근본으로 취급하는 모양이다. 사실 그 시절에 나온 공포 영화들은 따지고 보면 전부 내용만 바꾼 13일의 금요일들 이었는데, 보고 있으면 피곤하지 않나? 아, 그러니까 연출적으로 말이다. 그 시대 특유의 음질이 긴박감을 한 보 후퇴시키고, 전부 보여주질 못하는 연출 수준 때문에 잘 집중이 안 된다.

---

* ⟨Jeepers Creepers (2001)⟩, ⟨Dawn of the Dead (2004)⟩, ⟨Resident Evil (2002)⟩, ⟨Wrong Turn (2003)⟩

내 견해를 말할 때 꼭 붙이는 말이지만, 어디까지나 내 개인적인 감상일 뿐이고, 내 전직은 도축업자였다는 걸 기억하길 바란다.

우리는 힐즈가 가리킨 방향으로 천천히 전진했다. 천장 근처에 닿아있는 벽에 이유 모를 벽돌이 하나 끼어 있었다. 공사 중에 있었던 실수일까? 곧 저 모습은 내 처지와도 닮아있다는 걸 깨달았다. 멀쩡하고 유단한 일상에 갑자기 끼어든 이 망할 필름 때문에 말이다.

"쉿. 무슨 소리가 들려요."

내가 속삭였다. 바로 앞 저 멀리서 누군가 흐느끼고 소리 지르는 게 선명하게 들려왔다. 이 지하실은 얼마나 넓은 걸까? 아마 이런 걸 생각할 시간에 여기 있을 이상한 사람들을 지금껏 정면으로 마주치지 않은 것에 대해 감사해야 했다.

"내가 말했죠? 나가봤자 죽는다고요… 저 여자들은 지금 끌려가는 거예요. 그냥 얌전히 우리 방으로 돌아가는 건 어때요?"

"한 번 시작했으면 끝장을 봐야죠!"

나는 걸음을 망설이는 힐즈를 뒤에 내버려두고 혼자 성큼성큼 앞으로 나아갔다. 초록빛 바닥에서 노란색이 자신의 빛깔을 드러낼 낌새였다. 몇 미터 안 떨어진 그 앞에는 께름칙한 복도보단 더 넓은 공간이 있는 듯했다. 울음과 비명이 가까워졌다. 내 평생 수없이 많은 여자들이 여러가지 이유로 흐느끼고 절규하는 걸 들었지만 저런 건 처음 들어본다. 자신을 사랑하는 줄 알았던 쓰레기 남친과 드디어 이별한 친구가 미련을 못 버리고 서럽게 우는 것보다 더했다. 물론 영화에서야 많이 들어봤지만 또 실제로 듣는 것하곤 느낌이 달랐다. 나만큼은 저렇게는 안 됐으면 좋겠는데.

넓은 공간으로 발을 딛기 전에 왼쪽에 있는 이 고전적인 나무 문을 열어봐야만 했다. 이런 영화에서는 뭐든지 크게 신경 쓰지 않아야 안전하지만, 주인공이 쓸만한 무기를 찾는 상황이라면 허용된다. 그리고 난 지금 인생 최대의 적에게 대항할 만한 걸 찾고 있다.

'그래 친구, 이 문을 당장 열어보자고. 여기가 고문 공장이 아니라면 누군가 매달려서 죽어가는 모습은 안 봐도 될 거야. 하지만 그렇게 되면 생명에 위협이 되는 물건도 없겠지. 여긴 안타깝게도 고문 공장이어야 하고, 주먹보단 칼을 선호하는 녀석들이어야 해.'

섬세한 동작으로 문을 열고 재빠르게 닫자, 누군가의 무거운 발소리가 빠르게 문 뒤를 지나쳤다. 몇 초만 더 늦었다면 난 이미 손가락을 잃고도 남았을 것이다.

안을 대강 훑어보니 뭔가를 걸어두는 용도로 보이는 고리가 벽 곳곳에 붙어 있었다. 도끼나 칼 같은 걸 걸어둘 법한데 전부 쓸데없이 나무 상자 위에 놓여 있었다. 고리는 대체 무슨 용도야? 아무튼 여긴 뭔가 사디스틱 성향이 짙은 물건들이 많을 것 같았는데, 그렇진 않고 악마를 물리칠 수 있을 것 같이 생긴 작은 칼이 있을 뿐이다. 벽에는 형태를 알아볼 수 없는 선들이 서로 이어져 있다. 글씨인 것 같긴 한데 확실치는 않았다. 난 난잡한 게 싫다. 엑소시즘 영화는 최악이다.

고민 끝에 '악마를 물리칠 수 있을 것 같은 칼'을 집어들고 주의깊게 바깥의 소리에 귀를 기울이다, 들키지 않기 위해 지어낸 굼뜬 동작으로 문을 열었다. 가죽 자켓을 입은 장신의 남자가 막 모퉁이 앞에 와 있었다.

'잠깐만, 힐즈는?'

아, 씨발! 그 생각을 못했네!

난 어느 때와 다름없이 발바닥에서부터 전해지는 싸한 감각을 부정하지 않고 받아들였다. 누가 자신의 몸을 거역하겠는가? 나와는 상의도 없이 이상한 물질을 분비하고 혈관을 수축하고 심장을 쥐락펴락하는 우리 몸을 누가 거역할 수 있겠는가? 난 그저 힐즈가 그곳에 있지 않기를 바랐다. 힐즈는 내가 보는 것과는 다르게 강하고 똑똑한 남자일 것이다. 남자가 다가오는 그깟 발소리도 못 들었을 리는 없겠지. 도망쳐. 도망쳤니? 우리가 지나온 길에는 고교 때 우리 반 학생들이 다 들어가고도 남는 10개의 독방이 있었잖아.

남자는 이제 모퉁이를 돈다.

남자가 옆을 내려다본 순간, 누군가가 덮쳐와서 철푸덕 소리를 내며 뒤로 자빠졌다. 그는 자신의 위에 있는 이를 향해 팔을 휘적거리고 발을 바둥거렸다. 숨이 막히는 소리만 컥컥 낼 뿐 나처럼 저급한 욕설을 툭툭 내뱉지는 못했다. 원래 그런 성격인지 목이 막혀서 그런지는 가서 보지 않고서야 알 수 없었다. 남자를 덮친 건 틀림없이 힐즈였다. 으슥한 지하실 안에서 그들의 몸부림이 크게 울려퍼졌다.

"힐즈!"

난 앞일도 생각하지 않고 같이 덤벼들었다. 그건 힐즈에게 제압당한 줄 알았던 남자가 그를 밀어내고 일어나려 해서 어쩔 수 없었다. 여기서 살아있는 사람들이 죽는 건 원치 않았다. 비틀거리며 땅을 짚고 무릎을 딛는 남자는 콧김을 색색 내뿜고 있었다. 붉은기가 심하고 동그란 얼굴에, 턱에는 긁힌 상처가 있었다. 내가 말했던 '문신을 좋아하고 메탈을 자주 듣는 남자'가 바로 이런 타입이다. 아마 집에 들어가보면 키스 앨범이 가득할 것이다. 난 우선 힐즈를 급하게 일으킨다고 손을 맞잡았다. 꽈당, 미끄러진다. 쿵쿵 뛰는 박동을 최대한 배제하고 다시 손을 맞잡는다. 우리 둘의 손바닥에 찬 식은땀에 느낌이 축축하다. 그를 일으키자 남자도 무릎에 몸을 받치며 일어난다.

남자는 평범한 사람에게서는 느낄 수 없는 짐승 같은 눈빛을 가지고 있었다. 메탈 취향으로 놀리면 아무리 사람이 북적거리는 광장이라도, 어딘가에 세워뒀던 기타를 가져와 남녀노소 관계없이 배를 내려칠 것 같았다. 내 머릿속에서 그려진 그 상황에선 기타가 남의 복부에 거세게 닿을 때마다 완벽한 F코드가 연주된다. 배꼽을 정확히 가격할 때마다 달라지는 코드들이 조화를 이뤄 하나의 곡을 만들어낸다.

'오싹한 메탈 맨'의 첫 앨범 타이틀 곡을 들려드립니다. 1집 <네 배꼽에 키스할 거야>의 <스킬렛 스타일> 최초 공개입니다!

오싹한 수준이 아니라 끔찍했다.

힐즈는 다시 한 번 남자에게 달려들어 그를 넘어뜨렸다. 남자가 금방 일어나려고 하는 게 보였다. 내 손에는 '악마를 죽일 수 있을 것 같은 칼'이 있었다. 어쩌지?

찔러?

"페이턴! 찔러요!"

나답지 않게 망설여졌다. 한 사람뿐만 아니라 두 사람, 세 사람의 목숨이 위태로운 상황에서 난 위협의 대상에게 해를 가하는 것조차 못 해내고 있다. 사람을 찔러? 그건 있을 수 없는 일이었다. 이건 전혀 재밌는 일이 아니다. 칼을 잡은 손이 부들부들 떨려왔다. 지금 이 손으로 기타를 잡는다면 종일 비브라토만 할 수도 있었다.

"페이턴!"

힐즈의 목소리가 이명처럼 들렸다. 주변이 방음벽으로 막혀 편하게 기타를 연주할 수 있는 개인 연습 공간에 들어온 것만 같았다. 마구 소리를 지르고 싶었다. 지하실에는 이 남자 말고도 어떤 사람들이 돌아다닐지 모른다. 힐즈가 계속 고함을 칠수록 분산되어 있는 그들의 몸뚱이는 이곳으로 모여들기 시작한다.

빨리 해. 해버려. 도망쳐.

"힐즈, 난…."

있는 힘을 다해 남자의 목을 조르고 있는 힐즈의 얼굴을 바라보았다. 내 발은 나 모르게 구르고 있었다. 고개를 절레절레 흔든 건 내 의지가 아니었다.

난 컥컥거리는 남자 위에 올라탄 힐즈를 밀치고 남자의 경동맥 근처를 향해 칼을 꽂아넣었다. 소리가 멈추었다. 남자의 팔이 천천히 올라가더니 둔한 손짓이 칼 주위에서 멈췄다. 흥기가 박힌 피부의 작은 틈새에서 빠져나오려는 진한 붉은색이 눈에 띄었다. 한껏 번뜩 뜬 눈동자가 미세하게 진동했다. 이윽고 정체가 확실한 붉은 액체가 목 옆을 타고 흘러내린다. 점점 더 많이, 점점 더 빨리 그 액체는 빠져나오기 시작한다.

칼을 빼야 할까?

내가 넘어트린 힐즈가 아래에서 숨을 헐떡거렸다. "페이턴⋯."

그 뒤로도 그는 뭐라 더 말했지만 내 귀를 통과한 누군가의 목소리는 웅얼거림밖에 더 되지 않았다. 난 확실한 처리를 위해 남자의 목에 굳게 박힌 칼을 뽑아냈다. 찔끔찔끔 새기만 하던 액체가 상처로부터 분수처럼 솟아올라 주변으로 튀었고, 머지않아 바닥을 가득 적셨다.

나는 절대 이게 피라고 인정할 수 없었다.

"페이턴!"

고막에 바늘이 찔러 들어오듯, 힐즈의 목소리가 뇌를 세게 주물렀다.

"힐즈, 괜찮아요?" 나는 그가 내민 손을 잡아 올렸다.

"보이는 대로에요." 힐즈는 끙끙거리며 내 손을 꼭 쥐고 일어선다.

짧은 순간 느꼈던 긴장이 풀리지 않은 채로 몸 구석구석을 왔다 갔다. 난 이도 저도 아닌 자세를 취하고 멍청하게 서 있었다. 인간의 숨구멍에 칼날을 박아넣었던 손이 여태 살았던 나날 중 가장 심하게 떨렸다. 기타 세션이 필요한 밴드는 빨리 이 틈을 타 나를 불러라. 거짓말 안 치고 모든 파트를 비브라토로 쳐줄 수 있다.

153

"페이턴! 우릴 죽이려는 사람이었어요. 처다볼 필요 없어요."

"칼이 너무 구렸어요! 목에도 덜 박혔던 것 같아요!"

난 곧 칼이 충분히 날카롭지 못했던 사실에 관심이 기울어졌다. 도축 일을 할 때는 저딴 칼을 쓰지 않는다. 손끝에 느껴졌던 칼날의 느낌은 그야말로 최악이었다.

힐즈가 그를 일으킨 내 손을 잡고 앞으로 끌었다. 예상했던 것과 같이 넓은 공간이 있었다. 게다가 거기 있는 방들도 이전에 봤던 것보다 훨씬 넓었다. 다만 양쪽에 둘씩만 존재했다. 그리고 왼쪽 감방에는 여자 둘이 갇혀서 서로를 부둥켜 안고 흐느끼고 있었다. 그녀들은 내게 아주 낯익었다. 제키와 브리짓. 그곳에 있었던 핏자국의 주인이 이들일지도 몰랐다.

하지만 그들은 우릴 보지 못했다.

"아까 그 소리는 뭐지?" 브리짓이 딸꾹거렸다.

"모르겠어. 자기들끼리 싸운 거 아닐까?"

제키는 침착함을 유지할 줄 알았지만 극심한 공포를 느끼기는 마찬가지였다. 브리짓 만큼은 아니어도 그녀의 눈에는 확실히 울었다고 판단할 수 있는 흔적이 남았다.

나는 전체가 쇠창살로 이루어진 문을 걸어잠근 쇠막대를 잡고 살짝 옆으로 밀어 치웠다. 달그락거리는 소리가 지하실을 울리자, 그녀들의 눈썹이 들어올려지고 눈이 잠시 번뜩거렸다. 직접 그들에게 관여할 순 없지만 이들을 둘러싼 환경과는 상호작용을 할 수 있었다. 나는 모든 귀신 목격담이 아마 이런식으로 생기는 게 아닐까 하는 생각이 들었다.

"들었어?" 제키가 묻는다.

"아까 그 소리?"

"문이 열린 거 아닐까?"

그래, 내가 열었다 이것들아. 빨리 눈치 보지 말고 나와. 문 앞에 서서 그녀들의 결정을 지켜보는 순간 힐즈가 내 어깨를 붙잡았다.

"지금 뭐 하는 거예요?"

"도와주는 거잖아요."

"얘넨 그냥 등장인물일 뿐이라고요! 이 사람들 도와줄 시간이 어딨어요?"

듣고 보니 힐즈의 말이 옳았다. 내가 구하려고 해봤자 영화 속의 인물일 뿐이었다. 하지만 그들은 내 앞에서 두려움을 느끼고 울기도 했다. 내 말은, 정말 살아있고 실존하는 사람 같았다. 나는 그들을 그냥 둬선 안 된다는 마음이 들었다.

"이중에 한 명은 살아남을 거예요. 지금껏 슬래셔 영화들이 그래왔으니까. 그리고 혹시 모르잖아요. 영화의 전개를 흐트리면 어떻게 될지."

평범한 타임 패러독스 이론과 같은 말이었다. 정해진 영화의 시나리오대로 가야만 모든 일이 끝나는 것이다. 난 원래 사람마다 정해진 운명이 있다는 걸 믿지 않았지만, 이들은 정말 그랬다. 감독이 만든 시나리오대로, 그가 구축한 설정대로 움직이고 말하는 가상의 인물들이었다.

물론 이건 그들을 내버려 둘 수 없었던 나의 핑계다.

"안 그래요! 다 의미없다고요!"

"알겠어요, 근데 뭐 하나만 물어봅시다. 당신이 그걸 어떻게

155

알아요?" 난 힐즈를 노려보며 눈빛만으로 주장하기 시작했다. "안 그렇다는 증거 있냐고요. 만약 제 말을 안 따라서 영화가 안 끝나면 어떡할 건데요?"

"그쪽은 풋내기고 저는 여길 두 번이나 왔어요. 그런 것도 모를 것 같아요? 원래 시나리오가 어땠든, 우린 우리 할 일을 해야 된다고요. 여길 탈출하는 거 말이에요!"

그가 하는 말의 진실을 밝혀낼 증거가 내겐 없었다. 만약 그가 영화를 끝까지 봐서 전체적인 시나리오를 알고 있다면, 어떤 경로를 통해서든 이곳에 들어왔을 때 여기로 뛰고 저기로 뛴 결과 의미가 없다는 걸 알게되었을 가능성이 없지는 않다. 하지만 난 영화를 시작했을 때부터 잠이 오기 시작하더니 짠, 이곳이었다. 그러니 나는 영화의 줄거리도 내용도 알지 못했다

'난 영화 시작한 지 5분도 안 돼서 눈 깜빡하니 여기였어요.'

그럼 당신이 그걸 어떻게 알아?

"당신 스스로 했던 말도 기억 못하는 모양인데… 영화를 5분도 못 넘기고 여기로 왔다고 하지 않았어요?"

힐즈는 정곡을 찔린 듯 입을 버벅거리다 다물었다.

"우리 둘 다 위험에 처할 수 있는 행동은 안 하는 게 좋을 거예요."

힐즈는 이내 다른 데로 시선을 돌렸다.

"그리고 어차피 이것만 열어주고 갈 생각이었어요. 직접 관여하고 싶어도 못 하거든요." 난 자존심이 꺾인 힐즈를 지나쳐 보폭을 넓혔다. "우린 관객이니까."

힐즈가 따라오는지 안 따라오는지는 신경도 안 쓰고 앞으로

걸어나갔다. 합리적으로 생각하면 애초에 그들을 도울 이유는 없었지만, 어차피 도우고 싶어도 도울 수 없었다. *아쉬웠다.* 영화에 더 깊게 관여할 수 없다는 사실이. 걸음이 더 빨라졌다. 보란 듯이 스쿨 버스를 추월하는 가족 여행 차량이 된 기분이었다. 이미 머릿속에선 모든 걱정과 근심을 덜어버리고 하늘로 올라가 지퍼스 크리퍼스가 되어있었다. 난 비명을 지르는 사람들을 낚아챘고, 그들은 내 발톱 밑에서 덜렁거리고 있었다.

그리고 이젠 커다란 창살이 나를 향해 날아온다….

엄청난 덩치가 문을 거칠게 열고 나와 날 덮쳤다. 우리 마을 하수구에서도 안 나는 악취가 옷인지 입인지 모를 곳에서 진동했고, 그가 입은 옷의 느낌은 내가 느끼기에 너무 좆같았다. 아까 봤던 남자와 같은, 무슨, 가죽 같은 재질이었는데 좀 더 털이 붙은 듯한…? 내 말은 다시는 닿고 싶지 않은 의류였다. 그의 얼굴은 안 봐도 흉측하게 생겼을 게 뻔했고, 벽에 머리를 부딪친 내가 고개를 들었을 땐 그 추측은 언제나 옳다는 걸 실감했다. 머리 뒤쪽에서 따뜻하고 축축한 게 느껴졌다.

"페이턴!"

힐즈의 목소리가 가깝게 들려왔다. 하나도 관심 없었지만 따라오고 있었던 거겠지. 남자가 커다란 손으로 내 머리채를 잡아쥐었다. 그 상태로 머리통이 벽에 한 번 더 부딪치는 것은 예상한 일이었다. 두피가 받은 충격이 곧바로 안쪽으로 터졌고 그건 마치 벼락을 직격으로 맞은 것 같았다. 그곳에 서 있던 이성이 대책없이 흔들리고 가시밭으로 넘어져서 고통에 시달렸다. 뜨거운 고통이 미로를 돌고 돌아 결국엔 입구로 돌아왔다. 머리가 한 번 더 거세게 흔들릴 때 혀끝을 살짝 깨물었는지 확신의 피 맛이 오감을 강하게 자극했다. 남자의 입이 불어대는 불쾌한 입김과 함께 머리카락이 마구 흔들리고 원치 않게 뒤섞였다. 어떻게 감고 관리해온 머린데 이딴 입냄새를 스며야 한다니. 기분이 안 좋은 수준을 넘어서 토가 나올 지경이었다.

누군가 뒤에서 남자를 끌어당겼다. 남자는 머리 가운데를 가로지르는 모발 이외에 머리카락이 존재하지도 않았다. 도대체 왜 어떤 이유로 저런 헤어스타일을 선택한 거지? 미용실에 가서는 뭐라고 말했을까? 내 어깨에 타서 머리카락을 잡고 조종하려고 한 여자가 기어코 머리카락을 뽑아버린 것처럼 잘라달라고? 아쉽네, 만약 너한테 머리카락이 있었다면 내가 그걸 직접 해줬을 테니까. 네 몸을 에이리언처럼 기어올라가 잘난 노란 머리카락을 세게 쥐어 비틀었을 거야. 모르는 여자가 손수 머리카락 다듬어주는 거 궁금하지 않니? 난 몸이 모든 방향으로 360도 돌아가는 회전목마에 탄 와중에 머리 뒷부분을 받치고 일어났다. 그 부분이 얼얼했다. 남자가 덮친 틈에 생긴 상처가 두 번 정도 가격당하니까 머릿속에 칠리 소스를 들이부은 느낌이다. 천천히 손을 떼자 손바닥에 덕지덕지 묻은 피가 보인다. 아주 붉고 밝은 색이었다.

남자를 끌어당긴 건 힐즈였다. 힐즈는 그의 재킷 모자를 잡고 온힘을 다해 뒤집으려 했지만 남자의 덩치에 비하면 역부족이었다. 내겐 '악마를 물리칠 수 있을 것 같은 칼'이 있었지만 머리가 쉬지 않고 핑핑 돌아가는 이 상태로는 남자의 목에 칼을 박을 수 없었다.

하지만 꼭 목을 찌르지 않아도 된다.

나는 바닥에 손을 대고 내 몸을 앞으로 끌었다. 굼뜨게 기어가는 몸이 눈을 똑바로 뜨기에도 버겁다고 소리 지르고 있었다. 가장 뒤쪽에서 여자들의 겁에 질린 목소리가 아득히 들려왔다. 그녀들은 상황이 어떻게 돌아가는지 전혀 몰라서 나갈 타이밍도 잡지 못했다. 하지만 이것만 끝내면 그녀들이 바깥으로 나오기를 바라야 한다. 무섭다고 계속 그곳에 박혀있다가는 죽는 것뿐만 아니라 그전에 호된 육체적 고문을 당할지 모르니까. 난 주머니에 욱여넣었던 칼을 꺼내들고 고개를 기웃거린다. 이 '어린이들은 만져선 안 되는' 물건을 도대체 어디에 박는 게 좋을지 탐색해내야 했다. 곧 나는 아마 최적일 부위를 찾아낸다.

남자가 힐즈를 내팽개치고 그의 눈에 양쪽 엄지손가락을 갖다댈 쯤, 나는 남자가 입은 검은 바지를 뚫고 칼을 찔렀다. 남자는 말은 하지 않았지만 고통에 몸부림치며 힐즈에게서 떨어졌다. 그가 뒤를 돌아본 곳에는 의식이 흐릿해져가는 내가 있다. 남자는 전혀 매력적이지도 않고 섹시하지도 않은 맹수의 시선을 내게 두고 무릎을 딛고 기어왔다. 난 지금 무릎을 쓸 수도 없는데 내 앞에서 그렇게 움직이다니 기만이 따로 없다. 그다지 울고 싶은 기분은 아니었지만 아프기만 엄청 아파서 자연스러운 생리현상으로 눈시울에 눈물이 찔끔 튀어나왔다. 난 불운 앞에서도 산더미로 쌓인 숙제 앞에서도 싱크대를 채운 설거지 앞에서도 처량한 척 눈을 질끈 감지 않는다. 모든 일은 회전한다.

내게 다가오는 남자의 뒤에서 힐즈가 다시 한 번 덮쳤다. 그는 너무나도 탐나게 생긴 빨간 체크 남방을 입고 더러운 바닥을 뒹굴며 남자들만의 싸움을 계속하고 있었다. 운이 나쁘게도 그의 남방이 살짝 찢어져 있는 게 눈에 잡혔다. 저거 아까워서 어떡하냐. 먼지는 빨래하면 지워지겠지만 찢어진 건 어떻게 하려고. 난 힐즈가 남자의 종아리에 박힌 칼을 잡고 더 깊이 쑤셔넣는 걸 흐뭇하게 바라보았다. 많이 긴장했는지 이번엔 오히려 칼이 들어가지 않고 옆으로 기울어졌다. 사실 박아놓고 마구 비트는 쪽이 아플 것 같긴 했다. 하지만 내겐 지금 그런 간단한 기술을 할 힘조차 없었다. 남자의 목청이 찢어져라 울렸다. 남자는 힐즈의 옷자락을 잡아당겼지만 종아리에 생긴 깊은 상처 덕분에 어떤 행동도 우리에게 큰 영향을 끼칠 수 없었다.

어쩌면 그건 오산이었다.

그의 손이 곧바로 칼을 잡더니 끓는 비명을 토해내며 칼을 쑥 뽑는 것이었다. 남자의 뭉툭한 다리에서 뜨거운 피가 넘쳐흐르는데도 그는 아랑곳하지 않고 내게 미친 듯이 다가왔다.

"힐즈… 힐즈! 힐즈!"

자신의 다리를 끌고 무서운 속도로 기어 오는 남자를 보고 있자니 지금은 힐즈의 이름밖엔 생각나지 않았다. 목구멍에서 가래가 끓었다. 공포도 목 끝까지 끓어올랐다. 그건 정말로 이블 데드 뺨치는 모습이었다.

손바닥에 뜨겁게 달군 쇠막대가 가로지르는 듯한 통증이 벼락처럼 스쳤다. 순간 머릿속에 온갖 욕지거리와 특이한 비유 표현이 보랏빛 포도나무에 뽀드득 피어났다. 홧홧한 열이 손바닥 전체로 퍼져 '손바닥에 칼이 베인' 것에 대한 이슈로 달궈졌다. 사실 이건 베인 수준이 아니었다. 뾰족한 칼끝이 손바닥

한가운데를 푹 파고들어 가차 없이 그어댔고 주변에 파인 손금 사이로 선혈이 들어차 흘렀다. 손톱 주변에 있는 굳은살을 뜯을 때 잘못하면 아주 따가운 상처가 친구랍시고 피를 데려왔는데, 그럴 때마다 '이것도 아파 죽겠는데 손가락을 잘리는 기분은 어떨지 상상도 안 가는군' 하고 생각했던 기억이 난다. 손가락을 잘리진 않았지만 다듬지 않은 거친 칼이 손바닥을 세게 베어내는 고통도 만만치 않았다. 절로 쩍 벌어진 입에서 비명이 나오다가도 새는 침을 마저 삼켜내고 다시 질러댔다. 목구멍이 수축될 때마다 쉰 소리가 끼어들었다.

내 손목을 잡은 남자의 손이 곧 떨어졌다. 하지만 남자는 떨어지는 것이 아니라 더 가까이 다가올 기색이었다. 겁에 질린다는 게 이런 거라니, 생전 처음 느껴보는 진정한 생명의 위협과 존엄성 박탈의 위기를 직감하고 오른쪽으로 돌고 왼쪽으로 도는 머리를 이끌고 땅을 짚었다. 이래서 아픈 구석이 있으면 함부로 움직여선 안 된다. 찔러놓고도 긴급 후퇴를 할 힘이 없어서 그대로 엎어져 있었다.

그 순간 힐즈가 남자의 허리를 강하게 짓밟았다. 뼈가 우두둑 파손되는 오싹한 소리가 우렁차게 울렸다. 힐즈는 남자의 허리 양쪽에 무릎을 딛고 그의 손에 있던 칼을 뺏어들었다. 그러곤 등과 어깨 부근을 마구 난도질하기 시작했다. 피는 내가 기대한 만큼 드라마틱하게 솟아나지 않았지만 그가 죽은 건 확실해 보였다. 힐즈는 그런 식으로 귀중한 10초를 낭비하다 그의 목덜미를 힘차게 찌르곤 바로 칼을 뽑았다.

"페이턴…." 힐즈의 얼굴에 식은땀이 한가득 맺혔다. 그는 가쁜 숨을 몰아쉬며 지친 눈으로 날 응시했다. "페이턴?"

"뭐가 씨발 그렇게 늦어요?" 한마디 할 때마다 고통은 폭력을 행사했다. 이걸로 절대 죽을 리도 없었고 죽을 만큼의 고통도 아니었지만 여태 느껴본 모든 고통 중 이번 게 가장 최고였다.

"미안해요… 난 그냥… 나도 힘들었어요!"

힐즈가 황당하다는 식으로 따졌다. 하긴 부인할 수 없었다. 둘 중 어느 누가 더 힘들고 아니고를 논할 때가 아니었다. 여기 와서는 한 명에게 편중된 게 아닌 모두가 같은 고난을 겪는다.

"이, 이해, 이해해요. 일단 한마디만 할게요." 난 피가 만든 기둥이 그려진 손을 뒤집어보며 한 손으로 꼭 감싸쥐었다. "빌어먹을 칼 때문에… 파상풍 걸릴 것 같아요."

"그럴 일 없어요. 내가 알아요." 힐즈는 고개를 주억거리며 진실인지 알 수 없는 말로 나를 위로했다. "출구도 내가 알고요."

난 당장 그 말들을 증명할 수 없는 힐즈의 어깨에 의지해 더럽고 습기 찬 바닥으로부터 겨우겨우 일어설 수 있었다. 뒤편에서 문이 끼익 열리고 조심스러운 걸음걸이가 버벅거리는 게 들렸으나 그런 일에 뒤돌아볼 여유도 없었고 돌아보고 싶지도 않았다. 그들을 볼수록 가져서는 안 될 마음이 들기 때문이었다.

"내가 도와주지 말라고 해서 화난 건 아니죠?"

"원래는 그랬어요." 난 힘없이 답했다. "난 관객이고 영화를 즐기고 싶었으니까요. 사실, 조금 재밌었어요. 하지만 이젠 아니에요."

정면에 트인 복도를 누군가 급하게 뛰어 지나갔다. 머리에 충격을 받아서 그런 건지 위기 같지는 않고 탈출에 성공한 엑스트라거나 주인공 일행이겠거니 싶었다. 난 어딘가로 비척비척 걸음을 옮기는 힐즈에게 온전히 내 몸을 맡기고 있었다. 그도 그렇게, 내겐 이제 움직일 수 있는 힘 자체가 그냥 없었다.

생각이란 걸 하지 못하고 맹목적으로 걷는 것만이 나의 일이 되었을 때 든 생각은 오로지 '배고프다.' 밥을 먹고 싶다는 생각뿐이었다. 정어리 파이라도 상관없으니 먹을 것만 주어진다면 그동안 매이브가 지어준 메뉴를 가려왔던 나날들을 만회할 수 있을 만큼 편식하지 않는 걸로는 자신 있었다. 갑자기 난 정신 나간 사람처럼 옅은 미소가 지어졌다. 왜… 그랬는지는 모르겠다. 아마 정어리 파이를 맛있다고 퍼먹는 나의 모습이 그려져서 우스웠기 때문이 아닐까. 그걸 자각하고 나서는 정말로 조금 웃겨지기 시작했다. 하지만 '하하하'보다는 '흐흐흐'하고 웃기밖에 더 되지 않았다. 마치 백설공주가 없던 시절에 '거울아 거울아, 세상에서 누가 제일 예쁘니?'라고 질문하면 '당연히 마녀님이지요'하고 답이 올 때 웃음 짓는 마녀처럼.

처음엔 아마 그랬다. 여긴 잔학무도한 살인마들의 소굴이고 끝에는 내 오장 육부가 커다란 나무에 박제되어 있을 거라고 생각했다. 하지만 어쩌면 지금은 생각을 좀 좋은 쪽으로 할 수 있을 것 같다. 과거에도 현재에도 살고 싶은 사람들이 모인 곳이라고.

내 손이 살인마에게 찢긴 것만 빼면 말이지.

힐즈는 자신의 남방을 벗어 내 손에 세게 감아주었다. 밤이든 여기서든 붕대를 찾을 확률은 없어 보였으니까. 난 오직 짐짝이 되어 힐즈의 동선을 따랐다. 어디든 우리가 도착하는 그곳은 여길 빠져나갈 길이기를. 처음으로 매이브가 믿는 신에게 소원을 말해보았다.

시간은 여전히 흘러가고 있다.

×

살인마는 죽이고, 희생자는 죽는 단순한
구조가 다라는 걸 인지하면 영화는 보다
이해하기 쉬워진다.

7

네 무덤에 침을 뱉어라

Original by Meir Zarchi's ⟨I Spit on Your Grave⟩

난 배우가 되려고 왔지 죽으려고 온 게 아니었다.

이곳에 있으면 사방의 벽이란 벽들이 내 숨통을 조였다. 이 순간 뭘 위해 기도에 공기를 채워넣고 있는지 의문이 들면서 과거의 나에게 욕을 퍼부었다.

몸을 수그린 채 바닥을 살금살금 걸었다. 여전히 손가락 끝에 침이 다섯 개씩 박힌 듯 통증이 웅웅거렸다. 수컷 새의 깃털 속을 쏘아다닐 수 있다면 그 안은 분명 이런 공간일 것이다. 당장은 손톱이 다시 자라려면 최소한 얼마나 걸릴지를 생각하는 게 내가 할 수 있는 유일한 공상이었다. 죽은 몸이라도 신선한 고통을 바로 느낄 수 있다니 이런 과한 서비스는 어디서도 찾아볼 수 없을 것이다. 어찌됐든 페이턴을 여기 끌어들이지 않은 건 칭찬받아도 될 일이었다.

어젯밤 내 곁에서 잠든 페이턴을 봤을 땐 어쩐지 마음이 너무 안 좋았다. 엄마를 닮았다는 말은 괜히 꺼내서 서먹해진 거 아닐까. 누가 모르겠냐만은, 얼굴이 닮은 건 아니었다. 욱하는 성질과 입만 열면 나오는 욕지거리가 닮았다는 의미였다. 난 한밤 중에 바깥으로 나가는 위험한 일을 페이턴이 감수하게 하긴 싫

168

었고 결과는⋯ 시나리오에는 없었던 난생 처음 보는 스산한 지하실에 끌려들어온 것이었다. 원래는 여관과 캠핑장을 배경으로 펼쳐지는 저예산 영화라고 들었으니 기이한 일이 아닐 수 없었다. 마지막에는 성당이 나오긴 하지만.

그래, 그 성당 장면은 최악이었지.

어딘가에서 남녀로 추정되는 대화 소리가 가까이 들려왔다. 딱히 엿들으려던 건 아니었지만 출구를 찾는 단서가 될 수 있다는 생각에 몸이 제멋대로 행동했다.

"내가 도와주지 말라고 해서 화난 건 아니죠?"

이 목소리.

더는 듣기도 싫고 마주치기도 싫은 익숙한 목소리였다.

"원래는 그랬어요."

하지만 이 목소리를 듣는 순간 그 주인은 리키 페이턴이라는 걸 어렵지 않게 알아냈다. 그는 굳이 페이턴이 아니더라도 이전에 왔던 패스에게 그들을 도와주지 말라며 성을 냈다. 듣자 하니 그 성질은 영화가 한 번 더 재생되는 긴 공백을 가지고도 변하지 않은 모양이다. 그곳에 서서 페이턴의 목소리를 듣고 있으면 너무나도 반가운 마음이 퐁퐁 솟았지만 그녀의 옆에 선 존재 때문에 잠자코 몰래 들을 수밖에 없었다. 난 좀 더 귀를 기울였다.

"난 관객이고 영화를 즐기고 싶었으니까요. 사실, 조금 재밌었어요."

이건 내가 기대한 답변이 아니었다.

패스는 이곳의 등장인물들을 실존하는 상태로 여겨 할 수 있는 한 그들을 살리려 했다. 여름에 가득한 날파리들에게 밥이랍시고 카스테라를 뜯어주는 것만큼이나 의미없는 행동이었지만 무엇이라도 살리고자 하는 의지에 정이 들었었다. 그에 비하면 솔직히 페이턴의 대답은 여러 방면으로 신기하고 정 떨어지는 발언이었다.

자긴 관객이고 영화를 '즐기고' 싶었다는데.

그들을 모른 척한 채 앞을 지나쳐갔다. 나를 보든 못 봤든 내가 상관할 일이 아니었고 상관하고 싶지도 않았다. 재밌었다고? 물론 나도 페이턴과 있는 짧은 시간이 잠시나마 재밌지 않았다고는 할 수 없지만… 그 발언만큼은 내가 느끼기엔 기만 같았다. 하지만 개인적인 감정이 상황을 엉망으로 만드는 건 대통령이나 하는 일이었다. 그들과 합류해야 했다. 그럼에도 나는 계속 달렸다. 쉼없이 달려서 니퍼를 쥔 역겨운 살인마에게서 멀리 떨어지기를 바랐고, 더는 현실로 돌아갈 수 없게 만든 장본인에게서도 떨어지기를 바랐다. 그러려면 얼마나 멀리 가야 하는 걸까? 처음에 억누른 줄 알았던 눈물이 갈쌍갈쌍 차올랐다. 물고기가 헤엄치는 물속으로 뛰어들어가 차가운 모래 밑에서 아늑하게 잠들고 싶었다. 그 어떤 심해 생물도 나를 물어뜯을 수 없고 그 어떤 사람도 날 찾을 수 없는 아주 깊은 곳으로 떨어지고 싶었다. 그러나 실제로는 눈물샘을 자극하는 먼지로 꽉 찬 공기를 들숨에 날숨에 한가득 마시며 좁고 음침한 시멘트 움집 속을 달려나가고 있었다. 울분으로 머리에 열이 오르자 손가락을 거의 지배하던 통증이 희미해졌다.

그러다 그 일이 벌어졌다.

바닥에 뭔가 솟아나 있었는지 정체 모를 장애물에 걸려 넘어졌다. 그 순간 벙찐 표정을 하고 넘어지는 내 모습이 아주 천천히 그려졌다. 망했다는 직감과 함께 고개를 올리자 무서운 예감은 틀리지를 않고 현실이 됐다. 차라리 엄마 앞에서 이랬다면 욕만 먹고 끝났을 텐데 이젠 내 앞을 막은 이 발의 주인에게 생명을 위협받아야 한다. 발목에 들어온 저릿한 감각이 거침없이 신경세포를 당기고 주물거리기에 언제든 마지막이 될 수 있는 단말마를 내질렀다.

발목을 삐었다.

한발로라도 일어나려 안간 힘을 썼지만 목의 핏줄이 두드러질 뿐 변화를 일으킬 수 없었다. 결코 빈약한 신체는 아닌데도 더는 힘이 들어가지 않았다. 위에서 누군가 셔츠를 잡고 끌어올렸다. 한 명이 아니었다. 손을 놓게 한다고 발버둥치다 발목이 바닥에 세게 부딪쳐 참을 수 없는 비명이 새어나왔다. 하지만 이거라도 안 하면 꼼짝없이 끌려가서 죽을 운명이었다. 사실 죽음보다는 죽기 전에 느낄 상상 이상의 고통을 걱정하고 있었다. 난 이미 죽었으니까. 그건 아무래도 상관 없었다. 죽어도 좋으니 내 운명은 내가 결정하고 편하게만 갈 수 있으면 했다. 이렇게 강압적인 저승사자는 신에게 기도할 때도 부른 적 없었다. 그들은 말 한마디 하지 않고 그저 옆에서 실실 웃어댔다. 난 좀 더 난동을 부렸지만 곧 주먹이 복부를 강타했고, 의도하지 않은 큰 숨이 바깥으로 밀려나왔다. 숨 한 번 쉬기도 버거울 정도의 뜨거운 열을 동반한 극심한 고통이 상체를 뒤덮었다. 마치 득실거리는 벌레들이 대장을 끊어 먹고 씹어먹는 감각이었다. 피부가 터져나가는 듯한 통증에 아무 말도 할 수 없었다. 애초에 할 필요도 없었다. 어이없게도 내가 20대인 게 축복받은 것처럼 느껴졌다. 내가 60살 먹은 노인이었다면 이 주먹 한 방에 피를 토하며 쓰러졌을지도 모르니까. 내 어머니는 지금까지 손바닥도 때리고 내 뺨도 때리고 발바닥도 때리고 종아리도 때렸지만 솔직히 배를 주먹으로 치는 건 어머니도 안 하는 짓이었다.

그놈들은 정신이 딴 데로 갈 뻔한 나의 셔츠를 붙잡고 질질 끌고 갔다. 여기선 이게 당연한 거겠지만 살다살다 살아있는 사람을 이런 식으로 대하는 것들은 처음이고 앞으로도 다시는 없을 경험이었다. 그러길 빌어야 했다.

포대자루처럼 끌려서 닿은 그곳은 누구나 한 번쯤 상상할 법한 전형적인 지하 창고 같은 곳이었다. 원래 더러웠던 바닥을 신경쓰지 않는다면 제법 깨끗한 공간이었다. 깨끗하면 뭐 하나? 지금 당장 타인의 몸에서 흐른 부산물로 더러워질 참인데.

당시의 나는 슬래셔라는 장르에 대해 무지했고 촬영을 하는 와중에도 그랬다. 내가 아는 유일한 거라곤 그 장르에선 남성의 역할이 무의미하다는 것뿐이었다. 하지만 곧 영화가 이해되지 않는 건 내가 너무 복잡하게 생각했기 때문이라는 걸 알았다. 이 장르는 복잡하게 생각할 수록 몰입하기 힘들어진다. 살인마는 죽이고, 희생자는 죽는 단순한 구조가 다라는 걸 인지하면 영화는 보다 이해하기 쉬워진다.

덕분에 난 내가 확실히 희생자의 입장이라는 걸 다시금 자각했다.

그들이 날 의자에 앉히기도 전에 한참 전부터 부글거리던 뱃속의 토사물이 빠르게 밀려나와 후두둑 떨어졌다. 죽기 전에도 죽은 후에도 뭔가를 먹은 적이 없는데 그 묽고 냄새 나는 토사물은 그렇지 않다고 말하고 있었다. 아마 촬영되지 않은 영화의 설정 중에서 필립이 뭔가를 먹었다는 거겠지. 육체의 경련은 거기서 그치지 않고 한 번 더 구역질을 해댔다. 목구멍에서 뭔가 꾸르륵거리더니 신 맛과 쓴 맛이 공존하는 노란 위액이 혀 밑을 적시며 튀어나왔다. 혀를 완전히 덮은 위액의 맛 때문에 다시 토악질이 나올 뻔했지만 또 입 안을 위장 속의 음식물 쓰레기가 휘젓고 다니게 할 수는 없었기에 목에 힘을 주고 침을 삼켰다. 운이 좋게도 더는 토가 바깥으로 나오지 않았다. 그들은 아랑곳 않고 나를 의자에 앉혔다. 신발이 역겨운 찌꺼기를 밟아 미끌거렸다. 혹시 몰라 살려달라고 비는 말은 하지 않기로 했다. 촬영장에서 희생자 역할을 맡은 사람들이 연기하는 대본을 봤는데 목숨을 구걸했던 사람들은 다 죽더랬다. 물론 나도 희생자 역할이었고 살려달라고 하는 대사가 아마 있었겠지만, 혹시 몰랐다. 난 실천이 발휘하는 힘을 알고 있었다. 여전히 입 안에 생선 비늘과 소똥을 섞어놓은 듯한 냄새가 진동했다.

그들이 간과하는 사실이 하나 있었다. 시나리오에서 나는 에밋과 함께 살아남는 역할이었다. 에밋은 아직 여관에 있거나 이미 도망쳤을 것이다. 클린턴 패스 때의 상황과는 흐름이 많이 달랐지만 그렇다고 결말이 바뀌지는 않을 것이다.

'하지만 넌 이미 그때 죽었잖아.'

내가 죽을 때는 전혀 예상치 못한 상황이 주변을 포위한 뒤였다. 스태프들은 갑자기 일제히 그곳에 있던 배우들을 둘러쌌고, 촬영장비로 그들을 대책없이 패거나 찔러댔다. 그야말로 피바다의 현장이었다. 난 그런 상황에서 가만 있지 않고 현장에서 배우들을 내보냈다. 마음만 먹으면 나도 나갈 수 있었지만, 남는 사람이 없는지 확인하는 도중에 그곳의 출입구가 모두 막히고 말았다. 그럼에도 그곳에 남은 한 명과 머리를 맞대면 살아나갈 수 있다고 굳게 믿었고, 실제로 위기를 모면할 수 있는 공간과 물건은 널려있었다.

하지만 난 죽었다.

그들은 내 손을 의자 뒤로 묶었다. 배와 손가락과 입이 구름 위에서 흐느적거리며 지옥의 왕에게 구애의 춤을 추었다. 제발 이 공포의 구덩이에서 팔을 뻗는 우리들을 부디 잡아주시길 빌고 있었다. 하지만 지금 루시퍼는 부하들이 자신에게 떠는 아양을 지켜보며 칵테일을 홀짝거리느라 정신이 없었다. 결국 내 안의 이들이 행한 혼신의 춤사위는 무시당한다. 누구도 구해줄 수 없었고 누구도 구하려 하지 않았다. 오히려 빨리 죽음을 맞는 게 나을 정도로 끊어낼 수 없는 두려움이 몰려왔다.

본능적으로 손목을 비틀고 돌려보았다. 두 손을 묶어둔 밧줄은 생각보다 느슨했다. 당장 힘을 주면 틈을 타서 줄을 풀고 빠져나갈 수 있을 것 같았다. 하지만 그들이 문을 잠그는 걸 보고야 말았다. 열쇠가 없다면 그냥 줄 풀고 탭댄스를 추다 처맞은 사람이 되는 것이다. 당장은 내게 한 게 없으니 진정하고 생각을 할 시간을 가져보자. 문을 잠근 남자는 바지 주머니에 열쇠로 보이는 걸 쑤셔넣었다. 잠깐, 누가 내 뒤로 갔던가? 확실히 뒤에서 저벅거리는 발소리가 들렸다. 패닉에 빠지기 전에 관찰할 수 있는 모든 건 관찰해야 했다. 뒤에서 상자 따위가 열리는 소리가 났다. 뭘 꺼내는 거지? 고문 도구?

뒤에서 서성거리던 남자는 갑자기 내 손목을 쥐고 팔뚝에 얇은 무언가를 찔러넣었다. 너무 긴장해서인지 따끔하지 않고 살이 베이듯이 아프게 느껴졌다.

이건 주삿바늘이다.

그걸 깨닫고 나서야 발목의 통증을 무시하고 한 번 더 발악하기 시작했다. 뭘 넣었는지 몰라도 좋은 물질일 리는 없었다. 행동에 제약을 받는 건 최악이었다. 여기가 어딘데 주사까지 가져다 놓는 거야?

"젠장."

그들 앞에선 절대 말하지 않겠다는 나의 철칙을 깨트리고 비속어를 뱉었다. 그 철칙은 순전히 내가 불안해서 스스로 지키고 있던 것이다. 하지만 이제 와서는 그런 걸 신경 쓸 때가 지났다. 중요한 건 당장 빠져나가는 것이었다. 원래 틈을 보려고 했던 몸을 힘껏 흔들어 의자를 넘어트렸다. 두 손을 양쪽으로 밀어낼 때마다 끼리끼리 부딪쳤다. 밧줄이 뽀드득 소리를 내며 피부를 비비자 까칠까칠한 질감 때문에 살이 까질 것 같았다.

밧줄이 풀린다.

그걸 느끼자 버둥거리던 손이 동작을 멈추었다. 정말 지금 일어나서 난리 치는 게 잘하는 짓일까? 이건 망설임이었다. 경기에는 페널티가 있는 법이니까.

그가 내 앞으로 다가올 때까지만 기다리자. 그러나 결심하기도 무섭게 문을 잠그고 돌아선 남자는 내 민낯을 쏘아보며 다가오기 시작했다.

'돌겠네! 이제 어떡할 거야?'

어떡하긴, 부딪쳐봐야지.

말 그대로였다. 난 빠르게 엉덩이를 들고 머리를 내밀어 남자의 코를 박았다. 남자는 그 즉시 당나귀 꼬리 밟힌 소리를 내며 맨손으로 코를 쥐었고 휘청거리며 뒤로 물러났다. 콧방울에서 손을 뗀 남자는 붉은 피를 인중 밑으로 뚝뚝 흘리고 있었다. 아직 성공이 아니다. 이런 사람들에겐 더 강한 방식이 필요했다. 난 왼쪽 구석의 상자 더미 옆에 놓인 쇠지렛대를 발견하고 급하게 주워들어 휘둘렀다.

그러나 뒤에 있던 인간이 내 허리를 잡아당겨 입을 틀어막았다. 그가 두터운 팔로 배를 더욱 세게 짓누르자 지렛대를 든 손이 허둥거리고 스스로의 숨이 안쪽에서 차오른다. 혼란 속에서 뭐가 어떻게 돌아가는지도 모르고 팔을 내저었다. 지렛대는 무언가를 툭툭 치기만 하다가 이내 끝이 푹 박혀 들어갔고, 곧 입을 막은 손과 배를 압박하던 팔이 갑작스레 떨어졌다.

"제발, 주여." 난 쉽게 움직이지 않는 지렛대를 놓고 흘러내린 바지를 끌어올렸다. 급하게 뒤를 보자 지렛대는 그의 다리에 파고든 상태였다. "제발, 주여, 염병할 주여."

뮈라도 중얼거리면 공포가 아주 조금이나마 흩어졌기에 아무도 반응하지 않고 대답하지 않는 혼잣말을 계속하며 그에게 박힌 지렛대를 거침없이 뽑아냈다. 전체적으로 부피가 얇아서 당장은 아플지 몰라도 치명상은 못 입혔을 것이다. 일단 열쇠가 먼저다. 난 문에 등을 기대고 쓰러진 남자에게 와서 마치 골프를 치듯 두 손으로 지렛대를 꼭 쥐었다. 솔직히 남자의 모습은 산문을 들고 있지 않다는 점만 빼면 그냥 어느 휴일 식탁 앞에 앉아서 신문을 읽는 내 아버지랑 다를 바 없어보였다. 등 뒤에서 연신 앓는 소리가 들려왔다. 남자의 팔이 극적으로 올라오는 순간에 세상에서 가장 아름다운 발명품인 쇠기둥이 코앞의 머리를 내려치고, 몇 분 몇 초가 지나는 지 모르게, 어느 때보다 초침이 빠르게 돌아가기 시작한다. 두려움에 정신이 팔렸다. 공포에 마음을 뺏겼다. 그의 이마에서 피가 떨어지기 전까지 스트로크를 반복했다.

자빠졌던 남자가 뒤에서 별안간 발목을 끌어당겨 지렛대를 놓치고 말았다. 유일하게 의지할 수 있는 물건이 날카로운 쇳소리를 퍼트리며 땅에 부딪쳤다. 남자는 기회를 버리지 않고 강한 힘으로 발목을 쥐었다. 사슬로 이어진 무거운 족쇄가 발목을 감싼 느낌이었다. 한쪽 발은 아직 쓸 수 있고, 거리도 충분했다. 다리에 최대한의 힘을 주고 그의 머리를 강하게 쳤다. 덥수룩한 머리카락 때문에 신발에 닿는 까끌까끌한 게 불쾌했다. 하지만 그의 손은 쉽게 떨어지지 않았다. 몸에 오직 팔에 힘을 싣고 뻗어 앞으로 나아가려고 해도 지렛대에 손이 닿기에 역부족이었다. 또 다른 절망이 엄습하고 잠깐의 해방감도 이제 사라져간다.

"꺼져! 제발, 꺼지라고!"

막힐 것만 같던 목을 뚫어주고 나서부터는 그나마 이성적인 사고가 가능해진다.

몸을 들고 일어나 허리를 돌리자 남자의 굶주린 얼굴이 보인다. 난 그의 머리 양쪽을 잡고 내 신발에 몇 번이고 처박았다. 그러다 고무에 유리를 떨어트리는 것보단 콘크리트 바닥에 유리를 떨어트리는 게 더 낫다는 저명한 사실을 떠올린다. 이 말도 안 되는 상황 속에서 얼마 만큼의 시간을 낭비했는지 모르겠다. 바닥에 슬슬 짙은 피가 번지고 나면 이런 생각이 들었다.

'내가 이겼어. 이게 결말이야. 이미 쓰여진 시나리오는 변하지 않지.'

과연 그럴지는 앞으로 더 가봐야 아는 일이다. 난 땀으로 젖은 육체를 힘겹게 일으켜 열쇠의 주인에게 다가갔다. 내 평생 이렇게까지 빠르게 숨을 내뱉어 본 건 단언코 이번이 처음이었다. 사람들은 항상 내게 폐활량을 기르라고 했지만 배우가 되겠다는 꿈을 가지기 전엔 그럴 시간도 없었고 그럴 필요도 느끼지 못했다. 이런 걸 찍을 줄 알았으면 폐활량을 길렀을 것이다. 빌어먹을 마라톤만 3시간은 쭉 달린 것 같네. 그만큼 죽을 맛이었다. 느려도 10초만 달리면 쉽게 숨이 차고 땀이 났다. 이건 달리기가 아니었지만 행동 범위가 훨씬 넓고 겪은 것도 많았다. 다시는 배우를 한다고 설치는 일이 없을 것이다. 난 그의 주머니에 손을 집어넣고 마구 비집어 보았고, 어렵지 않게 작고 훌륭한 장치를 얻을 수 있었다.

드디어 찝찝하고 습한 온도로 꽉 찬 감방의 문을 열었다. 온몸에 근육통이 생긴 기분이다. 페이턴, 페이턴, 마땅히 구하러 와줄 사람이 없다는 걸 알아서 그녀의 이름밖에 떠오르지 않았다. 난 아직도 겨우 20살이었다. 1980년대에 갇혀서 아무데도 가지 못하는, 내가 생각해도 안타까운 영혼이었다.

페이턴을 깨우지 않고 밖으로 나간 건 테이프를 찾기 위해서였다. 클린턴 패스와 함께 알아냈던 사실 중 하나는 테이프가 캠핑장에 떨어져 있다는 것과 테이프를 파괴하면 나를 제외한 모두가 현실로 돌아간다는 것이었다. 패스가 내 눈을 바라보며 망치로 테이프를 깨부수던 그때 이후로는 아무 기억이 없었다.

하지만 어째서인지 테이프는 파괴되지 않았고, 난 이곳에서 다시 깨어났다. 처음부터.

아직도 그 이유를 알아내지 못했다. 그러려면 위험을 감수해야 하기에 더 많은 피와 더 많은 희생이 필요했다. 어쨌든 알고 싶지 않았지만, 테이프가 파괴되면 일시적으로는 타인의 피해를 막을 수 있는 건 확실하나 다시 깨어난 지금으로썬 테이프를 부수는 것만이 꼭 유일한 해결책은 아니다. 이 악순환을 끊으려면 시간이 턱없이 부족하다.

'패스의 일기장.'

그는 작별하기 전 캠핑장의 캠프파이어 앞에 쭈그려 앉아서 가죽 노트에 뭔가를 끄적이고 있었다. 단순한 기록이나 유언이겠거니 하고 자유롭게 써내려가도록 냅뒀지만 지금 생각해 보면 패스의 마지막 한마디가 그것과 연관있는 것 같았다.

'널 잃고 싶지 않아, 하지만… 선택은 네 몫이니까.'

패스가 쓰던 노트에 단서가 있는 게 분명하다.

주삿바늘을 어떻게 넣은 건지 팔이 심하게 저려왔다. 아직 무슨 약인지도 모르는 상태였다. 최소한 거기서 상자 정도는 뒤져보고 나올 걸 그랬다!

넓은 복도로 나오자 사슬이 짤랑거리는 소리가 난다. 다만 어떤 이의 신발이 바닥을 한 번 두 번 슬슬 끌 뿐이다. 이쪽으로 갔다가 저쪽으로 갔다가 발걸음이 향하는 방향도 제각각이다. 뭘 한답시고 일어나긴 했는데 막상 뭘 해야 할지 막막하고 두려운 이들이 발을 구를 때 나는 소리였다.

"제이크!"

혼란스럽더라도 무조건 아는 사람의 이름을 먼저 불러보는 것도 그 양상에 포함이다. 그리고 내가 알기론, 이 목소리는 콜린이었다. 우린 모두 카메라가 돌아가지 않을 때는 본래 이름으로 불렀지만 어쩐지 캐릭터의 이름이 더 익숙했다.

난 목소리의 근원을 찾아 몸을 이끌었다. 어쩐지 조여놨던 신발 끈이 시간의 흐름을 견디지 못하고 점점 느슨해지듯이, 근육의 긴장이 이완되는 것 같았다. 지친 몸을 앉히고 달콤한 디저트를 한 스푼 입에 털어 넣은 뒤 가장 좋아하는 TV 프로그램을 보기 시작할 때처럼 편안한 기분이 들었다.

'약기운이야. 자면 안 돼. 너 그 정도로 멍청하진 않잖아.'

난 그 정도로 멍청하진 않아. 빛나는 사막의 오아시스를 찾았다 해도 사방에서 독 품은 뱀이 혀를 날름거리는데 아무것도 없는 모래사장 한가운데서 팔다리 뻗고 잠에 들 만큼 멍청하진 않다고. 난 종종 이름이 들려오고 울음이 끊기지 않는 장소를 향해 움직였다. 단서가 없는 곳에서 다른 이들의 메아리를 추적하는 건 멍청한 게 아니라 지금에 맞는 최선이었다. 그리고 입술을 맥없이 터트리는 순간 이 기운은 수면욕과는 동떨어져 있다는 걸 알아채는 것도 어쩔 수 없었다. 이건 단순한 수면제가 아니었다.

'모르핀? 헤로인?'

실없이 웃게 되고 몸이 붕 뜨고 기분이 좋아지는 이 현상이 마약 탓이라는 합리적인 의심을 할 수 있게 되었다. 떠오르는 건 많았지만 그게 전부 주사로 투여할 수 있는 것인지 판단이 서지 않았다. 종류가 중요한가? 지금 기분이 좋아서 자살하게 생겼는데? 멍청하게 침만 질질 흘리며 폭소하다가 기습 공격으로 인한 두개골 파열로 사망하게 생겼는데? 가만 있으면 뇌가 없어지겠다는 생각에 팔뚝을 긁으며 걸음마를 빨리 했다. 가는 방향이 어딘지도 구분 못하고 무작정 걷고 있으니 사고 회로가 정지한 느낌이 든다. 도대체 바닥에 뭐가 있다고 무의식적으로 아래를 내려다 본 걸까? 안 그랬다면 발목에 꽂힌 주사기를 보지 못했을 텐데.

'두 방이나 놓어…'

팔에 한 번, 다리에 한 번. 걷잡을 수 없이 몽롱함이 퍼지는 이유였다. 왜 몰랐을까? 아니, 자책하지 말자. 그땐 민물에서 뭐라도 더 건져보려는 낚시꾼의 마음이었고, 죽음이 임박한 상황이었어. 그 자리에서 비공식적인 사망 선고를 받을 수 있었다고. 차라리 잠깐이라도 쾌감에 몸을 기대고 고통을 잊는 게 백 배 낫지. 뽑힌 손톱이 어디에 있는지, 주사를 놓은 목적이 뭐였는지 계속 생각하는 것보다는 말이야.

의존하면 안 돼.

정신을 바짝 차리고 허리를 숙여 주사기에 손을 댔다. 온몸이 나무로 변하는 저주라도 걸린 것처럼 엄청나게 뻐근했다. 만약 내가 목각 인형이었다면 최소한 관절을 움직이는 장치도 없었을 것이다. 난 더는 운동을 할 수 없어서 선 채로 발끝에 손을 뻗기만 하면 자동적으로 앓기 시작하는 노인들처럼 비명을 질렀다. 아픈 게 아니라 근육이 땡기는 게 다인데도 그랬다. 사람은 너무 쉽게 착각을 해. 난 머뭇거릴 시간도 없이 깊게 박힌 주사기를 단박에 빼냈다. 아주 얇은 실이 발목을 스치고 지나간 듯한 통증이 빛처럼 번뜩였다. 통증이 얼마 안 가 사라질 줄 알았지만 그건 적정 온도에 밀가루와 함께 구운 모짜렐라 치즈보다도 끈질기고 긴 지속력을 가지고 있었다. 적어도 발목이 안 잘린 게 어디야. 위협으로부터 도망치고 삶을 좇을 수 있다는 건 신의 은총이 틀림없었다.

텅 빈 주사기가 달그락거리며 바닥을 굴러갔다. 불시에 찌르는 듯한 통증과 함께 공생하며 다시 콜린의 목소리에 집중했다. 지하실은 정말 창작물에나 나올 법한 크나 큰 감옥이었다. 시나리오에 이런 게 있었나? 아니. 머릿속에서 맴돌기만 하는 이 지겨운 의문은 약기운이 돌고 나서도 끊이지 않았다. 인정할 수 없었기 때문이다. 시나리오대로 흘러가지 않는다면 결국엔 나도 어떻게 될지 모르니까.

클린턴 패스와 겪은 처음 일은 날파리 꼬인 음식물 쓰레기를 버리는 것만큼 순조롭진 않았지만 원래의 시나리오를 충실하게 따랐다, 비록 살인마들에게 숨이 붙어서 행동이 자유로웠다 해도 장소나 사망 순서가 달라지는 일은 결코 없었다. 카일은 원래 세 번째에 죽어야 했다.

난 면도날을 가지고 그가 아끼는 '통나무 집'을 밤중에 빠져나와 울창한 숲을 헤치며 캠핑장을 찾고 있었다. 실제로 이 숲에선 누구도 죽지 않았지만 영화의 설정에 따르면 '한 번 들어가면 그 누구도 살아서 돌아오지 않는다'라고 했던가. 감독 말로는 거의 피의 무덤이라고 했다. 그걸 처음 들었을 땐 별 거창한 설정이 다 있네 싶었지만 내 눈으로 직접 누군가의 '살아서 돌아오지 않을 모습'을 본 건 예상에 없던 일이었다. 카일은 첫 번째로 죽은 것이다. 나오기 전 친구들이 잠든 방을 엿보았는데 다들 멀쩡했으니 확실하다. 그렇다면 제이크도 이미 눈을 감고 관 속에서 누워있을지 모른다.

"콜린! 어딨는 거야!"

그런 내 예상을 깨뜨리는 우렁찬 목소리가 지하실에 퍼졌다. 저렇게 소리를 지르면 주변에 있는 살인마들을 이쪽으로 불러낼 텐데. 제이크는 작중에서 생각이란 걸 하지 않는 인물이다. 자기 감정에 휩쓸려서 옳은 선택을 하지 못하는 전형적인 악인이라 일행 간 내부 갈등을 일으키는 주요 원인이었다. 제이크를 맡았던 배우도 촬영장에서 쉬는 시간을 가질 때마다 절대 친구하고 싶지 않은 유형 1위의 비호감이라고 까기도 했다. 그건 나도 동의한다.

"콜린! 이 개새끼야, 어딨어!"

하나뿐인 친구한테 개새끼라니 말이 심하다. 그리고 사족이지만 콜린은 개보단 뚱뚱한 참새를 닮았다. 뚱뚱하진 않지만 그에게서 느껴지는 분위기와 얼굴만은 그랬다. 제이크와 친구를 맺으면 개구리를 닮은 사람도 개 관상이 된다. 강아지 닮았다는 말을 듣고 싶으면 제이크와 같이 다니면 된다. 언제부턴가 그 익명의 친구는 제이크의 작고 아담한 마음속에서 누구도 따라잡을 수 없는 개새끼가 되어있을 것이다.

"제이크? 너야?"

콜린은 그걸 큰소리로 대답했다. 제이크만 그런 게 아니었군. 둘 다 마찬가지로 생각이란 게 없어. 단지 콜린은 더 유하고 겁이 많을 뿐이다. 그의 목소리와 동시에 사슬이 끌려가는 소리가 들린다. 그의 발목에 사슬이 걸린 것 같다.

"그래, 이 등신새끼야! 어디 있어? 앞에 있는 거 너야?"

뒤에서 제이크가 외친다. 난 뒤돌아보지 않았다. 귀찮은 취급 당할 게 분명했기 때문이다. 하지만 미련 없이 갈 길을 가는 남자 주인공이 가족이나 연인이 제 이름을 목청껏 부르짖는 걸 들었을 때의 얼굴을 하고 고개를 돌려보는 건 이미 정해진 운명이었다.

"내 앞에 있는 거 너냐고!"

"제발 조용히 해, 제이크!" 두려움과 화를 참지 못한 내가 뒤를 향해 소리쳤다.

"필립?"

필립이라는 새로운 이름은 질리도록 들어봤는데 어쩐지 오랜만인 것 같았다. 클린턴 패스 외의 누군가 원래 이름으로 불러준 게 지금까지도 인상적이었나 보다. 그러나 지금은 그런 데에 감성을 뺏길 때가 아니었다.

"여기 뭐가 돌아다니는지 몰라? 언제라도 널 반으로 갈라 죽일 수 있는 놈들이 득실거린다고!"

"그렇게 잘 알면 너나 닥쳐!"

제이크는 내 호의를 이해하지 못하고 망언을 내뱉었다. 다들 미쳤구나. 그렇게 여기는 게 내가 이 처지를 이해할 수 있는 유일한 길이었다. 제이크는 두꺼운 다리로 복도를 빠르게 걷기 시작했다. 제발 내가 닥치라고 했다고 날 죽이려는 건 아니길 바란다.

아아악! 하지만 의도를 확인해 볼 새도 없이 그의 굵은 비명이 쏘아올려진다.

빠른 걸음을 절뚝거리기만 하다 본능적으로 허벅지에 힘이 들어갔다. 뇌가 달리라고 명령한 순간 나는 이유를 알 수 없는 고문 행각을 당하지 않겠다는 필사적인 다짐만으로 다리를 움직였다. 타인에 의한 상상을 초월하는 고통을 느끼지 않고도 스스로 죽을 수 있으려면 그래야만 했다. 이미 왼손 약지의 나름 다듬는다고 깎아놨던 손톱이 뽑혀서 눈물 콧물 다 짠 상태였지만 그들 입장에선 이 정도는 빙산의 일각에 불과할 터였다. 그 감독이란 놈도 이런 상황이 벌어질 줄은 예상하지 못해서 살인마들에게 잔혹한 사형 집행자라는 설정을 넣었겠지만 이 일이 시작된 날부터 원망을 한 번도 멈춘 날이 없었다. 폐가 부풀었다 쪼그라들길 반복했다.

급박하게 내달리는 와중에 앞에서 마주친 건 제이크를 찾아 돌아서 오던 콜린이었다. 시야에 들어온 대문짝만한 얼굴에 놀라 들숨이 목끝에 걸렸다. 하지만 나 못지않게 콜린의 표정도 심하게 못생겨진 상태였다.

"필립! 필립, 너, 너 괜찮아? 제이크 봤어?"

"봤어! 근데 다신 그럴 일 없을 거야, 뛰어!"

그래도 콜린은 고집 부리지 않고 남의 말을 잘 듣는지라 내 고함이 우리 사이에 떨어지자마자 그는 힘차게 내달렸다.

"그게 대체 뭔 소리야?" 의문이 해소되지 않은 그가 소리쳤다. "제이크 살아있어?"

"걔가 살아있었으면 너한테 뛰라고 안 했겠지!"

얼굴을 제대로 보진 않았지만 그의 행동이 점점 빨라지는 것은 알 수 있었다. 우린 달리면 달릴수록 좀 더 기술적이고 노련해졌고, 결과적으로는 아무것도 없는 스산한 방에 발을 들였다. 급한 마음에 문을 세게 닫자 우릴 쫓는 살인마가 들었을 거란 걱정이 엄습했다.

"그거 내려, 얼른."

문을 걸어 잠그는 커다란 널빤지가 그곳에 있었다. 콜린은 단순히 생명의 위협 때문에 뭐든지 척척 실행에 옮기는 거겠지만, 난 그가 협력을 절실히 원한다는 뜻으로 알고 싶었다. 당장 내가 그런 마음이니까. 콜린은 얌전히 말에 따랐다. 죽음 앞에서는 다들 무력했다. 아무리 싸우고 욕지거리를 하던 사이라도 죽을 위기가 닥치면 서로를 부둥켜 안을 수밖에 없었다.

'난 관객이고 영화를 즐기고 싶었으니까요. 사실, 조금 재밌었어요.'

불현듯 쓸데없이 페이턴의 말이 떠올랐다. 난 그때도 지금도 남들은 느껴본 적 없을 고통에 시달리며 쫓기고 있는데, 내 앞에서도 그런 말을 할 수 있을까? 어쩌면 칼로 한 번 배를 찔러본다면 그렇게 말할 수 없을 것이다. 아니, 페이턴이 원래부터 그런 사람이라면 여전히 그렇게 말할 수 있을 것이다.

그리고 그건 페이턴이 아닌 콜린에게로 돌아왔다.

콜린이 널빤지로 문을 걸어 잠근 뒤 등을 기댄 순간, 무시할 수 없는 외마디 비명이 터져나왔다. 수상할 정도로 벽돌이 불규칙적인 벽을 보며 한숨 돌리는 것도 하면 안 된다니, 이건 나를 포함한 등장인물들에게 너무 각박했다. 빠르게 고개를 틀자 목격한 건 콜린의 복부를 뚫고 나온 큼지막한 칼날이었다.

군이 눈을 크게 떴다고 말할 필요도 없었다. 그건 내가 처음에 봤던 모르는 이의 내장 오픈 서커스보다 큰 충격이었다. 사실 그런 걸 한 번만 더 봤다간 위장이 뒤집힐 정도로 역겨운 순간 중에는 1위였지만 많이 다른 느낌이었다. 건너건너 소식을 전해듣던 안 친한 이웃이 차 사고를 당했다는 말을 들으면 딱히 개인적인 감정이 있는 게 아닌 자동적으로 '안됐네요'가 나오는 것과 비슷하다. 콜린은 분명 이렇게 죽지 않았던 것 같은데. 난 숨을 얕고 빠르게 새액새액 내쉬는 콜린을 멍하니 바라보았다. 그가 입은 헐렁한 티셔츠를 찢은 날선 칼 주위로 명백한 새빨간 피가 번졌다. 그의 공포로 찬 낯빛 밑으로, 팔은 느리게 칼날을 부여잡았다. 두개골 속의 똑똑하고 쭈글쭈글한 고깃덩어리가 도망치라는 신호를 보낸 탓에 뒷걸음질 치는 몸과는 별개로 그에게서 시선이 떨어지지를 않았다. 그의 소리는 짧고 얇았지만 그의 모든 세월을 합쳐도 충분하지 않을 고통을 느끼고 있는 건 알 수 있었다.

티셔츠가 피를 먹고 물에 젖은 것처럼 무거워지는 건 순식간이었다. 어느 집에나 있는 빗자루만 한 칼이 그를 관통한 곳을 통해 도로 빠져나갔고, 핏물이 무서울 정도로 빠르게 뚝뚝 떨어졌다. 그러다 콜린은 곧 피웅덩이가 만들어질 위치에 맥없이 쓰러졌다. 콜린의 복부로부터 급속도로 새어나가는 혈액을 보고 있자니 칼이 들어온 순간 확실하게 느낄 수 없던 위기감을 체감했다. 마치 뇌가 활동을 멈춘 것 같은….

"필립…."

콜린이 숨을 잃어가는 목소리로 이름을 불렀다.

"콜린… 미안해, 난… 난 이러고 있으면 안 돼." 내 어투가 심하게 떨려왔다. 콧잔등 위에 올려둔 실오라기를 떨어트려선 안 된다는 규칙이라도 있는 것처럼 얼굴을 움직일 수 없었다.

"제발… 날 버리지 마…."

"미안해… 난 여기 있으면 안 돼. 미안해. 미안…."

그들이 죽을 운명이라는 걸 알면서도—이렇게 죽는 게 아니었겠지만—그의 얼굴을 쳐다보며 미안하다는 말 외엔 할 수 없었다.

"나도 알아." 콜린이 나지막이 내뱉었다. "너만 그런 게 아니야. 모두가… 여기 있어선 안 돼."

절대 틀린 말이 아니었다. 모두가 여기 있을 이유가 없었다.

"그래, 너희 다 여기 있을 이유는 없어, 하지만…." 입을 움직일 때마다 말문이 막혔다. "널… 여기서 데리고 나갈 순 없어. 난 겁쟁이야. 미안해."

콜린이 고통스럽게 흐느끼다 참을 수 없는 복통에 다리를 오므리며 비명을 질렀다.

뭐가 어떻게 됐든 여길 빠져나가야 했다. 남의 비명이 터져나오다 끊기고 이내 다시 터져나오는 걸 두 귀로 똑똑히 듣고 있자 '수상할 정도로 불규칙적인 벽돌'을 뚫어야겠다는 생각이 들었다. 이걸 부수면 그 뒤에 숨겨진 길 같은 게 있을 것 같았다. 브리짓을 맡은 배우가 촬영장에서 말하고 다니길, '공포 영화는 뻔해요, 모든 예감이 들어맞거든요. 뒤에 누군가 있을 것만 같다면 그건 살인마고, 인적이 드문 곳에 무슨 일이 벌어졌을 것만 같다면 사람이 죽은 곳이고, 벽 뒤에 뭔가 있을 것만 같다면 정말 비밀 공간이 있죠.'

그녀의 말이 옳았기를 빈다.

난 커다란 칼자루의 주인이 문을 격하게 두드리는 와중에 사슬로 꽁꽁 묶인 나무 상자를 마구 쳐서 부수려 애썼다. 도저히 몸으로는 벽돌을 깰 수 있다는 확신이 안 들었기에 상자에서 떼낸 판자로라도 벽을 쳐보려고 했다. 하지만 주삿바늘이 들어갔던 발목만 더 찌릿해올 뿐이었다. 몸 군데군데가 성하지 않은 곳이 없는데 이걸 내던지려면 제대로 각오를 해야 한다. 덩달아 내 정신도 나갈 것 같던 시끄러운 비명이 잦아들고, 시름시름 앓는 신음이 들려왔다.

'하늘의 이름으로 결심해선 안 돼. 주님은 저급한 문화를 싫어하시거든.'

그렇다면 주님도 한 번쯤 공포 영화를 시청해 보시는 걸 추천드린다. 인간이 만든 자극과 오락의 산물이지만 그곳엔 주님의 도움이 필요한 어린 양들이 부글거리니까. 난 마음을 졸이며 팔을 얼굴 앞으로 들었다. 호흡을 다잡자 가시지 않은 약기운이 들이닥치는 걸 느꼈다.

'그럼 내 피부 위에서 맹세해. 내 살을 찢고, 구할 수 있는 건 나뿐이야.'

그래. 무슨 일이 일어나든 책임은 나한테 있어.

난 건물이 무너지면 어떡할지를 생각하며 물기 가득한 벽에 몸을 세게 부딪쳤다. 구르고 굴러서 얼얼한 피부가 한 번의 충격으로 고통을 호소했다. 눈썹이 찌푸려짐과 동시에 얼굴의 쓸 수 있는 모든 근육이 움직였고, 인생에서 지어본 가장 못난 표정이 민낯에 드러났다. 벽 안에서 우르르 소리가 나는 듯하더니 벽돌 하나가 떨어져나갔고, 다섯 번 가량 몸을 부딪치자 '수상할 정도로 불규칙적인 벽돌'들이 소음을 내며 아래로 무너졌다.

'주님이 아니라 브리짓을 믿어야겠군.'

눈물이 아른거리는 시야로 그 뒤를 내다보았다. 오래 안 있으면 의식이 까마득해질 것이다. 내떨리는 팔다리를 천장 밑으로 먼저 집어넣고 허리를 숙였다. 이 수상한 길은 거미줄과 손톱만 한 벌레들로 가득했다. 올라올 것 같은 토악질을 간신히 삼켜가며 나아갔다. 이 자세로 충분한가 싶더니 바닥은 여전히 오르막길인데 천장은 곧 한참은 더 낮게 내려갔다. 있을 수 없는 일이었다. 이 불쾌한 장소를 기어서 지나가는 건 참았던 토가 다시 한 번 목구멍을 스치게 하는 최적의 방법이었다.

'벌레. 망할 벌레 새끼들.'

난 프란츠 카프카가 쓰는 소설의 주인공이 되고 싶지 않았다. 내가 그들 사이에 군림한 대왕 갑충이 된 기분을 느끼면서까지 여길 지나가고 싶지 않았다. 하지만 그러지 않으면 죽을 것이다. 차라리 갑충이 된 기분을 잠깐이라도 느끼고 나면 남은 일생을 살 수 있긴 했다. 그리고 돌아간 집에서는 바퀴벌레를 최대한 잘 잡을 수 있는 룸메이트를 구하지 않으면 제대로 된 정신머리로는 있을 수 없을 것이다.

'호들갑은. 지금도 벌레를 네 촌스러운 셔츠에 문대고 있는 걸.'

벽이 너무 좁았다. 주변에서 벌레가 기어가는 소리가 선명하게 들렸다. 위는 아까 충분히 게워냈다. 더이상의 토는 없었다. 만약 하게 된다면 그건 산성으로 가득한 위액일 것이다.

나는 눈을 질끈 감고 천천히 몸을 수그려 다리를 뒤로 내었다. 그리고는 두 손과 발끝으로 할 수 있는 한 힘을 발휘해 필사적으로 기었다. 나를 따라 바닥을 달리는 벌레들이 보인다. 투명한 날개와 갈색 몸통을 가진 벌레가 천장에서 떨어진다. 몸이 참을 수 없이 근질거린다. 수많은 다리가 달린 벌레들이 온몸을 뒤덮는다. 내 피부를 점점 갉아먹는다. 살. 상처. 피. 출혈.

'그러니까 난 차라리 여기 죽은 듯이 누워있을래.'

나는 벌레가 입 안에 들어갈 위험을 감수하고 숨을 크게 들이쉬었다.

주변은 고요했다. 벌레가 기어가는 소리도, 단단한 갑옷을 입은 벌레도, 10개가 넘는 다리를 가진 벌레도 없었다. 물론 살을 갉아먹는 벌레도 없었다. 의식은 다시 따뜻한 물속으로 가라앉기 시작했다.

나는 침착함을 유지하고 단지 거미줄이 많을 뿐인 길을 애써 기어서 햇빛이 들어오는 코앞의 입구로 몸을 당겼다. 저물어가는 하늘의 노을빛에도 입안에 쳐들어온 공기는 아직 후더웠다. 셔츠에 밴 땀냄새가 불어오는 바람에 실려갔다. 그럼에도 개운하단 기분을 느낄 수 없었다. 비좁은 구멍에서 빠져나와 휘청거리는 몸을 지탱했다. 주위를 바삐 둘러보자, 이 구멍은 여관에서 멀리 떨어지지 않은 물류창고 밑바닥에 뚫린 거라는 걸 깨달았다.

난 물류창고 곁에서 떨어져나와 숲으로 달리기 시작했다. 땀방울이 목덜미와 머리카락으로부터 튀어나갔고… 발목의 저릿한 통증도 당장은 느껴지지 않았다. 하지만 달리기를 멈추는 그때 통증이 다시 찾아올 거란 걸 알고 있었다. 기분 좋은 약이라고 꼭 통증을 줄여주는 건 아니구나. 빽빽하고 우거진 나무들 사이로 죽은 이들의 단말마가 솟아오르는 것 같았다. 아래로 쳐진 나뭇가지에 스치고 찔려 거친 형태의 상처가 살갗을 찢었다. 공포는 거짓말을 하지 않는다. 공포는 인간의 모든 면을 보여준다.

가쁜 숨을 토하며 숲을 박차고 나오자 그 중간, 텅 빈 공간에 닿았다.

캠프파이어.

10명은 넉넉하게 앉을 수 있는 통나무가 네 방향으로 놓여 있었고, 그 안에는 불을 피울 수 있는 장작이 준비되어 있었다.

192

무서운 이야기를 시작하기 딱 좋은 곳이었다. 원래 시나리오에는 에밋이 예전에 있었던 오싹한 일을 설명하다 일행과 함께 숲 안에서 들린 비명을 좇는다고 쓰여있었는데, 이젠 이곳에 아무도 오지 않게 되었다. 나만이 여기 앉아 불꽃이 타오르는 소리를 들을 수 있었다. 그리고 통나무 위에는 클린턴 패스가 쓰던 가죽 노트가, 불을 지피지 않은 장작 안에는 보란듯이 테이프가 있었다. 모든 일의 원흉을 드디어 찾아냈다.

하지만 난 그저 피곤하고 지쳤다는 이유로 장작 안에 손을 넣기를 포기하고 나무에 등을 기대 주저앉았다. 풀벌레가 사방에서 울어댔다.

'빛나는 오아시스를 찾더라도 혀를 날름거리는 뱀들이 우글거리는 모래사장에서 잠들진 않을 거라며?'

그랬지. 하지만 여긴 뱀들이 비교적 없을 확률이 높잖아.

'언제 확률을 믿었다고 그래.'

난 혀 밑에 고인 침을 땅에 내뱉었다. 구린 맛이었다.

지금까지 와서는 이미 땅 밑에 묻힐 것들이 차고 넘쳤다. 너희를 원한다. 이곳에 너희가 묻히길 원한다. 언젠가 이곳은 내가 아닌 너희 무덤이 될 것을 피부 위에 맹세하며 여기서 눈을 감는다.

다시 눈을 뜰 땐 나뭇잎 사이로 선명한 볕이 들길.

✂

우린 심판자가 된 것인가,
심판하는 자의 아래에 있는 것인가?

8

SAW

Original by James Wan's ⟨Saw⟩

인간의 한계와 가능성, 살고자 하는 의지를 믿니?

매이브는 4살 때 나를 보살펴주시던 할머니께서 돌아가신 뒤로 날 키워준 고마운 사람이다. 15살부터 내 정신이 맛이 가기 시작하면서 많이 반항하고 다투기도 했지만 언제나 매이브에겐 내가 먼저였다. 지금 매이브는 뭘 하고 있을까? 갑자기 없어진 내게 전화를 걸었지만 휴대폰이 집 안에 있다는 걸 알고 불안해하며 경찰에 실종 신고를 했을까? 그렇다면 경찰은 내가 이딴 곳에 들어와 있다는 걸 알아낼까?

누구라도 날 구하러 올까?

인간은 사실 너무 약해서 모서리 구분이 가지 않는 새하얀 방에 조금만 가둬놓으면 패닉에 이르게 된다. 이게 바로 생각이 너무 많은 지적 생명체의 폐해다. 생각을 하지 않으면 마치 모든 부분이 피자 빵처럼 딱딱한 라자냐가 되고, 생각을 많이 하면 몸에 좋다는 채소와 온갖 약들을 갖다넣은 잡탕 수프가 된다. 그 수프는 일반인의 기준과는 동떨어진 '맛있다'를 가지고 있어서, 어려서부터 같은 수프를 먹고 자란 사람이 아니라면 한 숟가락도 비울 수 없다. 하지만 그 수프는 독이다. 느리게 우리 몸에 쌓이는 아주 미약한 독. 몸에 독을 넣지 않으려

196

면 우린 조금 더 단순해질 필요가 있었다. 바로 룰을 이해하는 것이다. 룰을 적대시하고 반항하고 받아들이지 않으면 게임은 더욱 어려워질 뿐이다.

우린 심판자가 된 것인가, 심판하는 자의 아래에 있는 것인가?

"길이 완전히 막혔네요. 이제 어떡할 거예요? 제키가 뭐 하는지 보이죠? 다 당신 탓이에요."

힐즈는 내 말에 아무 답도 내놓지 못했다. 우린 방향을 틀기만 하면 괴물이 나오는 던전에 영락없이 갇혀있었다. 핫도그를 어떻게 만드냐고 물어보면 우선 길다란 소시지를 만들기 위한 재료와 완성된 길다란 소시지를 감쌀 빵을 만들기 위한 재료를 사야한다고 답하는 바보 같은 힐즈 때문에 말이다. 제키는 지금 약을 먹지 못해서 자기 손톱으로 팔뚝을 파고들 만큼 심각한 불안 증세를 호소하고 있다.

"이거 하나만 물어보는데, 혹시 죽고 싶어요?"

"뭐라고요? 당연히 아니죠!"

우린 힐즈의 남방이 피에 젖는 걸 방치한 채 오직 출구를 찾는 데에만 혈안이 되어 거침없이 뛰어다녔다. 그러다 건물을 흔드는 걸음소리가 사방에서 덮쳐왔고, 급하게 문을 열어젖혀서 '우연히' 브리짓과 제키를 만나게 된 것이었다. 그녀들은 우리가 달리는 방향으로 함께 달리고 있었는데, 아무래도 갑자기 문이 열리니 신의 계시인가 싶어 따라들어온 게 틀림없었다. 하지만 덕분에 우린 더 난감한 상황에 처했다. 그냥 문을 열고 나가도 죽었을 테지만 이젠 우리만 죽는 걸로도 모자라 브리짓과 제키까지 죽게 생겼다.

"그럼 출구가 있어야겠네요."

"그래요. 그 있어야 하는 출구가 갑자기 짠하고 나타날 리는 없고요."

난 좌절하며 벽에 등을 대고 스르륵 앉았다. 등이 가려울 때 벽을 비비면 해결될 정도로 느낌이 오돌토돌했다. 내 앞의 인물과 물리적으로 아니면 비유적으로도 머리를 맞대봐도 마땅한 수를 찾지 못하여 흐르는 정적. 우리가 남녀 안 가리고 뭐든지 먹음직스럽게 보는 인파를 피해 숨어있을 시간에 그린은 벌써 '넓고 쾌적한' 방에서 예술적으로 두피 가죽을 떼였을 거다. 근무 시간에 목소리를 긁어대는 진상을 만났을 때나, 장을 볼 때 무섭게 부추기는 사람을 만났을 때나, 해야 할 일들이 모두 내 일까지일 때나 긍정적 에너지를 잃지 않았던 매이브를 항상 존경해왔지만 실제로 내가 본받은 점은 하나도 없었다. 매이브라면 이 긴급한 상황에서 어떤 행동을 취했을까?

"만약… 나타난다면요?" 힐즈가 흔들리는 시선을 내게 꽂았다.

"그게 무슨 의미예요?"

힐즈는 의미심장하게 침을 삼키고는….

"힐즈?"

힐즈는 문 앞쪽에 주저앉은 브리짓을 보더니 그쪽으로 서슴없이 다가가 좀비 같은 게 들끓는 문을 연다.

"대체 무슨,"

내게 조금만 더 시간이 있었더라면 '뭐 하는 거예요?', '당장 그만둬요!', '당신 미쳤어요?' 등을 외칠 수 있었겠지만 뭐라 말할 새도 없이 힐즈는 브리짓을 문 밖으로 밀친다. 침대에 누워 잠에 든 인간을 발견한 모기처럼 바깥에서 바글거리는 인파는 브리짓의 옷깃을 잡히는 대로 잡아당겼고, 그녀는 생존 확률이나 자기 의지와 상관없이 찢어지는 비명을 지른다.

"힐즈!"

인정 없는 냉정한 그를 보자 이틀을 걷지 못하고 빠르게 순환하던 피가 차갑게 식는 듯했다. 잡아주지도 못하고 끌려나가는 그녀의 처참한 얼굴에 식빵에 곰팡이 피듯 피해갈 수 없는 불쾌한 감정이 주변에서 왱왱거린다. 괜찮아, 저건 사람이 아니야. 사람이 아니야, 리키. 제키는 그 모습에 경악하고 거친 호흡을 토하다 뒤늦게 브리짓의 옷자락을 쥐었지만, 현실적으로 있을 수 없는 증세를 보이며 문을 쳐대는 인파의 힘을 거스를 수 없었다. 벌써 문턱에 턱을 놓고 생사의 줄다리기를 하고 있는 브리짓은 제키를 향해 마지막으로 팔을 뻗었다. 제키는 기회를 놓치지 않고 그녀의 손목을 잡아챘다.

"브리짓! 날 봐, 괜찮아. 괜찮을 거야!"

"저것들이 날 잡고 있어! 날 데려가지 못하게 해줘! 제발! 제키!"

지금까지 다시는 겪어보지 못할 공포를 수없이 경험했지만 익숙해지기는커녕 예상 밖의 일이 닥치면 손가락을 꿈틀거리는 버릇은 여전했다.

'살아있지 않다는 거 알면서 왜 그래?'

하지만 인간은 사실 너무 약해서 진실을 곧이곧대로 받아들이는 능력이 부족하다. 자신과 똑같이 생긴 외형의 어떤 움직이는 형체가 겁에 질리고 해를 입는 모습을 보면, 어지간히 특이한 성격이 아닌 이상 그 광경을 피하기 위해 고개를 낮추고 허리를 숙인다. 여러분이 만약 이 당연한 사실에 의문이 든다면 가장 확실한 사례인 나를 코앞에서 찾아보실 수 있으니 염려 마시라. 왜, 아예 고슴도치처럼 몸을 둥글게 말아야지 믿으시려고?

"도대체 뭐 하는 거예요!" 나는 늦어도 한참 늦게 버럭 소리를 질렀다. 어차피 살아있는 게 아니니 생명의 존중 따위를 논할 수는 없었지만 '우리에게 올 수도 있었던 위험'에 대해서는 논할 수 있었다.

"출구가 생기게 해줄게요." 힐즈는 문 너머의 그르릉거리는 인파를 바라보며 불안정하게 서 있었다. 넘어질 것 같이 보였지만 누구보다도 태연하게 중심을 잘 잡고 있었다.

"어떻게 이렇게 해서 출구가 생긴단 말이에요?"

지금껏 내가 들어본 어떤 말보다 어처구니가 없었다. 술은 알코올이니 따지고 보면 과학 실습실에 있는 알코올램프를 마셔도 되는 것 아니냐고 했던 동급생의 충격적인 발언보다도 어처구니가 없었다. 그저 없는 데서 그치지 않고 어처구니는 구름 위의 하느님과 안부 인사를 주고받고 있었다.

"믿고 싶지 않겠지만 날 믿어요! 다 설명할게요. 일단 여기서 벗어나면요."

그의 뭘 믿고 따라야 하는지 난 알 수 없었다. 그럼에도 우리는 두 여자의 실랑이가 끝나기만을 기다리며 긴장감 넘치는 장면을 방관했다. 손 놓지마! 안 돼! 안 돼! 브리짓! 그리고 그녀들의 짧은 싸움은 끝난다. 제키는 흐느낀다. 제키는 끌려가는 그녀를 바라본다.

"워… 세상에. 난 둘이 마지막에 키스할 거라 생각했는데…."

"뭐라고요?"

제키는 꽁무니를 내린 쥐새끼처럼 살금살금 걸어나가 사냥감을 찾듯 주위를 두리번거렸다. 따라서 문밖으로 목을 내밀자 저 멀리 브리짓이 덜미 잡힌 구렁이처럼 발악하는게 보였다. 인파는 하나같이 좀비의 모습을 따 온듯 비척비척거리고 살점을 떨어트렸으며 그르르 소리를 내는 게 다였다.

"여자랑 여자가 어떻게 키스할 거라고 생각했는데요?"

"워, 본인은 동성애 혐오자다 이거예요?"

"아니, 뭐…." 힐즈는 내 손바닥부터 겨드랑이까지를 감싼 자신의 남방을 보다 말을 멈춘다. "그래도 브리짓은 그리 좋은 사람이 아니었으니 안심해요."

"어떤 사람… 그러니까, 어떤 캐릭터였는데요?"

"감정 기복이 심하고 이기적인 여자죠."

"그래요, 슬래셔 영화에서는 항상 그런 여자를 '징벌'해왔죠. 고통스럽게 죽고요."

제키는 한쪽 소매를 잡고 브리짓이 떨어트린 집게핀을 조심스레 경유했다. 우연히도 제키의 머리에서 머리카락이 떨어지는 걸 포착했다. 하지만 알아서 쓸데는 없다.

"이거예요? 어차피 죽을 거 희생시켜서 길을 트는 거?"

"벽이 없어져도 그 앞에 미로가 있으면 소용이 없죠." 힐즈는 멋져보이려는 것 같은 말을 계속하며 날 황당하게 했다.

"뭘 말하고 싶은 건데요? 똑바로 말해요."

"우린 출구가 어딘지 아직 모르잖아요."

"아까 멋진 척하면서 어딘지 안다고 하더니!"

"당연히 안심시키려고 한 말이죠! 믿었다면 내 잘못 아니에요. 나도 처음 오는 곳인 거 알면서 왜 그래요?"

"힘을 숨긴 영웅 뭐 그런 건줄 알았죠."

"어쨌든 제키가 출구를 찾을 거예요. 그게 시나리오거든요. 브리짓이 죽으면 발목 잡히지 않으니까요."

힐즈가 당연하다는 듯 말했지만 무시할 수 없는 한가지 의문이 들었다.

"전부터 자꾸 다 아는 것처럼 말하는데, 그걸 어떻게 아는 거예요?"

힐즈는 잠시 주춤했다. "뭐, 다 감이에요."

"그게 시나리오라고 확실하게 말한 게 그냥 감이라고요?"

"그렇게 말하면 자신감이 생겨요." 힐즈는 몸을 이리저리 움직이다 팔짱을 꼈다. "의심되면 그쪽도 해보는 게 어때요? 예를 들면 '난 과대망상증 환자야' 같은 거요. 스스로 의심병이 있다는 걸 확신하면 더는 나한테 딴지 걸지 않을 것 같은데요."

"당신은 병적으로 뭔가를 혐오하는 증세가 있네요!"

"알아서 생각해요. 그냥 그쪽이 의심을 너무 많이 하는 거예요."

힐즈는 버럭 가시를 돋치는 나를 제쳐두고 제키를 따라나섰다. 수많은 인파 사이로 짓눌려가는 브리짓과는 반대 방향으로, 우린 계속 나아갔다.

"잠깐, 이건 뭐죠?"

그러다 나는 벽에 그어진 울퉁불퉁한 홈집이 늘어진 알파벳과 닮아있다는 걸 알아채고 그 자리에 멈춰섰다.

"무슨 글씨 같은데…."

캐서린 페이턴
조 쿠퍼

"페이턴?"

내 성씨였다. 영문을 알 수 없음과 동시에 왠지 등골이 오싹해졌다. 내가 아는 그 캐서린 페이턴인가? 잊을만 하면 사람들이 들먹이던 최악의 악몽? 여기서 이 이름을 다시 보게 되다니 의외이자 의문인데. '조 쿠퍼', 이 낯선 이름은 뭔데 밑에 있는 거지? 마치 립톤 수프 제조사에서 일하고 있을 법한 이름이다.

"캐서린 페이턴… 내 성씨에요."

"당신 성씨가 왜 여기 있는데요?"

"난… 나는… 나 이 이름 알아요."

"아, 그래요. 난 모르거든요? 어쩌라고요?"

난 끔찍한 진실을 깨달은 블랙 기업의 직원인 양 눈을 찡그리며 벽에 가까이 다가섰다. 딱히 뭔가 더 생기지 않는 걸 알면서도 글씨를 손으로 쓸어보았다. 그러나 예상이 빗나가고, 두

툼한 흠이 손끝에 잡혔다. 세월의 먼지라고 생각해서 더 넓은 범위를 손으로 비비고 털어내자, 하나 둘씩 글자가 나타나더니 문장으로 이어졌다.

신이시여 우리를 액운의 간섭으로부터 지켜주소서

우리처럼 지하실에서 무언가에게 쫓기다가 적은 걸까? 이렇게 생각해도 풀리지 않는 의문은 '왜 이 이름인가'였다.

"무슨 악마의 주도문 같은 거 있을 줄 알았는데…."

확실히 이 공간의 모든 방들은 이블 데드에 나오는 지하실과 닮아있어서 그런 착각이 들기 쉬웠다.

"여긴 대체 뭐가 숨겨져 있는 거죠? 출생의 비밀 같은 거라도 있는 거예요?"

"우연히 겹친 거예요."

엄청난 충격이긴 하겠지만 그래도 출생의 비밀이 얽혀있었다면 평생의 호기심을 풀었을 텐데. 그래, 세상에 캐서린 페이턴이 한 명만 있는 것도 아니고. 언젠가 도플갱어를 만나서 둘 중 하나는 죽어버릴 확률도 있는 세상에서 새삼스레 뭘 놀라? 자기 반에 '에이미'라는 이름을 가진 여자애가 한 명쯤은 있는 것과 똑같다(에이미가 잘나가는 사교 클럽 회장일지, 과학 시간이면 말이 많아지는 범생이 타입일지는 각자의 기억에 남은 그녀의 행동 양상에 달렸다).

하지만 우린 남들과는 E를 쓰는 방식이 달랐고, 그 필체로 보자면… 우리의 페이턴이었다.

"글씨체가 똑같은걸요."

난 옆으로 눕힌 닭발처럼 생긴 소문자 'e'를 손으로 쓸었다. 가까이 다가가려고 보니 발 밑에 가벼운 무언가가 부딪쳤다. 목재로 된 십자가 모형이었다. 예전에 할머니의 말씀을 따라 7살 때까지는 기독교를 믿었지만 내 사물함에 거꾸로 된 십자가가 붙은 걸 보고는 기독교가 날 싫어하는구나 하여 천주교로 옮겼었다(이젠 아무것도 믿지 않지만). 어디 쓰레기장에서 주워온 듯한 가면을 쓴 살인마가 연쇄살인을 저지르고 다니는 슬래셔 영화에 내 조상과 뭔 이상한 인간의 가죽으로 된 책을 읽어야 하는 부두술 같은 게 연관되었다고는 믿고 싶지 않았다. 충격적이라서가 아니라 초자연적 현상이 겹치면 힘들고 귀찮아지기 때문이다. 그러니까, 어딘가에 갇혀서 굶주린 호랑이처럼 낮게 으르렁거리는 여자가 있다면 수상한 지하실에서 시체 썩는 냄새를 맡은 것부터 시작해서 끝까지 이블 데드의 전개를 따라가고 싶지 않다는 말이다.

"이런 걸 쓸 정도라면 어떤 액운이었을까요?"

"그런 걸 지금 알아야겠어요? 살인마들이겠죠."

"내가 영화에 빨려들어온 것과 연관이 있다면 알아야겠어요."

난 입구가 꽉 막혔음에도 어찌어찌 쓰레기를 태워 관 속에 들여보내는 진공 청소기 같은 영화 속으로 빨려들어왔다. 그리고 이제는 상한 머리카락과 음식물 찌꺼기가 타협을 보고 함께 자는 진공 청소기에 우리 조상이 중요한 실마리로써 작용해 뒤늦게 얽히고 설키고 있었다. 이건 정말… 구운 계란 위 덜 익은 노른자를 맛 좋게 흡입하고 그 빈자리에 케첩과 마요네즈를 둥글게 둘러놓은 것 같다. 여자아이들의 다이어리엔 아기자기하고 끔찍한 스티커가 판을 치고 반짝이는 하천에는 다 마신 콜라캔과 수많은 맥주 '한 방울'이 같이 흐르는 크나 큰 지구에서 이게 무슨 날벼락이란 말인가.

우리 사는 세상인 지구는 영원까진 아니라도 오래 돌고 돌 것이다. 나의 질풍노도 사춘기 시절에 불평불만 할 때마다 잊을만 하면 매이브가 꺼내놓던 말이다. 매이브는 훗날 이 말을 이해하게 될 거라 했고, 실제로 과학 시간에 지구의 자전을 알게 되었으니 그냥 '수업이나 잘 들어'의 뜻이었다는 건 지레짐작할 수 있었다. 하지만 그 안에 숨은 다른 뜻이 있다는 건 나중에서야 알았다. 숨은 뜻이 '있다'라는 것만 말이다. 매이브가 점술 같은 걸 믿어서 그런지 아니면 그저 현실을 살기 때문인지는 알 수 없었다. 애초에 서로 피가 섞인 것도 아니니까 당연한가? 그래도 매이브는 진짜 가족 못지않은 상냥함을 내게 베풀었다.

"너 수프 많이 먹으면 안 돼. 네 위에 소금이 쌓일 거라고."

매이브가 넓은 하얀색 그릇을 조심조심 가져다 놓았다. 냄새를 맡기만 해도 기분이 좋아지는 토마토 크림 수프가 한가득 들어있었다.

"그런지 아닌지 5년만 더 기다려 봐." 난 한손에 잡기 적당한 크기의 숟가락을 들고 수프를 한 술 떴다. "지금까지 내 신비한 인체에 무슨 일이 벌어졌게?"

"입술이 마르고 수분 섭취가 잦아지기 시작했지."

뭐, 내 말은 '아무 일도 없었다'였지만 그것도 틀린 말은 아니었다.

"고혈압 오면 진짜 어쩌려고?"

매이브는 내 걱정을 할 필요가 전혀 없었다. 확실히 물을 자주 먹게 되긴 했지만 다른 심각한 만성질환에 걸렸거나 그런 듯한 증세는 보이지 않았다. 게다가 난 이제 얼굴에 분칠하고 이성에 미쳐 사는 시기는 한참 지난 23살이었다. 난 조금 분홍빛을 띠는 빨간 토마토 크림 치킨 수프를 입에 머금었다. 부드러운 닭고기 조각이 씹히는 맛과 함께 새콤달콤하고 걸쭉한 수프 맛이 목끝에 닿았다. 후추 향은 알듯말듯하게 혀 위를 맴돌았다.

"물 비율이 80%인 언니 수프 먹고 퍽이나." 하지만 매이브는 내 입맛에 맞추지 않고도 맛있는 수프를 만들어냈다. 여전히 물 비율 40%인 토마토 수프를 마음에 두고 있긴 해도, 매이브의 요리는 인기 있는 길거리 식당 만큼이나 끝내줬다. 자기 전에 한 그릇 하면 그날은 식스팩이 노골적인 예수님이 옆에 있는 것 같은 든든함에 쉽게 잠에 들었다. "있지, 도축하는 거 그만둘까 하는데. 언니 생각이 중요할 것 같아서."

"잠깐, 지금 나한테 결정권을 주겠다고?" 매이브는 베이컨을 내어오던 접시를 들고는 하늘을 나는 고양이라도 본 듯 얼어붙었다.

"아니, 뭐… 언니 의견이 중요하다는 거지, 그냥."

"난 너한테 자유롭게 하라고 말해주고 싶네." 매이브는 수프

앞에 베이컨을 놓았다. "내 말 때문에 네가 휘둘리게 하기는 싫어, 리키. 우리 먹고 살 만큼의 직장은 나 하나로도 충분하니까 하고 싶은 거 있으면 해."

"죽은 걸 또 자르고 손질하는 거 좀 무섭지 않아?" 내가 물었다.

"전혀. 잘만 하다가 갑자기 왜 그래?"

"음⋯." 난 고민하다 적당히 답했다. "고기를 먹는 거 좀⋯ 너무하지 않나 하는 생각이 들어서."

"너도 좀 있으면 스무 살 초반의 비건인 나로 변신하겠네."

"난 진심인데."

"너무 생각이 많아도 탈이라니까." 매이브는 내 앞에 앉아 숟가락을 들었다. "오늘의 운세 알려줘?"

나는 답했다. "혈액형별 성격을 믿는 우리 언니 타로가 과연 어떨지 좀 보자."

"그래, 궁금하다면." 매이브는 식탁에 놓았던 타로 카드를 슥 펼쳐 아무거나 골라 들었다. "지난 일이 신경쓰이기 시작한대."

"그건 누구나 그래."

"좋을 대로 믿어." 매이브는 옅게 웃었다. "맞다, 나 이상한 꿈을 꿨어. 어떤 여자가 집 앞에 시퍼렇게 어린 애를 놔두고 도망가는 걸 봤는데."

"그것도 점술이랑 관련있는 거야?"

"모르겠네. 뭔 뜻이지?" 매이브는 나를 따라 조개 수프를 한 술 떴다. 옆에는 바짝 구운 네모난 식빵 조각이 차곡차곡 쌓인 유리병이 있었다.

'어떤 여자?'

그 말이 불현듯 뇌 틈새에 광속으로 꽂혔다. 매이브가 살면서 꿨던 이상한 꿈 얘기는 수없이 들어왔지만 생선 먹다가 가시 걸리는 듯한 뜬금없는 기분을 느끼기는 처음이었다.

"페이턴?"

힐즈의 목소리가 다시 한 번 불을 켰다.

"매이브가 보고 싶어요."

그리고 예상치도 못한 말이 튀어나왔다. 하나 밖에 없는 가족인 매이브가 너무나도 보고 싶었다. 매이브 없이는 어떻게 해야 할지 알 수 없었다. 모든 게 그녀의 도움 아래에 있었다. 매이브가 이곳에 같이 왔다면 분명 <텍사스 전기톱 학살(Texas Chainsaw Massacre, 1974)>의 도입부를 찍을 수 있었을 것이다. 매이브가 가진 카드는 뽑히는 족족 맞는 말만 하고 있을 것이고, 그렇다면 그 끝은… 지금이랑 별반 다를 게 없군. 그래도 터무니 없는 점성술 덕분에 어떤 일들을 짐작하고 대비할 수는 있었겠지. 이럴 줄 알았으면 매이브가 가르쳐 준다던 점술을 조금이라도 배워둘 걸 그랬다. 허무맹랑한 소리들일 게 뻔하지만, 이런 처지라면 뭔들 믿지 못하겠는가?

"그게 누군지는 몰라도 빨리 여기서 나가야 될 것 같네요. 제키가 길을 찾고 있거든요. 놓치면 아주 아주 곤란해질 거예요."

난 간지러운 눈을 비비고 고개를 끄덕였다. 흐리멍텅했던 힐즈의 얼굴이 선명해진다. 제키가 지금 눈을 번득이고 코를 킁킁거리며 길을 찾아다니고 있으니 서둘러 따라가야 했다. 그런데 제키의 뜀박질이 빨라졌다.

"출구에요! 어서 따라가요!"

힐즈는 제키의 물장구를 따라 뛰어갔다. 세상에, 물이라니. 웬 물이야. 물을 밟아야 한다고? 난 내 흠집 많은 부츠에 물이 달라붙어 쥐도 새도 모르게 양말을 적실 걸 상상하며 몸서리를 쳤다. 제키도 어지간히 불쌍한 여자였다. 문득, 주머니 속의 '악마를 죽일 수 있을 것 같은 칼'이 떠올라 칼을 꺼내들었다.

'칼이 반짝이잖아.'

정말 *그랬다*. 아까 전까지만 해도 평범한 가정의 평범한 주방용 식칼과 비교도 못 할 정도의 칼날을 가진—마치 감옥에서 탈출하고 싶었던 죄수가 악으로 깡으로 쇠를 갈아놓은 듯한—칼이라고 생각했는데, 지금의 이 칼은 전혀 달랐다. 양복을 입고 예의를 갖춘 신사가 '안녕하세요, 아가씨'라고 말을 거는 듯했다.

난 그냥 벙쪄서 뭐라 말도 못하는 괴짜고.

내 눈은 잘못되지 않았다. 녹슬고 무딘 칼이 뻑뻑한 피를 묻힌 채 제 칼날을 자랑스럽게 드러내고 있었다. 언제 이렇게 됐지? 내가 찌른 사람이 닿는 모든 걸 세척하는 신비한 마법의 피를 가졌을 리는 없는데. 아니, 영화 속인데 안 될 게 뭐야? 그래도 이건 좀 아니지. 그 뒤로 '하지만, 그래도, 그렇지만, 그런데' 등의 부속 단어가 오갔다. '말도 안 돼'는 끈적하고 단단하고 커다란 공이었지만, 그걸 잘게 분리해 줄 '그럴 수 있지'

는 턱없이 작고 나약해서 높이 쳐들기도 전에 바람에 날아가버리거나 충격의 폭포를 맞아 부서지고 말았다. 설명할 수 없다면 이해를 포기하고, 이해할 수 없다면 받아들여야 한다. 나는 기어코 칼이 원래 깨끗했다고 자신을 설득하는 지경에 이른다. 양쪽으로 뻗은 칼을 두 손으로 만지작거렸다. 닦인 흔적도 없지만 희미한 전등만이 깜빡거리는 어둠 속에서 분명히 빛나고 있었다….

'그린?'

칼날을 스쳐지나간 빛줄기 뒤로 익숙한 옷차림이 눈길을 잡아챘다. 내가 아는 그 촌스러운 초록색 셔츠가 맞나 싶어 다시 한 번 칼을 기울여 보았다. 그러나 멍청하게 칼날을 뚫어져라 쳐다보는 내 눈동자만이 비치고 있었다. 애송이 그린은 이 안에 없었다. 난 뭘 기대하고 뭘 바라는 걸까? 그는 이미 죽었을지 모른다.

좀비―브리짓을 끌고 간 그 빽빽한 인파 말이다―들은 사방에서 몰려왔다. 그린이 행운을 몰고 오는(사기 치는) 포춘 쿠키가 아닌 이상 홀로 살아남았을 리는 만무했다.

'빌어먹을 녹색 지하실. 여기 허버트 웨스트*가 살고 있는 게 틀림없어.'

그렇다면 내가 앞으로 편의상 좀비라고 부를 병든 인파가 설명이 될 것이다. 난 이런저런 가능성을 무시한 채 칼을 쑤셔넣고 찰박거리는 소리가 들리는 쪽으로 달렸다. 그린은 아직 슈

---

* 영화 〈리애니메이터(Re—Animator, 1985)〉와 H.P 러브크래프트의 동명 소설에 등장하는 주인공.

뢰딩거의 고양이였다. 어딘가에 있지만 직접 보기 전까진 죽었는지 살았는지 알 수 없다.

누군가의 유골이 둥둥 떠다니는 얕은 물난리 속에서, 제키는 힐즈를 등지고 위로 향하는 계단에 막 발을 올리고 있었다. 그녀의 뒤를 능숙하게 밟는 힐즈는 물장구 치기가 버거운지 숨을 헐떡거렸다. 그녀는 물에서 발이 빠져나왔음에도 지속되는 첨벙 소리를 인지하지 못했다.

힐즈는 제키가 출구를 찾을 거란 걸 어찌 알았을까? 브리짓의 뒤에 숨겨진 어두운 면까지도 말이다.

"이봐요," 난 머뭇거렸다. "제키가 파이널 걸인가요?"

"글쎄…." 힐즈는 솟아있는 계단에 발을 딛고는 숨을 돌렸다. "다 감이라고 칩시다."

그는 이번에도 그저 감이라고만 하며 다시 움직였다. 그러셔, 그럼 내가 당신을 패면 나갈 수 있을 거라 생각하는 것도 망할 감이겠네. 어떻게 그딴 게 족족 들어맞는단 말이야? 난 물속에 절대 피라냐가 헤엄치지 않길 간절히 바라면서 힐즈를 뒤따랐다. 지금 발에 부딪친 게 제발 두개골이 아니라고 해주라.

계단을 쓸데없이 좁고 높았다. 한쪽 다리를 올릴 때마다 깔창에서 물이 떨어졌고 힘은 엄청나게 많이 들어갔다. 이곳에 와서는 먹을 수 있는 게 아무것도 없었다. 그때 일행이 영화를 본다고 우르르 나가기 전에, 다른 테이블에 놓인 빨간 사과가 먹음직스러워 보여 깨물어 본 적 있었는데, 돌처럼 딱딱했다. 그런데 일행의 방에서 보니 다들 맛있게 과일을 먹고 있는 것이 아닌가! 나는 여기서 뭔가를 섭취한다는 행위 자체를 시작하거나 마칠 수 없었다. 지금까진 배고프다고 죽지는 않았지만, 예상치 못한 상황은 언제나 가까운 곳에 있기 마련이었다.

힐즈는 이전에도 여길 경험해본 적 있었다. 영화를 다 보지도 못했다고 했지. 하지만 나보다 훨씬 많은 걸 알고 있다.

'클린턴 패스라고 비디오 가게 일을 하는 사람이었는데….'

힐즈가 그린과 아는 사이라면, 그린이 얘기했던 클린턴 패스라는 사람을 알고 있을지도 모른다. 무섭고 불안해서 중요한 정보를 얻을 기회를 놓쳤던 그때의 나 자신이 원망스럽다.

"힐즈, 혹시 클린턴 패스라는 사람 알아요?"

"그린을 목숨 걸고 살리려던 사람이었죠."

힐즈는 그렇게 말하곤 이 이상의 정보를 내놓지 않았다. 한 번을 오를 때마다 무릎에 손을 얹고 탄식하는 것이 우리 둘의 두 번째 공통점이었다. 출구가 가까워지는데도 입을 떼지 않는 힐즈에게 결국 한 번 더 물었다.

"그것 뿐이에요?"

힐즈는 어느때처럼 한숨을 내쉬었다. "난 당신이 생각하는 것만큼 아는 게 많지는 않아요."

모순이다! 모순이야! "입에 발린 소리 마세요. 당신은 내가 생각하는 것'보다' 더 많은 걸 알잖아요. 왜 그냥 얘기해주지 않는 건데요?"

"나중에 다 설명한다고 했잖아요. 그쪽 참 참을성 없네요."

"네, 왜요? 저 참을성 없어요. 전 지금 화날성으로 꽉 찼다고요!"

"뭔…." 힐즈는 출구에 다다랐다. "그걸 그쪽이 왜 알아야

213

하는데요? 알면 할 수 있는 게 뭐 천 개로 늘기라도 한대요? 그쪽이 영화에 갇히게 된 거랑은 하등 상관없는 내 경험을 공유하지 않는다는 이유로 시간 낭비 하고 싶지 않은데요."

그래, 어쨌든 아는 거 많은 힐즈 덕분에 내가 나갈 수 있으면 좋은 거지. 그러나 그린을 처음 만났을 때처럼, 아니 그때보다도 강한 의구심이 드는 건 이례적이었다. 수상한 걸 수상하다 하고 싶어도 의지할 대상이 떠날까 걱정돼서 군말을 덧붙일 수 없었다. 난 손바닥을 두른 힐즈의 남방을 쥐고 힘껏 다리를 쳐들어 계단을 올라 출구에 다다랐다.

"알았어요… 아,"

하루종일 아무것도 안 먹고 쉬지 않고 달리고 피를 흘리는 것고 모자라서, 끼여 죽을 수 있을 것 같은 높은 계단을 올랐다. 두통이 퉁퉁 부어오르고 눈이 눌리는 듯한 감각은 당연했다. 다만 쓰러질 거라고 예상하지 못했을 뿐이다. 그리고 힐즈가 날 일으켜 줄 것도 기대하지 않았다.

"말싸움 할 힘도 없으신 분이 꼬치꼬치 캐물은 거예요?"

"그래요. 불편했으면 사과할게요."

눈이 화성 만큼 커졌다. 힐즈가 내민 손을 잡고 일어나자 보인 것은 여관의 관리실이었다. 그 포드가 죽어있던 곳 말이다.

"관리실이잖아!"

10분은 더 빨리 지하실에 들어갈 수 있었던 것 아닌가! 포드 근처를 더 둘러볼 걸 그랬다. 하지만 그랬다면 에밋은 죽었고 일행들은 사라졌다는 걸 여태 모르고 있었겠지. 그래도 더 일찍 왔다면 그린을 만날 수 있었을 것이다.

힐즈는 포드의 통통한 배에 꽂힌 칼을 보고도 전혀 놀라지 않았다.

"피 보기 싫으니 빨리 나갑시다."

우린 관리실에 있던 지하실 문을 닫고, 아무런 소리도 들리지 않아 음산한 여관 로비를 지나 바깥으로 나왔다. 뜨거운 공기 한주먹이 입 안으로 쳐들어왔다. 추수감사절에 구워놓은 칠면조를 한입에 집어넣으면 딱 이런 느낌일 것이다. 칠면조처럼 이 무더운 공기에도 향신료가 첨가되어 있다면 참 좋았을 텐데. 맛있는 공기! 향기로운 공기! 눈앞에 거대하고 울창한 숲이 펼쳐졌다. 높게 피어난 나뭇가지엔 해가, 뒤를 보니 지붕 끝에는 달이 낮게 걸려있다. 핫케이크가 두 개다.

"그린을 못 찾았어요."

구석구석을 누비거고 다녔는데도 기척조차 느끼지 못했다. 찾은 거라곤 못 본 새 매무새를 단정한 칼날에 비친 그린의 환각 뿐이다. '과연 환각이었을까?'하는 대목이 나오면서 기억을 의심하게 되는 충격적인 회상 장면 없이도 명백한 사실이었다. 누가 이런 곳에서 제정신을 유지할 수 있겠는가. 어쨌든 그린은 이미 그곳에 있던 수많은 방 안에 피를 흘리며 죽어있을지 모르고, 두 손을 가슴에 올린 채 숲 속 깊은 땅 밑에 묻혔을지도 모른다. 아예 없는 사람이었다면 지금보단 몸과 마음이 훨씬 편했을 것이다. 그린이 아니었다면 이럴 일도 없었을 텐데. 생판 남인 내게 울면서 망할 어머니 무덤에 라일락을 놓아달라고 말하지 않았더라면 내 몸 성할 일도 없었을 텐데. 햇볕이 데운 공기가 혀 뿌리에 닿자 숨이 턱 막힌다. 침을 삼키며 그

215

찝찝한 공기를 더 깊은 곳으로 쓸어내린다. *멀어졌다.* 알고 지 낸 모든 것들을 잃어버린 기분이다. 젠장, 백 투 더 퓨처를 보지 않았다면 모든 게 제자리였을까? 하지만 그건 어떤 시점의 현실이고 여긴 필름의 어떤 지점이다. 브라운 박사와 드로리언*이 어떤 식으로든 연관되어 있진 않을 것이다.

"그린이 아직 저 밑에 있다면…."

"페이턴, 일단 테이프를 찾아야 해요, 알겠죠? 불확실한 일에 목숨 걸면 안 된다고요."

"난… 거긴 내가 모르는 게 많아요. 왠지 그걸 알아야 할 것 같아요, 그리고 아직 그린이 거기 있다면 내려가야겠어요."

"페이턴, 이성적으로 생각해요. 우선 테이프를 찾으러 가요. 보험은 들어놔야 하잖아요." 힐즈는 남방이 감싸고 있는 내 손에 제 손을 얹었다. "어쩌면 그린은 탈출했을 수도 있고요. 저기 있죠, 그린은 강해요. 적어도 그쪽 생각보다는요. 너무 걱정하지 마요."

그린은 한밤중에 날 위험에 빠트리고 싶지 않다면서 홀로 밖을 나간 사람이다. 남들처럼 고통을 느끼는 정도는 다르지 않은데도 타인을 먼저 생각하는 대담한 용기가 있었다. 마치 잃을 게 없는 것처럼, 아니 정말 잃을 게 없었다. 그는 죽은 신세니까. 뭐가 어떻게 돼도 그린은 살아서 돌아올 방법이 없었다. 없는 자에게서 생기는 용기는 참 강했다.

"일단 우리가 살아야 뭘 하든 말든 할 거 아니에요."

힐즈는 타당한 말로 날 설득하려 들었다. 그리고 그건 놀랍

---

* 영화 〈백 투 더 퓨처(Back to the Future, 1985)〉에 등장하는 차량 형태의 타임머신.

게도 내 뇌 표면에 닿았다.

"알았어요. 테이프가 어디 있는데요?"

"글쎄… 이전에 마지막으로 기억 나는 곳은 캠핑장이네요."

"캠핑장이 어딘지나 말해요."

우린 겹쳐있는 나뭇잎 틈새로 빛줄기가 내리는 숲 속에 발을 들였다. 힐즈보다 훨씬 지쳐있는데도 무의식적으로 걸음이 자꾸만 빨라졌다. 가지와 풀을 꺾으며 나아가는 우리 사이의 간격이 점점 벌어졌다. 힐즈는 말 그대로 지구 한 바퀴라도 뛴 개처럼 헐떡거렸다. 자신을 구성하는 일부가 타인에 의해 접히고 뒤집히고 꺾이는 숲의 소음이 그간의 공백을 메웠다.

잊을 만하면 떠오르는 과거의 일이 하나 있다. 당시의 나는 넘치는 호기심을 주체하는 법을 몰라서 앞으로 닥칠 매운 위험과 깊은 좌절을 미리 예상하기엔 언제나 한 발 늦는 편이었다. 미시시피의 옥수수밭에 갇혀본 적 있는가? 난 이 일 때문에 높은 갈대와 풀을 극도로 싫어하고 두려워하게 되었다. 고작 7살이었던 나는 옥수수밭 한가운데에서 지퍼스 크리퍼스가 날아들지 않을까 걱정하며 무려 하룻밤을 보내야 했다. 다행히 크고 넓은 날개를 펼치고 닭발을 휘두르는 지퍼스 크리퍼스가 나타나는 일은 없었지만, 그날 이후 내가 17살이 될 때까지 매이브는 고향인 미시시피에 가지 못했다. 생각해보면 날 걱정해준 건 고맙지만 한편으론 내 무지함 때문에 매이브의 발목을 잡았다는 죄책감이 들기도 했다.

하지만 성인이 됐다고 해서 트라우마에 강해지는 건 아니었다. 그날 이후로 단 한 번도 갈대밭에 가보지 않아서, 그런지 아닌지 몰랐을 뿐이다. 이미 땀으로 젖은 몸이지만 또 식은땀이 나기 시작하는 건 쉽게 알아챌 수 있었다. 나는 멈춰서서 심호흡한다. 넓디 넓은 초원 한가운데 완벽하게 동그란 공이 존재한다… 그 공은 나 자신이므로 그저 초원을 편하게 굴러다닌다… 나를 막는 것이나 막을 수 있는 것은 없다… 그런데 네가 그걸 어떻게 알아… 초원에도 돌부리가 있을 수도 있고 바늘이 있을 수도 있는데… 공의 모습인 나는 곧 바늘에 찔려 서서히 바람이 빠져 죽는다… 누군가 찾아낼 것이라고 기대하지 않는 채로…!

"페이턴!"

"네?"

번뜩 눈을 뜨자 그새 휑한 캠프파이어 앞이었다.

"여긴…?" 난 주위를 천천히 살핀다. "아하…."

"페이턴, 갈수록 안 좋아지네요. 아니, 안 좋아졌어요."

흔들리는 물방울 탓에 시야가 울렁거린다. 난 목에서 멈춘 듯한 숨을 들이쉬고 꼼짝없는 몸을 느릿느릿 풀었다. 안으로 다시 들어가는 것 같은 눈물을 재빨리 훔쳤다. 촌스러운 녹색 셔츠를 입은 그린이 내 앞에 있었다. 그 뒤엔 힐즈가 얼굴을 찌푸리고 팔짱을 낀 채 우릴 바라보고 있었다. 앉으라고 놔둔 게 확실한 통나무 위에는 현실에서 봤던 그 테이프가 놓였다.

"그린!"

내 양팔을 붙잡고 얼굴을 빤히 들여다보던 그린을 와락 끌어안았다.

"와, 음. 와, 뭐예요? 갑자기 안지 말아줄래요? 안 좋은 기억이 있어서….”

“워.” 난 뒤로 물러났다. “그게 대체 뭔지 물어봐도 돼?”

“그럼요. 난 예전에 프리허그 해주는 사람에게 다가갔다가 바늘로 허리를 찔린 적이 있어요.”

“아하… 왜 그랬대.”

납득하기 어려운 놀라운 사유였지만 난 단지 고개를 끄덕였다.

“어떻게 된 거야?”

갑자기 그린은 멈칫하더니 내게서 거리를 두기 시작했다.

“그냥… 도망갔어요. 네, 죽어라 달렸죠.”

“힘들었겠다… 그게, 늦게 와서 정말… 미안.”

거리를 두는 그린이 이상해서 위로를 명목으로 한 발짝 더 다가갔지만 그린은 뒤로 더 물러났다. 그의 행동을 이해하기엔 내 아이큐가 너무 낮은 건가? 어이가 없어서 웃음이 나왔다.

“왜 그래?”

“왜 웃어요?” 그러나 그린은 공격적으로 나왔다.

“뭔 소리야? 네가 이상하게 구니까 그렇지, 바보야.”

“아직도 이게 재밌어요? 영화가 안 끝났으면 좋겠다든가, 아직도 그래요?”

아하. 큰일났군. 난 그린이 무슨 말을 하는지 아주 잘 알고 있었다.

‘원래는 그랬어요. 사실, 조금 재밌었어요. 난 관객이고 영화를 즐기고 싶었거든요.’

그린은 그걸 어떻게 들은 거지? 우린 전혀 다른 곳에서 시련을 겪고 있었는데. 그러다 문득, 우리 앞을 달려갔던 한 사람이 떠올랐다. 냄새 나는 괴한에게 손바닥이 그이고 나서 정신 못 차릴 때, 그 앞을 혈레벌떡 달려갔던 한 사람. 그 사람이 그린이었다. 하지만 난 내 얕은 생각을 인정하고 더는 아님을 말했었다. 이런, 그때 들을 수 있게 더 크게 말할 걸 그랬네. 그린의 얼굴은 그 어느때보다도 사뭇 진지해 보였다.

"그래, 근데 안 그렇게 된 지는 한참 됐어. 내가 힘든 것도 있었지만 네가 여기서 오랫동안 겪었을 걸 생각하니까 그런 건 실례인 것 같았다고."

"그게 정말이면 왜 저 사람이랑 같이 다니고 있는 건데요?"

그린이 콕 집어 가리킨 사람은 어거스트 힐즈였다. 그는 여전히 아무말 않고 우릴 쳐다보고 있었다.

"힐즈랑 그게 뭔 상관인데?" 나도 슬슬 그린의 태도에 화가 오르려 했다. 난 눈을 부라렸다. "왜 자꾸 유치하게 구는 거야? 이게 편가르기 싸움인 줄 알아?"

"오, 아주 상관있죠. 둘 다 생명을 가볍게 여기잖아요."

내가 가장 듣기 싫어하는 말이 나왔다. 그러니까 '듣기 싫었던 말' 말이다. 상상만 했던 딜레마를 실제로 자극당하게 될 줄 누가 알았겠나. 하지만 난 맹세코 더는 재미를 느끼지 않았다. 이젠 알고 있었다.

"함부로 그딴 말 하지 마. 이젠 안 그렇다고 방금 말했잖아."

"그럼 제발 저 사람 데리고 사라져 주시든가요."

그린은 절대 대화로 좋게 풀 생각이 없어 보였다. 내가 그런 말을 했는데 이런 반응이 돌아오는 건 너무 당연한가?

"내가 뭘 해야 믿겠어?"

목소리를 낮추고 물었지만, 실은 속에서 반항심과 승부욕 그리고 분노가 타오르고 있었다. 뭔가를 간파당한 것 같은 굴욕감도 이루 말할 수 없었다.

"뭐 팔이라도 찌르면 믿겠죠, 힐즈도 못 한 걸 당신이 할 수 있을 리는 없지만요. 그러니까 그냥….."

그린의 말에 난 뭔가 굳게 결심한 듯 심장이 요동치기 시작했고 주머니에서 잽싸게 칼을 꺼내 팔뚝에 박아넣으려…

"페이턴!"

그린이 급하게 칼을 든 내 손목을 쥐었다.

"진정해요. 진정해요….." 그는 나와 마찬가지로 긴장했는지 숨을 가다듬었다. "미안해요. 부탁인데 그러지 마요. 저기, 여기서 그래봤자 아무것도 달라지지 않는 거 알겠어요. 그러니까 그만둬요." 그린은 천천히 제 손을 놓았다. "그런 거 하라고 해서 미안해요."

나도 모르게 눈물이 나왔다. 내가 살아있는 것들을 얕보지 않는다는 걸 증명하기 위해서 이런 일까지 해보여야 할까? 이해가 가지 않았다. 누구도 내 말을 믿지 않았다….

'모두가 우리 집을 싫어했다고요!'

난 눈물이 폭포처럼 흘러내리기 전에 쭈그려 앉아 다섯손가락에 한 번씩 눈물을 묻혔다. 그리고 손끝을 바지에 문질러 닦는다. 칼은 떨어졌다.

"언제까지 그러고 있을 거예요?"

힐즈가 못 봐주겠다는 듯 말했다. 단순히 눈치를 준 건지 말을 건 건지 모르겠다. 이따금씩 훌쩍거리며 고개를 들자 그린이 뒤돌아서 힐즈를 바라보고 있었다.

"테이프 부수고 얼른 나가자고요." 힐즈가 테이프를 향해 눈짓했다.

"뭐? 잠깐만요. 그린이 나갈 방법은요?"

"찾았겠어요?"

"여전히 본인 생각으로 바쁘시네요, 어기 씨."

그린이 예사롭지 않은 투로 말했다. 당장 둘의 뒤에 숨겨진 관계를 페이지 휘리릭 넘기듯 금방 알 수 있다면 난 정말 우리 집 선반에 채워둔 캠벨 조개 수프를 모두 내어줄 수도 있다. 우선 그린에 대한 개인적인 감정은 제쳐두고, 후들거리는 무릎을 짚고 일어났다. 그의 뒤에서 바라본 힐즈의 얼굴은 사나웠다.

"어차피 넌 여기서 나갈 방법도 없잖아. 사적인 일로 무고한 사람한테 피해주진 말자고."

힐즈는 '무고한 사람'을 칭할 때 나를 향해 턱을 까딱했다.

"그럴 생각 없어요. 지금은 둘 다 못 미덥긴 하지만…." 그린은 테이프를 흘깃거렸다. "어기 씨가 시작한 일은 끝내야 하지 않나 싶네요."

확실히 지금은 내가 슬래서 영화를 즐기는 백수라는 이유로 자책하거나 그린을 영원히 영화 속에 남겨둘 수도 있는 유력한 후보로 지목되기엔 그렇지 못한 타이밍이었다. 잠깐 뒤로 빠져서 경청해야 할까, 버럭 소리를 질러서 입을 다물게 만들어야 할까? 난 그냥 통나무 위에 놓인 테이프를 슬쩍 챙겨가는 것으로 멈춘다.

"진짜 그런 터무니없는 소문을 믿어? 다 사소한 실수였어. 테이프를 부수면 다 끝날 거야."

"그럼 그때 부순 테이프가 어떻게 다시 돌아왔는지 설명해보세요."

힐즈는 그린의 말에 대답하지 못했다.

"거봐요."

"닥쳐, 서트클리프! 난 테이프 부수고…"

"그건 해결책이 못 돼요! 피해자가 생기는 걸 '잠시동안' 막을 뿐이에요. 어기 씨도 관계자니까 언젠가 테이프가 다시 만들어지고 누군가 재생하는 순간 돌아오게 될 거예요. 그걸 원하는 겁니까?"

힐즈는 뿔난 황소처럼 씩씩대기만 할 뿐이었다.

"이봐요." 그린은 허리춤에 손을 올렸다. "클린턴 패스의 노트를 찾았어요. 그 사람은 그날 이틀이 지나도록 볼 수 없었죠. 그동안 내가 모르는 것들을 본 게 틀림없어요. 이 노트에 쓰인 건 우리가 아는 것 이상이에요." 그린은 테이프가 놓인 통나무 뒤, 가죽 노트가 놓인 나무를 가리켰다.

"클린턴은 그냥 미쳐버린 거야. 스스로도 말했잖아, '정신이 나간 것 같다'고."

"경찰은 어떤 진술도 허투루 듣지 않죠."

"여기서 경찰은 무능해."

"하지만 시간을 끌죠."

와, 멋지다. 그게 둘의 기싸움을 보며 든 유일한 생각이었다.

하지만 둘을 이대로 두면 뭔가 큰일이 일어날 것만 같았다. 뭐가 어쩌고 저쨌는지 물어볼 분위기도 안 되지만 내가 끼어들기로 한다.

"저기요. 전 아는 건 없지만 힐즈 씨가 누굴 살리고 죽일지 멋대로 결정할 입장은 아닌 것 같은데요."

"그쪽은 또 왜 그래요?" 힐즈가 미간을 찌푸렸다.

"왜요? 고래 싸움에 복어가 끼는 게 그렇게 싫어요?"

"그걸 말이라고 해요?"

"참고로 고래들한테 복어는 마약이에요."

"예?"

힐즈의 황당한 반응을 지켜보며 나는 말을 이었다.

"우리가 살자고 그린을 한 번 더 죽일 수는 없어요. 알겠죠? 어떻게 해서든 우린 그린을 살려서 나갑니다."

그린의 입꼬리는 희미하게 올라갔지만, 힐즈의 얼굴은 더 안 좋아져 있었다.

"그쪽이 보고 싶다던 매이브라는 사람은요? 이젠 안 보고 싶나 보죠?"

정곡을 찔렀다. 그래, 아직도 매이브가 미친듯이 그립기는 했다. 매이브가 만들어주는 토마토 크림 수프와 아침마다 알려주던 오늘의 운세, 일주일마다 냉장고를 채우는 수많은 야채들… 그 모습과 향기, 소리들이 그토록 그리웠다. 난 한동안 말을 잇지 못했다. 내 손에 들려 있는 이 테이프를 지금 당장 땅에 팽개치면, 난 다른 조건도 없이 매이브를 만날 수 있었다.

'토마토 수프를 만들고 싶다고? 그럼 해! 지금 네가 생각한 끝내주는 레시피로 토마토 수프를 만들어야 한다는 강한 이끌림을 받았는데, 먼저 버섯 크림 수프를 해결한다고 시간을 쓰면 다시는 네가 생각한 끝내주는 레시피의 토마토 수프를 못 만들지 모르잖아. 그때만 솟아올랐던 자신감이 없다는 이유로 말이지.'

매이브의 말은 참 길었다.

'바로 조지고 싶은 일이 있으면, 가서 조져!'

이제 좀 편하군. 매이브의 말이 옳다. 나중에 가서는 영원히 할 수 없게 될지 모른다.

"뭔 대답을 바란 거죠? 너무 보고 싶어서 죽을 것 같다는 말이라도 듣고 싶었어요?"

힐즈는 자신의 이익을 위해 내 약점을 이용했다. 그것만으로 일단 좋지만은 않은 사람이란 건 알겠다. 난 내가 슬쩍한 테이프를 내보이며 말했다.

"그거 알아요? 요 근처에 호수가 있던데요. 까딱하면 테이프를 영원히 찾을 수도, 부술 수도 없게 내던져줄 테니 그렇게 알아요."

"대체 왜 그렇게까지 한다는 겁니까?" 힐즈가 강한 불만을 토로했다.

"그러게요. 미안해요, 이건 내가 생각해도 좀 오버네요." 난 테이프를 쳐든 손을 내렸다. "힐즈, 당신이 어떤 사연을 가졌는지는 굳이 안 물을게요. 하지만 그린의 분노와 처지에 당신의 책임이 있다면 그건 해소되어야 해요. 그게 사람의 도리니까."

우리들 사이에는 깊은 침묵이 돌았다. 수풀과 덩쿨이 엉킨 어느 곳에서 바람이 통과하는 소리와 나뭇가지 만나는 하늘 어딘가에서 새들이 우는 소리가 들려왔다. 우리가 밟은 이 흙은 누구도 모르는 비밀을 간직하고 있었다.

"…알았어요. 네가 뭘 도우면 되는데요? 마티 맥플라이가 브라운 박사를 살리러 과거로 빽하는 거?"

"그렇게 말해주니 기쁘네요!" 난 힐즈의 마음이 움직인 것이 참하고 기특했다.

"어기 씨, 그 말 진짜예요?" 그린도 눈이 동그래져서는 물었다.

"몰라! 젠장, 다들 뭐 이리 말이 많아?" 힐즈가 뜬금없이 가시를 돋쳤다.

"전 힐즈 씨가 좋아요." 난 다가가서 힐즈를 꼭 껴안았다.

"지금 이럴 기분 아닌데요."

"전 이럴 기분이라서요." 난 한 번 더 힘을 줘서 힐즈의 몸통을 압박한 뒤 금방 떨어졌다. 힐즈의 표정은 그야말로 까먹은 숙제를 하기로 한 1학년 같았다.

우린 심판자가 된 것인가, 심판하는 자의 아래에 있는 것인가?

힐즈와 나는 순식간에 그린을 죽일 수 있는, 깃펜 같은 특권이자 무기를 손에 쥐게 되었다. 그가 살지 죽을지 결정할 수 있었다. 하지만 선택하지 않았다. 우린 죽음과 삶 그 틈에 좀 더 껴있기로 했다. 그러나 그건 우리의 생명이 위협받지 않는 상태에서만 절대적이라는 걸 속으로는 알고 있었다. 인간 누구나 자신의 목숨이 복불복에 놓이는 순간 이기적이게 변할 수 있으니까.

힐즈의 말을 완전히 신뢰할 수는 없다. 내가 소중히 들고 있는 테이프를 힘으로 뺏어서 부수면 그만이니까. 게다가 지금은 내가 말했던 호수를 지나고 있는 상태도 아니었다. 내 심장은 이미 튼튼한 밧줄을 몸에 꽉 메고 삐끗하면 자살할 것을 고대하며 피를 내뿜고 있었다. 지하실에서 봤던 그 인파들이 좀비가 맞다면 신선한 피가 가득한 내 몸을 참 좋아할 것이다. 호수에 던진다고 한들 가라앉지 않으면 어쩌지? 그럼 힐즈가 미친 것처럼 뛰어들어 테이프를 다시 주워올 것이다. 그리곤 쾅! 그런 일이 벌어지지 않으려면 그 물에는 살이 부패하는 무서운 바이러스가 있어야 했다.

하지만 바이러스가 퍼지기도 전에, 힐즈는 테이프를 둘러싼 그의 남방과 그 안을 채운 흙 그리고 각종 알 수 없는 잡초와 풀을 제거해야 했다. 그 말인 즉슨, 테이프를 한번에 부수기엔 무리가 있다는 소리였다.

처음 보는 사람을 위해 이렇게까지 해야 하는가. 그 질문에 난 확답을 낼 수 없다. 사람의 마음은 넓고 약하며 변덕스럽고 복잡하기 때문이다. 어쩌면 내 눈이 그린에게서 뭔가를 봤을 수도 있고, 아니면 단순히 동정심이 공포를 이긴 걸수도 있다. 그게 맞다면 전혀 괜찮지 않았다. 동정심보다 내 공포가 더욱 커지는 순간, 내 결정이 어떻게 바뀔지 모르니까. 사람의 마음은 변덕스럽고 복잡하기 때문에.

쉿. 우린 소리를 듣는다.

"방금 뭐였죠?"

난 이런 어둑한 숲에 있을 만한 위험한 게 뭔지 알면서도 다른 답을 듣길 바라며 물었다. 그 수많은 인파에게서 벗어난 지 얼마나 됐다고 벌써 심각한 상황을 맞닥뜨리다니. 난 단지 인파가 여기까지 따라온 게 아니길 원했다. 하지만 우리들 중 그 누구도 내 질문에 대한 답을 해주지 않았다. 오직 똥 쌌는데 휴지가 없다는 걸 깨달은 듯한 심도 있는 침묵 뿐…. 아마 숲을 조금만 더 지나면 얼굴에 분칠을 한 원주민들이 한 사람을 놓고 턱을 뚫어버리거나 발가락을 잘근잘근 씹어먹는 광경을 목격하게 될지도 모른다. 아니면 안면을 포함한 온몸에 피를 흘리며 죽어가는 사람을 볼지도 모른다.

"제발 저 안에 있는 게 내 복부를 관통할 칼을 가진 살인마가 아니라고 해줄래요?"

"페이턴, 조용히 해요."

힐즈는 성을 내고 그린은 침묵을 고수했다. 이건 불공평했다. 죽을지도 모르는 상황에서 '아니오'라고 말해주는 것도 하면 안 된다니! 하지만 알고 있었다. 자신들의 생존을 장담하는 캐릭터는 바로 다음 순서가 된다는 것을.

"내가 가서 보고 올게요."

"그린! 그런 말하면 안 돼요! 죽을지도 모른다고요…."

"걱정 마세요. 금방 돌아올게요."

"그린!"

그린은 랜디의 공포 영화 생존 수칙을 단숨에 깨버렸다. 나로서는 굉장한 충격이었다. 꼭 그걸 어기면 죽게 된다는 법은

228

없지만 왠지 모르게 그린이 피해를 입을 거란 걱정과 긴장을 지울 수 없었다.

"왜 그렇게 호들갑이에요? 보러 가게 놔둬요."

"젠장! 다들 스크림 안 봤어요? 스스로 수명을 깎는 데에 힘쓰고 있네요!"

그렇다. 이건 1980년대 영화였고 그린은 죽어서 이곳에 갇힌 상태였다. 당연히 그린은 아무것도 모르겠지. 하지만 어거스트 힐즈라면? 원래 공포 영화를 좋아했으니 슬래셔 영화의 부흥을 다시 일으킨 스크림 정도는 봤을 것이다.

"안 본 게 죄예요?"

제기랄! 힐즈는 슬래셔 영화의 룰을 지키는 고전 작품들만 좋아하는 독한 사람이었다. 여자가 섹스를 했는데도 안 죽었다면 그건 마이너스 요소였겠지?

"호스텔은 보고 스크림은 안 봤다니! 이건 편애라고요!"

난 힐즈를 향해 박박 소리를 질렀지만, 힐즈는 어쩌라고 싶은 듯한 눈으로 날 흘겨보았다. 난 우거진 수풀을 헤치고 들어가 몸을 기울이는 그린을 불안하게 지켜보았다. 언제 어디서 무언가가 튀어나와 우리 모두를 손쉽게 죽여버릴까 봐 조마조마했다. 우리가 나무 위로 올라가야 하거나 입 사이에 도끼가 꽂혀 턱이 분리되는 상황은 일어나지 않았으면 했다.

다행히도 그린은 멀쩡히 살아서 우릴 돌아보았다. "아무것도 안 보여요."

"안 보이는 게 아니라 못 본 거겠지." 힐즈가 찍찍 말대꾸했다.

"그렇게 안 봤는데 보면 볼수록 당신 참 못됐네요." 난 진심 반 장난 반으로 힐즈를 꾸짖었다.

그런데 그때, 살인마가 등장했다!

그린은 다시 앞을 돌아보더니 급하게 외쳤다. "아냐, 보여요! 존 스미스가 보여요!"

"그게 대체 누군데요!" 난 순식간에 겁에 질려 소리쳤다.

"아차… 배우 이름을 말해버렸네요. 살인마 역을 맡으신 분 이에요."

"그 말은…?"

"살인마가 보인다는 소리죠! 대걸레 쓰고 도끼 휘두르는 그 살인마요!"

"도끼를 쓴다는 말은 안 했잖아요!"

내가 처음부터 추측하기로는 망치를 주로 쓰는 살인마였다. 그런데 이제 와선 뭐? 도끼를 쓴다고? 그럼 에밋이 죽고 일행 이 끌려갔던 그 자리에 남아있던 망치는 대체 뭐였던 거지? 메 인 살인마가 있었다면 지하실에서 봤던 그 흉폭한 남자들과 부 글거리는 인파는 뭐였던 거지?

"좋아요, 난 여기서 죽기엔 한참 젊어. 페이턴, 그 테이프 이 리 내요."

힐즈가 안절부절 못하며 무서운 속도로 내게 붙었다. 하마터 면 그의 불안감에 동요해서 테이프를 줄 뻔했다.

"안 돼요! 이럴 시간에 빠져나갈 길이나 찾아요!" 난 어쩔 수 없이 힐즈를 밀어냈다. 정말 죽음의 문턱에 서 있는 게 아 니면 테이프를 보류해둘 생각이었다.

"젠장, 내가 그걸 어떻게 알아요? 여긴 대본에도 없었는데!" 힐즈는 패닉에 이르러 머리카락을 쥐어뜯기 직전까지 왔다.

"어기! 당신은 감독이잖아요! 원래 제키가 살인마를 피하기로 되어있었죠?"

잠깐… 어거스트 힐즈가 이 영화의 감독이라고?

"그래, 그게 다 무슨 소용이야? 우린 제키가 아니잖아!"

힐즈의 대답은 어쨌든 '예스'였다. 그래… 힐즈가 영화의 감독이었단 말이지. 근데 그걸 지금까지 나한테 숨겼다는 거 아냐. 모든 걸 알고 있으면서도! 난 이럴 시간이 없다는 걸 알면서도 지극히 정상적인 배신감을 맛보고 있었다. *'할 수 있는 게 천 개로 늘기라도 한대요?'* 당연하지! 난 힐즈를 몰아세웠다.

"당신이 감독이었어요? 그럼 영화가 어떻게 진행되는지 정도는 알고 있었던 거네요? 그런 중요한 정보를 왜 나한테는…"

"그쪽 불만 들어줄 시간 없다고요!" 힐즈가 버럭 화를 냈다.

"그래서, 제키가 어떻게 살인마를 피했죠?" 그린이 숲 안쪽을 주시하며 물었다.

"어… 몰라, 잠깐만… 음…." 힐즈는 머리를 쥐어뜯던 손을 멈추고 입소리를 냈다. "그게… 그래, 제키는 살인마를 처음 봤을 때 숲속으로 도망갔고, 우연찮게 죽은 사냥꾼을 발견해서 … 총을 쏜 뒤 빠져나오는 데 성공한다…!" 힐즈는 눈을 반짝이며 기쁜 듯이 소리쳤다. "그거야! 근처에 죽은 사냥꾼이 있어. 아마 총알은 두 개였던가…."

"다 좋은데 근처에 죽어있을 불쌍한 사냥꾼을 도대체 어떻게 찾으려고요? 퍽이나 성공하겠네요. 사막에서 바늘 찾기잖아요."

"가능해요. 영화가 시작된 뒤로 살인마를 '처음' 봤으니까."

힐즈는 그러더니 흠뻑 젖은 땀자국을 보이며 안쪽으로 빠르게 뛰어 들어갔다. 불안해진 나는 그의 이름을 부르며 붙잡으려 했지만 이번 뿐일지도 모르는 기회를 대차게 날려버릴 수는 없어서 입을 막았다. 그린은 안쪽에서 천천히 빠져나와 나무 뒤에 몸을 숨겼다. 힐즈가 일으키는 수풀 소리가 끊이지 않았다. 그린은 내게 손짓했다. 숨으라는 뜻인 것 같다.

"가까워지고 있어요…."

그린은 말끝을 흐리며 내게 경고했다. 난 힐즈가 어서 총을 찾아서 달려오길 바라며 그린이 시야에서 사라질 정도로 멀리 떨어진 나무에 숨었다. 하지만 이내 그 과정에서 난 소리에 들키지 않을까 하는 걱정이 앞서기 시작했다. 작은 소리가 생존을 좌우할 텐데 불안하다고 해서 팔을 긁어댈 수도 없었다. 손가락을 꿈틀거릴까? 그러다가 관절 꺾이는 소리가 크게 나면? 내 불안감을 진정시키기 위해 할 수 있는 행동은 지금으로썬 아무것도 없었다. 모든 게 막막한 상황에 직면한 이 답답함은 낯익지만 형용할 수 없었다. 마치 기억하고 싶지 않은 그 기억과 같은… 주변에 널린 옥수수를 손으로 헤집어가며 빠져나갈 길을 찾던… 달이 뜬 밤에 날 뜯어먹으러 올 늑대인간을 걱정하며 몸을 만 채 잠에 들었던….

현재와 그때가 닮아있긴 했지만 그 두 시퀀스는 또 다른 기억과도 닮아있었다.

'누가 우리 집 앞에 죽은 닭을 수십 마리나…'

'그걸 변명이라고 하는 말이니? 안 되겠다. 이건 부모님에게

연락할 거야, 알겠어?'

'그렇지만 집에 아무도 안 계시는데….'

그때의 나는 겨우 12살이었다. 등교를 위해 현관문을 열었는데 죽은 닭 시체가 수십 마리 나왔던 날엔 매이브가 폭행을 당해 병원에 있었다. 정신적으로 강한 충격을 받았던 나는 몇 시간 동안 마음을 진정시키고 창문으로 나와야 했다. 정말 우스꽝스러운 꼴이었다. 아침부터 바쁘게 돌아다니는 주변 이웃들에겐 웬 가방 멘 애가 힘겹게 창문을 비집고 나오는 게 얼마나 우스웠겠는가? 불행한 나날은 그뿐만이 아니었다. 악몽과도 같았던 그날 이후로 꿈틀거리는 지렁이 한 상자를 놓고 간다든가, 창문을 깨고 그 안에 음식물 쓰레기를 붓는다든가 하는 안 좋은 일들이 계속 일어났다. 그리고 그 이유는 일주일도 채 안 돼서 알 수 있었다….

"클리프, 물러나."

오른쪽에서 들린 목소리에 고개를 돌려보니 힐즈가 장총을 들고 서 있었다. 그가 조준한 방향은 그린이 숨어있는 나무와 아주 가까웠다. 그린은 나무로부터 멀리 떨어지더니 급하게 귀를 막았다.

나는 그를 따라 재빨리 귀를 틀어막는다. 곧 머리를 울리는 먹먹한 총성이 울려퍼진다. 한 발, 두 발. 총알은 두 개였다.

그린은 귀에서 손을 내렸다. "어때요?"

"왼쪽으로… 도망간 것 같은데."

나도 그를 따라 천천히 손을 내린다. 뭔가가 거세게 휘몰아치고 간 듯이 미지근한 바람이 뜨거운 귓바퀴를 차고들었다.

힐즈와 그린이 숲의 안쪽을 바라보는 동안, 난 자연스럽게 뒤쪽을 먼저 확인했다. 남자 둘이 내게 붙어있어도 안전하지 않을 거라는 확신이 강하게 든 탓이었다. 이런 곳에선 누구도 날 지켜주지 않는다. 나를 지키는 건 나 자신이었다.

그들도 그랬어야 했다.

"그린!"

그린의 뒤로 물때 묻은 대걸레의 형체가 나타나더니 힐즈가 외쳤다. 하지만 그린은 그의 외침을 듣기도 전에 살인마의 팔뚝에 목이 걸리고 말았다.

"그린!" 힐즈가 말하곤 방아쇠를 당겼다. 그러나 총알은 무언가가 걸리는 소리도, 발사되는 소리도 나지 않았다. "젠장!"

그린은 제 목을 감싼 팔에 조금도 위협되지 않는 손톱을 대고 긁어대며 발악했다. 살인마가 그의 뒤로 도끼를 치켜들었다.

"안 돼!"

그걸 보자마자 내 몸은 앞뒤 생각 안 하고 무작정 뛰어들었다. 뭘 하려고 했는지는 모르겠다. 그냥 그린이 다치지 않기를 바랐다. 도끼를 올려든 그의 팔을 쳐내자 운이 좋게도 도끼가 떨어졌다. 그 기세를 몰아 그린의 목을 두른 그의 팔을 잡아챘지만 떨어질 기미가 안 보였다. 내가 뭔가를 시도하기도 전에 그는 그린을 붙잡고 땅에 내팽개친 뒤 그의 등을 한 번 발로 차버렸다. 그린은 고통에 찬 비명을 짧게 지르고는 일어나려 애썼다. 대걸레 살인마는 떨어트린 도끼를 향해 허리를 구부리고 있었다. 대걸레를 썼으면 대걸레를 쥘 것이지 맥락도 없이 웬 도끼야? 뒤로 물러난 나는 다시 중심을 다잡고 그에게로 달려들어 몸통을 부딪쳤다. 목이 잡힌다. 담배 냄새 맡았을 때랑 똑같은 컥컥 소리가 끊이지 않는다.

"하나도 되는 게 없잖아요!"

힐즈가 소리치더니 총의 머리를 들고 달려왔다. 살인마의 머리를 칠 생각이었나 보지만 그가 날 힐즈에게로 내던지면서 덩달아 쓰러지고 말았다. 밑에 널린 뾰족한 나뭇가지들에 팔도 등도 찔리고 쓸렸다. 특히 손바닥, 칼에 호되게 당했던 그 손바닥은 흙이 닿을 때마다 따끔거렸다.

"방법을 안다던 게 누군데…."

갑자기 우리에게 소리친 힐즈에게 짜증 내며 말했다. 하지만 이젠 셋 다 말할 힘 따위 없었다. 그저 물에서 튀어나온 비쩍 마른 물고기처럼 재미없게 누워있었다. 살인마는 도끼를 잡았다. 그 커다란 도끼는 다시 주인을 찾아 소름 돋게 반짝거렸다.

끝이다. 우린 저걸 마주친 순간 도망갔어야 했다.

'그렇게 생각하면 파이널 걸이 아니지.'

지금은 난 더그를 본받을 필요가 있었다. 무릎을 꿇고 죽이지 말아달라고 비는 게 맞았다. 하지만 그건 내 방식이 아니다.

"페이턴… 미안해요. 난 아무것도 할 수 없어요, 당신을 도와줄 수도 없고 심지어 난 살아있지도…"

"제발 조용히 좀 할래요? 내 마음은 그렇게 안 넓거든요?"

난 벌떡 일어나 주머니에 뒀던 칼을 꺼내 재빨리 그의 어깨에 박는다. 세상에, 키가 나보다는 한참 크다. 내가 165cm인데 이 녀석은 10cm 정도 더 큰 것 같다. 난 아무 소리 없이 물러나는 그에게서 칼을 거두고 또 달려들었다. 너덜너덜한 대걸레 사이로 칼이 들이박혔다. 그는 또 도끼를 떨어트리곤 얼굴을 감싸며 휘청거렸다. 밑으로 핏방울이 뚝뚝 떨어진다. 위치로 봐서는 눈에 박힌 듯하다. 아직 아니야, 그런 마음을 먹어야만 살아남을 수 있다. 당연히 '해냈다', '해치웠다' 등의 클리셰는 금물이었다. 생각보다 그의 점프수트는 두껍고 질겨서 처음 어깨에 제대로 박히진 않았다. 무슨 일이 있어도 침묵하는 신비주의 콘셉트인 줄 알았지만 가까이 있으니 얕은 숨소리가 색색거리고 있었다. 공포 영화 철칙, 꼭 머리를 노릴 것. 죽은 줄 알았을 때 살아돌아오는 것이 바로 슬래셔 영화. 하지만 지금은 누가 봐도 우리가 불리한 상황이었다. 살인마가 아무리 눈을 다쳤더라도 칼을 뽑으러 다가갔을 때 어떻게 될지 모르는 일이다. 우린 어쩔 수 없이 잠시 도망치기로 선택한다.

"일어나요!"

난 이상한 자세로 누워서 꿈틀거리는 힐즈를 마구 흔들어 깨웠다. 그린은 울음 섞인 숨을 토하며 버겁게 일어났다. 그동안 나는 살인마의 움직임을 주시했다. 그는 발을 떼기도 무섭게 다시 도끼를 주워들고 있었다. 이번에야말로 난 생명의 위협을 느꼈다. 둘을 재촉하는 내 목소리가 조금 떨리기 시작했다.

"왜 다들 나보다 약해빠진 거예요? 일어나요!"

편견은 아니지만 여자와 남자는 분명한 신체적 차이가 있다. 그런데 이 망할 놈들은 여자인 나보다도 더 허둥지둥대고 있다. 믿겨지는가? 동화 같은 상황이 전혀 벌어지지 않고 있다. 어릴 때 봐온 왕자의 모험 따위는 전부 거짓이었다! 지금 내가 이 숲속이 아닌 레스토랑에 있었더라면 아프니까 집에 데려다

달라는 그린과 힐즈에게 '혼자 가, 염병할!'하고 외쳐서 주변인들의 시선을 모았을 것이다. 물론 이 이야기는 과장이 좀 있다. 난 아프다는 사람의 부탁을 좀처럼 거절하지 못하기 때문이다.

난 그들을 재촉하다 말고 거친 바스락 소리가 들린 쪽으로 고개를 돌렸다. 그러나 살인마는 없었다. 앞, 뒤, 좌우 어디에도 없었다. 만약 그가 위에 있다면 그곳은 하늘나라여야 하고, 밑에 있다면 관 속이어야 한다. 난 그가 사라졌다는 확신에 차 스스로 일어서는 그린을 믿고 힐즈를 먼저 일으켰다.

"총 쏘면 피할 수 있다면서요?" 내가 물었다.

"제키는 사냥하는 법을 배운 농장주 딸이고 전 아니어서 그런가 보죠."

힐즈는 그녀와 자신의 설정 차이를 알려주며 내 부축을 받고 일어섰다. 온몸에 나뭇잎과 흙이 묻어 너덜너덜했다.

"무슨 뜻이에요? 본인이 아니면 안 된다?"

"아뇨. 명중을 못했다는 뜻이에요." 힐즈가 몸을 털었다. "두 발 전부." 그러곤 총을 던지듯 떨구었다. 뭔가 잘못돼서 총이 발사될까 봐 긴장했지만 그런 일은 없었다.

"이게 재미없는 일이란 건 이제 알겠죠?" 그린이 말했다.

"알겠다고 몇 번이나 말해! 제발 네 몸이나 잘 지켜. 다음부터 안 도와주려니까."

뻥이다. 사나이와는 동떨어진 그린이 제 구실을 못하고 있으면 쏜살같이 달려가서 도와줄 사람이 바로 나다.

"미안해요."

사과를 바란 건 아니었지만 그린은 말했다. 난 그의 사과에 딱히 뭐라 답할 말이 생각나지 않아서 또 생색을 내버렸다.

"됐어."

난 들고 있던 테이프가 무사한지 확인하려….

테이프가 없다.

"젠장." 거기 없는 걸 알면서도 난 온몸을 훑었다. "테이프가 없어. 어디 떨어트린 것 같은데…."

"그걸 내가 주웠고요."

힐즈가 보란듯이 테이프를 들고 서 있었다. 깨지지 말라고 둘러놨던 그의 남방이 풀어헤쳐진 채로.

"힐즈. 이리 내요."

"내가 왜 그래야 하는데요?"

"당신이 시작한 일은 끝내야 하니까요." 내가 덧붙였다. "뭐… 뭔지는 몰라도요."

"페이턴, 그쪽은 내가 뭘 했는지 왜 그래야만 했는지도 모르면서 단순히 그린의 편만 들잖아요. 죽은 그린을 살리자? 아무래도 좋다 이거예요. 그런데 우리는 확실하게 살아있고 바깥에서 기다리는 가족들도 있어요. 그런데도 살지 죽을지 확신이 안 서는 그린 하나 살리느라 우리 목숨을 버린다는 겁니까? 말이 되는 소리를 해요! 방금도 죽을 뻔한 위기에서 겨우 벗어났다고요!"

짜증나지만 힐즈의 말은 토씨 하나 틀린 것 없었다. 난 입을 꾹 다물었다.

"난 아무것도 몰랐어요. 함부로 외딴 곳에 들어온 게 죄는 아니잖아요."

솔직히 힐즈가 뭐라는 건지 잘 모르겠다. 이거랑 그거랑 뭔 상관일까?

"그게 뭔 상관인데요?" 참다못해 내가 물었다. 난 좀 얌전히 들을 순 없는 건가.

"성당. 처음은 성당이었어요." 그린이 말했다. "마지막 장면을 찍으려면 좀 더 웅장하고 멋진 장소가 필요했어요. 하지만 배우들이 하나둘씩 이상해지기 시작했죠. 브리짓을 맡은 앤은 뭔가 자꾸 따라다니는 것 같다며 남들 옆에 붙어있으려 했고, 콜린을 맡은 매니는 누군가 자꾸 속삭인다며 조용히 있기를 싫어했어요."

"영화의 마지막 장면을 한 성당에서 찍었다?"

"네, 그 주변엔 무덤이 많았죠. 아무튼 상황이 너무 이상했고, 모두가 겁에 질린 와중에도 촬영은 강행됐어요. 그러다가… 그렇게 된 거예요."

"제발 똑바로 말해줄래요?" 내가 '정중히' 묻는다.

"스태프들이 좀비처럼 변했다 해야 하나… 몸은 부패하지 않았지만요." 그린은 까딱하면 죽을 위기인데도 힐즈의 눈치를 살폈다. "전 배우들을 대피시켰고, 어기 씨와 단둘이 남게 됐어요. 선반과 창문 테두리를 딛고 나갈 수 있었는데… 혼자선 안 됐죠."

"세상에… 설마…."

난 내가 생각하는 최악의 전개가 아니기만을 빌었다.

"내가 죽였다고 똑바로 말해, 그린."

어거스트 힐즈였다. 그린을 죽인 범인은 그였다. 애석하게도 난 그와 지낸 시간 동안 눈치채지 못했다. 그의 친절함에 쉽게 물들어서 그럴 것이라고 의심치 못했다. 수상하다고는 뒤늦게 생각했지만 설마 이런 식의 수상함이었을 줄은 미처 몰랐다. 그렇다면 진실은 어디에 있는 걸까?

일이 왜 이렇게 꼬였을까?

여기 먹음직스러운 핫도그가 있다. 난 그동안 너무 굶주렸던 나머지 뜨끈한 핫도그에 손을 댄다. 알고 보니 내 굶주림을 채워준 그 핫도그가 유명한 식중독 사례의 주인공이었다면 두렵다한들 계속 먹어야 할까?

날 잠시나마 돕고 믿었던 사람이 살인자였다면 두렵다한들 믿어야 할까?

우린 살면서 너무 당연하게 선택을 한다. 하나의 선택은 두 개의 선택지를 만든다. 자신의 이득을 위해 거짓말하길 선택하면 다음엔 어떤 거짓말을 할지 고르게 되고, 거짓말이 안 통해서 죽이길 선택하면 다음엔 시체를 어떻게 처리할지 고르게 된다. 시체를 정성스럽게 갈아서 바다에 버리길 선택하면 다음엔 주변인들에게 뭐라 얼버무릴지 고르게 되고, 변명을 퍼트리고 난 뒤에는 '이제 뭐 하지?'로 돌아오게 된다. 하지만 가끔 그 선택은 남들에게 예상치 못한 결과를 불러일으키기도 한다. 주변인들애게 거짓을 늘여놓은 순간 그들은 돌아오지 않을 누군가를 기다리다 밝혀진 사실에 충격받고 잇따라 자살할지도 모른다.

내가 힐즈를 설득하지 않고 지지한다면 그린은 죽는다.

지지하지 않는다 해도 설득에 실패한다면 그린은 죽는다.

240

와, 신이시여! 어째서 내게 이런 시련을 주셨습니까? 불공평합니다! 이건 절도범이 살인범보다 많은 형을 받는 것만큼이나 불공평해요!

"감독님이 그럴 거라고는 기대도 안 했어요."

그린의 눈엔 아무것도 서려있지 않았다. 나였으면 힐즈를 패고도 남았을 텐데 대단하다. 그린이 왜 그러지 않는지 전혀 이해할 수 없었다.

'우리가 왜 이러고 있는 거지?'

그 질문은 스스로 느끼기에도 잔인했다. 우연히 이상 현상이 겹쳐서 힐즈와 그린은 어쩔 수 없는 상황에 있었고, 힐즈는 유난히 대처 능력이 떨어졌던 것뿐이다. 모두가 잘못된 시간, 잘못된 장소에 있었다.

"클린턴은 널 구한 게 아니라 버린 거야." 힐즈가 말했다. "모든 걸 끝낼 방법을 알았는데도 끝내지 않고 테이프를 깨버렸지. 널 죽지도 살지도 못하는 상태로 남겨둔 거라고."

"모든 걸 끝냈다면 그거야말로 절 버린 거겠죠. 제 선택은 중요하지 않았을 테니까. 감독님은 아무것도 몰라요. 클린턴이 제 선택을 얼마나 중요하게 여겼는지."

그린은 챙겨뒀던 가죽 노트를 내보였다.

"클린턴은 제가 살길 바랐어요. 그래서 차마 모든 일을 끝낼 수 없었던 거예요. 저는 영원히 돌아오지 못할 테니까. 여기로 다시 돌아온 이유도 그거예요." 그린은 고개를 내렸다. "클린턴은 제가 죽는다 해도 제 선택을 존중하려 했던 거예요. 한 번의 기회를 더 준 거나 다름없다고요."

"잠깐… 그러니까 클린턴이란 사람은 이 일을 끝낼 방법을 알고 있었다고요? 알고 있었는데도 그렇게 하지 않아서 테이프가 돌아왔다는 거예요?"

"이 노트에 쓰여있어요. 하지만 이 방법을 따르면 전 돌아오지 못할 거예요. 그래도… 저 살자고 현실의 사람들에게 폐를 끼칠 순 없으니까…"

그린은 클린턴이라는 사람이 쓴 노트를 맹신하고 있었다. 그 노트에 적힌 것들이 무엇이든 간에 전부 사실이라면 필름의 윤회를 끊어낼 수 있는 결정타가 된다. 하지만 대신에 그린 본인은 살아남을 수 없다는 것 같다. 그리고 그린은 그걸 억지로 원하고 있었다.

"어디 그 노트 좀 줘봐요." 난 그린이 든 노트를 뺏어들었다.

그린, 난 네가 살기를 바라. 널 구할 방법이 생길 수도 있어. 근데 돌아올 거라곤 장담은 못해. 테이프가 부서지면 더는 만날 수 없을지 모르니까. 그래도 난 널 만날 방법까지 찾아낼 거야. 그곳에서 썩지 않게 도와줄 거야.

하지만 그게 언제일진 모르겠어. 그러니 이걸 남겨둘게. 만약 네 세계가 다시 열리면 넌 선택할 수 있어.

이게 최선이라 미안해. 내가 널 또 괴롭게 하는 거라면 날 저주해줘.

미안해.

맨 끝장을 펼치자 나온 긴 문장이었다. 종이에는 둥근 물자국이 하나 둘 찍혀있었다. 클린턴 패스가 어디서 뭘 봤든 확실한 대안으로 이걸 남긴 걸 보면 믿을 만한 정보일 것이다.

"힐즈, 적어도 앞으로 생길 피해는 막아야죠. 당신이 언제 또 이곳에 돌아올지 어떻게 알아요? 그 일이 일어나지 않게 하기 위해서라도…"

"왜 말귀를 못 알아먹는 거야? 미래의 일 따위는 상관없어! 중요한 게 아니라고! 난 나가야 해. 이 거지 같은 곳에 더는 있을 수 없어!"

힐즈는 소리를 지르며 테이프를 떨어트렸다. 그리곤 발을 들어올린다.

부딪친다. 네모난 플라스틱 상자에 깔창이 부딪친다….

"기다려!"

내가 다급하게 외쳤다. 숲이 떠나갈 정도의 비명 같은 외침이었다.

"여길 버티지 못하는 게 아니라… 물론 그럴 수도 있지만, 힐즈 씨, 사람을 죽였다는 사실을 회피하고 싶은 거 아니에요? 눈앞에서 치워버리고 싶은 거잖아요?"

난 힐즈의 눈동자를 들여다보았다. 그의 눈빛은 짙었고, 흔들리고 있었다.

"남의 목숨을 함부로 다뤘다는 느낌은 잘 알아요." 난 힐즈를 타이르려 애썼다. "난 도살장에서 일했는데 가끔 그런 기분을 받았죠. 죽은 것들 중에 뭐가 좋은지 나쁜지 평가하게 되잖아요. 그곳에 놓이기 전에는 동족 사이에서 다를 것 없는 동등한 생물이었는데 인간이 침범하는 순간 가치를 매기게 돼요.

243

난 어느 순간부터 그게 싫었어요."

"뭔 소릴 하는 거야?" 힐즈가 쏘아댔다.

"이해해요! 다 이해할 수 있어요. 하지만 그건 힐즈 씨 잘못이 아니었잖아요. 모든 건 거꾸로 뒤집혀 돌아가고 있었어요, 그러니까 마치… 제시간에 울지 않는 뻐꾸기 같은…."

난 뭐라도 해보겠다고 이상한 말을 떠들어댔지만, 힐즈는 꼿꼿이 서서 시선을 내리깔고 날 노려보았다. 점점 말이 횡설수설하게 됐다. 힐즈를 설득할 수 없었다. 말을 하면 할수록 내 안의 딜레마만 부각될 뿐이었다. 그 끝에, 난 입을 다물었다. 허무한 침묵이 가운데에 앉았다.

처음으로 무력한 감정이 바깥으로 치달았다. 무력한 에너지가 만든 분노는 그 무엇도 행동하게 만들 수 없었다. 그저 속을 썩이면서 숙주가 포기할 때까지 기다리는 것뿐이었다.

난 아무 말도 할 수 없었다.

"감독님의 영화니까 어쩔 수 없죠."

그린이 나지막이 말했다. 그의 얼굴에는 쓸쓸한 미소가 지어져 있었다. 그는 왜 웃는 것일까. 사냥꾼에게 포위된 걸 알고 알아서 꼬리를 내리는 사슴과 같은가.

"넌… 시나리오를 따라야 해. 연기하는 건 배우의 특기잖아, 그렇지?"

그린은 답이 없다.

"그렇지?"

난 여전히 아무 말도 할 수 없었다.

"크레딧이 좀 일찍 올라오게 됐어."

Directed by	August Hills
Written by	William Leopold

Cast

Kyle Alabaster	Jin Robin
Emit Fears	Eleanor Hanna
Colin Worker	Manny Tobias
Bridget Martinez	Anne Leigh
Jake Richardson	Riley Anderson
Jackie Miller	Sharon Blanche
Pillip Clement	Green Sutcliff

Produced by	August Hills
Assistant Producer	Everett Glen
	Jil Marie

Director of photography	Everett Glen
Production Editor	Paul bean
Editor	Lucas Roth

＊

그건… 학교에서 잠든 잠꾸러기를 깨우는
그런 종류의 장난이 아니었다.
난 어째선지 알고 있었다.

9

살아있는 시체들의 밤

Original by George A. Romero's ⟨Night of the Living Dead⟩

'일어나.'

깨기 싫은 꿈속에서 누군가 말을 건다.

'나갈 시간이야.'

그건… 학교에서 잠든 잠꾸러기를 깨우는 그런 종류의 장난이 아니었다. 난 어째선지 알고 있었다. 어떤 기억들은 희미했고 어떤 장면들은 빛바랬지만 확실한 건 전혀 만족스럽지 않게 구워진 레어 스테이크 같은 긴 꿈을 꿨다는 것이다. 하지만 깨기 싫은 꿈이었다.

익숙한 노란빛이 창문을 통해 들어와 몸을 덮는 게 느껴진다. 여전히 몸은 차가웠다.

난 무거운 눈꺼풀을 살짝 들어보고 몸을 스르륵 일으킨다. 오래도 잠들었다. TV 옆에 걸린 달력을 보는데 물에 젖은 휴지 뭉텅이처럼 흐릿하다. 대신 그 옆에 있는 둥근 시계를 본다. 시침이 뻔뻔하게 숫자 5를 가리키고 있었다. 한여름의 오후 5시라면 이렇게 어두울 리 없었다. 그렇다면 새벽인가?

'이 상처는 뭐지?'

손바닥엔 아직 멎지 않은 채 크게 찢어지고 벌어진 상처가 내려다보였다. 그 상처는… 그걸 쳐다보고 있으면… 눈시울이 달아올랐다. 깊은 곳에서 고통이 목청을 울리고 있는 것 같았고, 잊어선 안 될 것을 잊어버린 것 같았다. 정신이 오락가락한 걸 보니 날이 더워서 열병에 걸린 게 분명하다.

난 무거운 몸을 이끌고 현관문을 열었다. 동이 트기 직전이었다. 코앞 2층짜리 집에 걸린 오렌지가… 오줌빛을 내고 있었다. 흠. 오줌빛이라. 다른 단어가 쉽게 생각나질 않는다. 무슨 느낌이냐면… 알고 있던 모든 지식이 갑자기 소매치기 당한 듯한… 하지만 얼마 지나지 않아 이 몽롱한 감각은 사라질 것이다. 그저 잠이 덜 깨서 그런 것이다. 고치지 못할 이상한 병에 걸린 것 같다고 걱정하는 것보단 그렇게 생각하는 편이 더 편했다. 난 주변에 풀이 심어진 마당으로 한 발짝 나갔다. 매이브가 쓰는 보라색 쉐도우 색상이 조금 섞인 푸른 하늘은 정말 예뻤다. 차 끌고 나가서 드라이브라도 한탕 하고 싶은 기분이 들 정도였다. 매이브는 어디 있는 거지?

"왔구나, 리키."

멍하니 하늘을 보던 내게 낯익은 목소리가 꽂혔다. 그녀는 평소처럼 언제나 보던 분홍색 잠옷을 입은 채 웃고 있었다. 하얀색 점들이 곳곳에 박힌 그 잠옷은 그녀가 입기 시작한 지 얼마 안 돼서 익숙해지질 않았다.

"매이브?" 그 목소리의 이름을 난 알고 있었다. "왔다니? 계속 여기서 잤는데."

"워, 내가 뭐라 하기라도 할 줄 알았어? 다 들킬 거짓말은 안 해도 돼." 매이브는 문턱에 서서 등을 기댔다. "요즘 사는 게 사는 것 같지 않지?"

사실 그랬다. 그건 맞는데 난 어디 나갔다 온 적이 없었다.

"이틀 동안 어디 있었나 했어."

"매이브, 들어봐. 엄청 이상한 꿈을 꿨어." 내가 말했다. "근데 기억이 안 나."

매이브는 고민하는 척 하더니 말했다. "걱정도 많다." 그녀는 문턱을 넘어 내게로 다가왔다. "해가 뜬 걸 기념해서 드라이브나 할래?"

매이브의 말에 안색이 환해졌다. "좋아."

타이어가 덜컹거리며 아스팔트 도로에 희미하고 긴 자국을 남겼다. 처음 차에 올랐을 땐 뜨거운 햇볕에 좌석이 숯불처럼 달궈진 상태라 엉덩이를 들썩여야 했지만, 이젠 창틀로 들어오는 바람에 환기도 할겸 시원했다. 이 완벽한 아침에 단 하나의 실수는 단지 땀으로 찝찝한 몸을 물에 담구지 않았다는 것이다. 플레이어에선 비틀즈의 <Let it Be>가 흘러나오고 있는데, 사실은 오아시스가 나왔으면 했다. 아니면 토킹 헤즈라도 상관없었다. 어쨌든 라디오헤드가 쓸데없이 등장하는 건 질색이었다. 난 조수석에서 USB를 빼버리려다 딱히 꽂을 게 없다는 걸 알고 앞쪽 글로브 박스에서 뭐라도 뒤적거렸다.

"이 빨간색 스티커 붙은 건 뭐야?"

"마이클 잭슨 히트곡 모음."

"으."

난 빨간 띠가 붙은 USB를 도로 넣었다. 좀 더 안쪽에 손을 넣자 파란색 스티커가 붙은 USB가 나왔다. 이건 굳이 물어보지 않아도 알만 했다. 매이브가 좋아해서 의도치 않게 자주 듣다가 중독되어버린 그 밴드가 분명했다. 싱어가 자기 이름을 소개하는 노래가 나올 때마다 눈에 띄었던 USB다.

"위저* 틀어도 돼?"

"지금? 그러기엔 분위기가 이상한데?"

매이브가 좋아하는 밴드면서 거절 의사를 표한 건 이번이 처음이었다. 난 지금 비틀즈를 들을 기분이 전혀 아닌데, 아무리 히트곡이라지만 이건 내 기분을 더 우울하게 만들 뿐이다. 이 기분을 털어내고 싶다. 그래도 매이브가 좋아하니까 딴 거 틀겠다고 고집부리기엔 미안했다.

"알았어…." 난 USB를 도로 넣는다….

"농담이야! 듣고 싶은 거 있으면 들어." 매이브가 갑자기 호탕하게 웃었다. "넌 요즘 싫다는 걸 싫다고 말 못하더라. 왜 그런 거야? 예전엔 물불 안 가리고 화부터 곧잘 냈잖아."

매이브는 화내는 내 모습을 흉내냈다. 눈썹이 갈매기처럼 솟은 게 웃겼지만 그래도 내 화내는 얼굴이 저 정도는 아니었다. 난 대답을 미루고 갈 곳 잃은 손을 다시 플레이어에 갖다댔다. 다른 걸 새로 꽂는다.

Weezer - The World Has Turned And Left Me Here

"훨씬 듣기 좋네." 매이브가 말했다. "우리 리키가 고른 거

---

* Weezer. 1992년 로스앤젤레스에서 결성된 얼터너티브 록 밴드.

라 그런가?"

"네가 좋아하는 밴드라서 그런 거겠지."

매이브는 크게 소리내 웃었지만 난 입을 다물고 꼬리만 올렸다. 차가 어디로 가는지는 알 필요 없었다. 내가 원하는 건 그저 시원한 바람을 맞으며 빠르게 달리는 것뿐이었다. 그리고 점점 집으로부터 멀어지고 싶었다. 이상한 꿈이 있었던 그 집으로부터, TV가 있었던 그 집으로부터, 이웃들이 있었던 그 집으로부터….

매이브는 내가 어디 나갔다 온 줄 알고 있지만 내겐 그런 기억이 없었다. 하지만 그건 중요하지 않았다. 나도 내가 뭘 하다 잠들었는지 정확히 기억나지 않으니까. 아마 또 술 퍼먹고 제대로 꼴아서 다른 집에 묵었다가 온 거 아닐까. 애써 반박하는 것보다 남들이 말하는 대로 생각하게 놔두는 게 훨씬 편했다. 쓸데없는 논쟁을 피하는 가장 쉬운 길이었다. 그러나 마음 한구석에서 그런 게 아니라고 자꾸만 말하는 듯했다. 아이스크림과 콜라를 같이 먹으면 차가운 온도가 탄산을 잡아준다고 생각하는 사람에게 '아니라고, 머저리야'라고 말하는 듯했다(실제로 내 동창 중에는 그런 애가 있었다). 뭐 내가 어디 갔었든 아니든 그게 현재에 큰 영향을 미치는 것도 아니니까 괜찮았다. 문제는 내 마음이 불편하단 것이다. 이건 도축 일을 다시 할지 말지 결정하는 것만큼이나 복잡한 문제였다.

"네가 많이 힘들었던 거 알아. 그때 나도 너처럼 화낼 수 있었다면 간호사 말 무시하고 병원 따위 뛰쳐나왔겠지. 그리고 널 지켜줬을 거야." 매이브는 빨간 불 앞에서 브레이크를 밟고는 창밖을 바라보았다. "너를 나름 잘 보살피고 있다고 생각할 때마다… 누가 내 머리를 들여다보기라도 한 것처럼, 전세계의 신끼리 약속이라도 한 것처럼 나쁜 일이 일어났지. 지금은 너도 어른이고 못살게 굴었던 사람들도 다 떠났으니까 좀 덜하지만… 넌 여전히 그때에 묶여 살잖아."

난 갑자기 과거의 일을 얘기하며 감성적이게 되는 상황을 싫어한다. 하지만 이번만큼은 왠지 군말없이 들어야 할 것 같았다.

"내 말은…." 매이브는 침을 삼켰다. 세 명뿐인 사람들이 횡단보도 가운데를 스쳤다. "그건 네 잘못이 아니었어. 네가 가진 건 살인자의 피도 아니고. 야, 생각해 봐! 누가 60년도 더 넘은 일을 가지고 이제와서 후손 탓을 하냐?"

"인정."

"공포 영화? 사람이 그런 거 좀 볼 수도 있지. 그럼 수술 집도하는 의사가 리애니메이터 보면 그것도 논란거리겠네!"

난 매이브의 말에 오랜만에 크게 웃음을 터트렸다.

"아무튼 간에." 초록 불이 되자 매이브는 악셀을 밟았다. 차가 기울었다가 움직였다. "비클리브리지 학살에 관련해서 언론이 떠들썩했잖아. 음… 난 사실 대체 누가 그걸 폭로했는지 궁금했는데… 그러니까 그런 짓을 했다면 폭로되는 게 맞지. 안 했어야 된다는 건 아니야. 어쨌든 그게 궁금했는데, 그 사람 죽었다더라."

"누군데?"

"알버트 힐즈였나?" 매이브가 말을 이었다. "1986년에 이미 죽었대."

"내가 괴롭힘당한 건 1992년부턴데."

"정확히는 그 사람이 쓴 편지가 발견된 거라던데? 그게 에 버렛 글렌이었을걸?" 매이브는 쩝 소리를 냈다. "잘은 기억 안 나. 근데 우린 정작 편지 내용을 한 번도 제대로 읽어본 적 없 잖아. 그때 난리난 이후로 뉴스는 당연히 끄고 살았고. 그래 서…." 매이브는 잠시 멈칫했다. "너만 괜찮다면 그 편지 내용 을 보면 어떨까 해서?"

편지를 읽어보자고? 매이브는 이미 그 편지를 어디서 읽을 수 있는지 아는 눈치였다. 더는 이 얘기를 꺼낼 일이 없을 거 라 생각했다. 그런데 아침부터 드라이브를 핑계로 이렇게 끌려 나갈 위기에 처하다니….

'언제까지 피하고만 살 수는 없을걸.'

그렇긴 해. 솔직히 그 사건이 대체 뭐였길래 우릴 죽어라 괴 롭혔는지는 전부터 궁금했다. 하지만 내 처지를 자각하는 빠른 길이 될까 봐 무서워서 여태 직접 마주하지 못했다. 뭐 자신에 대해 안 좋은 소문이 도는데도 직접 해명하지 못하는 학교 대 표 외톨이와 비슷한 느낌이라고 보면 될 듯하다. 어차피 해명 을 하든 말든 이미 주변인들이 스스로 도출해내고 퍼트린 결과 는 달라지지 않을 테니까. '남들이 건드린 공벌레가 되기'는 그 런 경험에서 비롯된 나의 주특기이자 살아가는 방식이었다. 하 지만 이젠 돌돌 말았던 껍질을 살짝이라도 펴내볼 때다. 어쩌 면 껍질을 말기 전에 나도 모르는 기생충이 들어왔을 수도 있 고 뚝뚝 떨어진 내 땀에 질식해서 죽었을 수도 있는 것 아니겠 나? 난 말없이 운전대를 잡고 별안간 리듬을 타는 매이브를 잠 시 바라보았다. 방금 전과는 다르게 목욕이라도 끝내고 나온 사람처럼 걱정과 근심이 없는 상쾌한 얼굴이었다.

"지금 그 편지 가지고 있어?"

"궁금하면 읽어봐." 매이브는 콘솔 박스를 가리켰다. "저 안쪽에 있어."

난 콘솔 박스 안으로 손을 집어넣었다. 얇고 까칠한 재질의 종이가 손에 잡혔다. 난 그걸 그대로 끌어낸다. 생각보다 얼룩이 많이 번졌고 가장자리는 찢어진 곳도 많다. 잠에서 깨자마자 내가 나갔다 왔다고 생각하는 매이브와 함께 편지를 읽어야 할 거라곤 상상도 못했지만, 어쨌든 난 천천히 눈으로 읽어나갔다.

자신만의 특별한 영화를 만드는 것이 일생일대의 꿈이었던 우리 가문의 자랑 어거스트 힐즈가 1982년 실종됐습니다. 그날 이후 우리 가족은 비통함에 잠겨 하루하루를 살아야 했습니다. 이건 1938년 비클리브리지 대학살과 관련이 있는 것이 분명합니다. 틀림없어요. 경찰은 우리의 주장을 보란듯이 무시했지만, 비클리브리지 대학살의 진범인 캐서린 페이턴은 블리스 페이턴을 낳고 잠적했습니다. 그리고 그녀의 후손들이 지금, 무차별적인 살해 행위를 벌이고 있습니다. 이 사실이 널리 퍼지도록 도와주세요. 우리는 고통받고 있습니다.

이건 죄다 근거없는 헛소리였다.

할머니의 어머니였을 캐서린 페이턴은 죽었다. 그래서 이 편지는 죽은 캐서린의 뜻(?)을 이은 후손들이 살인을 저지르고 있다는 억측을 하고 있었다. 직접 찾아가서 이의를 제기하고 싶었지만 알버트 힐즈는 이미 죽은 사람이다. 너무 어처구니없는 나머지 지금 이 순간 내가 저승사자였다면 얼마나 좋았을까 하는 터무니없는 공상을 자유롭게 펼쳐본다. 에버렛 글렌이란 사람이 어떤 경로로 이 편지를 발견했고 공개했는지는 당연하게도 본문에서 찾아볼 수 없었다. 알버트 힐즈와 그리 연관이 깊은 사람도 아닌 것 같고. 그냥 찾았으니까 공개하는 게 맞다고 판단한 걸까? 모든 게 의문이었다. '알버트 힐즈'를 들었을 때도 기분이 이상했지만 난 왜 유독 '어거스트 힐즈'가 익숙하게 느껴지는 거지? 언젠가 만나본 적도 이미 들어본 적도 있는 것 같은 그런 낯익은 이름이었다. 그 사람의 얼굴이 어렴풋이 떠오르는 것도 같다. 꿈속의… 그 사람…인가?

"리키?"

누군가의 부름에 의식이 맑아지는 느낌이 순간적으로 낯익었다. 난 매이브를 돌아보았다.

"이건 어떻게 찾은 거야?"

"예전부터 환부 요청해서 가지고 있었어." 매이브는 덧붙였다. "근데 네가 안 읽으려 할 것 같아서 이날만을 위해 고이 모셔뒀지. 나쁜 선택은 아니었다고 해주라."

난 밝아오는 태양을 좇는 차 안에서 적잖이 혼란을 느끼고 있었다. 이번엔 과거의 일 때문만은 아니었다. 내 뇌가 정확히 '그렇다'와 '아니다' 또는 '모른다'로 구별할 수 없는 몇몇 단어들이 속출한 것 때문이었다. 난 무엇 하나 확실하지 않은 게 너무 싫어서 두개골이 스트레스로 가득 차올랐다. 마치 할로윈

257

이면 곳곳의 집 앞에 장식되는 못생긴 해골이 박살난 모양처럼 될 수도 있었다. 사람들은 해골을 귀엽게 꾸미는 법은 알지만 부서진 해골을 원래대로 감쪽같이 되돌리는 법은 모른다. 나도 그랬다.

"난…." 입은 저절로 떼졌지만 무슨 말을 해야 할지는 몰랐다. 그냥 입이 떼진 것뿐이었다. "우리 어디로 가는 거야?"

"난 그냥 너 드라이브 시켜주려고 나온 건데. 딱히 정해둔 곳은 없어." 매이브가 창틀에 팔을 올렸다. "특별히 가고 싶은 데 있어? 아무 데나 괜찮아."

"가는 곳이 어디든 묘지만 아니면 돼." 내가 말해놓고도 살짝 우스웠다.

"알았어." 매이브는 자연스레 입꼬리를 올렸다. "이쪽 마트 근처에 레드박스 있던데 갈래?"

"음… 아니." 난 고개를 저었다. "폴른이 보고 싶어."

종착역이 없었던 매이브의 차량은 방금 막 입력된 내비게이션에 의해 폴른의 DVD 매장에 도달했다. 이른 아침부터 개장 준비를 끝내두고 로비에서 잠든 폴른 할배가 보였다. 그의 매장은 앞쪽 입구가 창문으로 환하게 뚫려있어서 안의 상황이 어떤지 전부 들여다볼 수 있었다. 물론 단점도 있겠지만, 이런 점 덕분에 흉폭하게 생긴 진상을 상대하는 폴른 할배를 곧잘 도와줄 수 있어서 내겐 더할나위 없는 장점이었다.

우린 차에서 내려 매장 앞으로 여유롭게 걸어갔다. 내 마음은 왠지 전혀 여유롭지 않았지만 행동은 그래야할 것 같았다. 쭉 들어선 코너 위로 들어온 불이 매장 내부를 밝게 비추었다. 매일 방문했던 매장인데도 입구에 작은 종이 달려있었다는 걸 잊고 세게 밀어버렸다. 폴른은 놀랐는지 침 흘리며 자던 것도 모르고 벌떡 일어나 입구를 처다보았다. 그러더니 그는 성에라도 낀 듯이 눈을 비빈다.

"이런 미친 것들…." 폴른은 허리를 꼿꼿이 세우려다 억소리만 내고는 다시 허리를 구부린다. "망할 5시부터 뭔 볼일이야? 내가 보는 것만 따라보더니 이젠 노인네를 죽이고 싶어졌어?"

"저도 다시 봬서 좋아요." 내가 말했다. "머드베인 듣고 계시네요. <쏘우 2(Saw II, 2005)> 엔딩 곡* 아니에요?"

"아는 걸 물어보는 건 어디서 배워먹은 버르장머리냐?"

"참… 물어보는 것도 안 돼요?"

폴른은 혀를 쯧쯧 차더니 계산대에서 나와 매이브와 나를 번갈아 훑어보았다. 폴른은 우리보다 키가 조금 작았다.

"네가 보고 알려준다던 그 테이프는 어쨌나? 어제 옆에 선 아가씨가 대신 갖다주더만."

"네? 무슨 테이프요?"

"아, 우리 집에 있었던 게 그건가?" 매이브가 미안한 듯 말했다. "음… 그거 혹시 네가 보던 거였어? 미안. 또 조지가 멋대로 갖다놓은 건 줄 알고…."

"아니… 난 아무것도 모르겠는데. 테이프라니 무슨 소리야?" 난 매이브에게서 시선을 거두고 폴른을 바라보았다. "제가 그

---

* Mudvayne, 〈Forget to Remember〉

런 거 빌렸었어요?"

"이틀 전에 가져갔잖나?" 폴른이 인상을 찌푸렸다. "지난 여름이 어쨌니 쏘우가 어쨌니 하다가 빌려간 걸 기억 못하는 건가? 계집애가 빠져가지곤."

"그런 기억이 일절 없는데요⋯."

"그럼 네놈이 잠깐 술에 절었었나 보군. 그래도 약속은 약속이다. 내 눈으론 그 거지 같은 화질을 감당할 수 없어. 보고 알려준다고 하지 않았나."

"알았어요⋯ 가져다 줬다던 그 테이프 줘봐요."

"쯧." 폴른은 다시 계산대 안쪽으로 들어가서 선반 밑을 뒤지는 듯하더니 낡은 테이프를 꺼내들었다. "여깄네. 돈도 안 받고 빌려주는 거니 다시는 시침떼지 말게나. 자꾸 말 붙여준다고 여자가 삐딱해지는군."

"새삼스레 뭘 그래요?" 난 폴른이 건넨 테이프를 받고 그를 향해 웃어보였다. "아, 참⋯ 혹시 에버렛 글렌이라는 사람 알아요? 어거스트 힐즈라든가?"

"어거스트 힐즈라⋯ 그 테이프를 만든 감독 놈이지. 직접 본 적은 없지만 테이프에 떡하니 적혀있다네." 폴른은 기억을 되살리듯이 고개를 들어 위를 바라보았다. "에버렛 글렌이랬나? 예전에 들렀던 고스족 여자와 이름이 판박이야. 그때가 1983년인데 하도 특이한 여자였어서 기억에 남는군. 그 테이프를 건네주면서 '이 영화의 속편을 만들 건데 새 배우를 구하고 있다'고 하던데. 내 추측이지만 감독 놈의 어시스턴트인 모양이지."

폴른은 이내 또 선반 밑을 뒤지다 허리를 들었다.

"그때 주던 공고문인데 이젠 낡아빠졌구만. 내 눈으론 읽어주질 못하겠네."

"줘봐요."

난 아까 편지를 읽었던 것처럼 홍보지의 내용을 천천히 훑었다.

우리의 영화에 출연하실 젊은 남자 배우를 구합니다!

우리는 〈피의 무덤〉이라는 영화의 속편을 촬영중에 있습니다. 1편에 참여했던 배우를 그대로 쓰려고 했지만 피치못할 사정으로 인해 해당 배우가 참여하지 못하게 되었습니다. 평소 배우가 꿈이셨던 분, 배우가 꿈은 아니지만 연기에 자신있으신 분은 아래 번호로 메세지 남겨주세요. 우리는 재능 있는 분들을 환영합니다!

"이땐 DVD가 없던 시절이니 보잘것없는 잡동사니나 구해서 팔았었지. 아주 형편없는 가게였다네. 비디오테이프가 나왔을 때 조금씩 들여놓기 시작했어. CD가 나올 때는 앨범을 넣어놓기도 했고." 폴른이 말했다. "영화만을 취급하는 가게가 아닌데 홍보지를 가져오니 나도 황당했다. 그래도 돈다발 들고 입구에 붙여달라고 하니 젊은 것이 불쌍해서 세 장씩 가져온 걸 두 장만 붙여뒀었지. 이게 남은 하나고."

"영화관에 걸리지도 않았는데 속편을 만드려고 했다고요?" 난 홍보지를 들여다보며 눈을 찡그렸다. "열정이… 대단하네요."

"1편 포스터도 있는데, 보여줘?"

난 군말없이 폴른이 건넨 포스터를 잡아챘다. 어찌나 빠르게 뺏어들었는지 하마터면 찢어질 뻔했다. 포스터에 적힌 내용은 정말 별 것 없었다. '그 숲에 들어가지 마라!' 당연하지. 거긴 살인마가 있을 거잖아. '악몽이 시작된다!' 안타깝지만 이 영화 이후로 나온 나이트메어가 더 악몽이다. '배역: 진 로빈, 엘레노어 한나, 매니 토비아스, 앤 리, 라일리 앤더슨, 샤론 블란쳇, 그린 서트클리프' 전부 들어본 적 없는 모르는 이름이었다.

'그린. 그린 서트클리프. 그린 서트클리프… 그게 누구지?'

아니, 하나 정도는 어디선가 들어본 듯했다. 어쩌면 얼굴이 기억나려 하는 것도 같고… 하지만 이내 그 흐릿한 형체는 무의식 속으로 쑥 가라앉았다. 순식간이었다. 마치 번개가 하늘을 가르는 찰나에 번쩍하고 불빛이 일듯이 순식간이었다. 집에서 일어난 뒤로 모든 것들이 짧게 나타났다가 어디 한 번 잡아보라는 듯이 얄밉게 일렁이고는 사라졌다. 파도가 하얗게 날아오를 때 드러난 낭화가 다시 안으로 부서지듯이 뇌를 주물거리고는 사라졌다. 이건 말도 안 된다. 분명 알지 못하는 누군가일 터인데 내 머리는 그렇지 않다고 말했다.

"그린 서트클리프가 누구예요?"

"내 아들놈도 포스터를 뚫어지게 보더니 그 말부터 했었지. 나도 알고 싶군. 대체 그린 서트클리프라는 썩을 남정네가 누구냐? 운명의 상대라도 돼?"

"아들이요?"

"그래. 클린턴 패스. 네 녀석이 예전에만 해도 좋다고 따라다니던 그놈이지. 알면서 자꾸 캐묻는 거냐?" 폴른은 재킷을 고쳐입었다. "그놈이 너한테 이름도 안 가르쳐줬나? 싹바가지 없는 것. 며칠 로비에 세워놨더니 전세계 여자들이 뿅가서 오는군. 얼굴이 그렇게 반반한 편도 아닌 것 같은데, 쯧."

"클린턴 패스라고요…?"

이상하게도 이 이름까지 수없이 들어본 적 있는 듯했다. 와, 정말 말도 안 돼. 그 잘생긴 남자의 얼굴은 수많은 시간 동안 봐왔지만 이름은 듣도 보도 못했다. 그런데 내 뇌라는 놈은 지금 '너 애 알잖아'라고 날 설득하고 있다. 온 세상이 내게 데자뷔 프랭크를 시도하고 있다. 정말이다. 아니! 사실은 아니라는 걸 나도 아주 잘 알고 있다. 머리가 깨질 것만 같았다. 내가 잡으려고 하면 옷자락을 나풀거리며 달아다는 못된 유령처럼 그 낯익은 감각은 멀어졌다가 가까워졌다. 무언가 조금만, 조금만 더 날 밀어준다면, 조금만 더 다가와준다면… 기억해낼 수 있을 것 같은….

"전… 가야겠어요. 매이브, 가자." 난 매이브의 손을 끌고 매장을 나서려 했다.

"갑자기 어딜 간다고? 아침부터 노인네를 깨워놓고 아무것도 안 가져가냐?" 폴른이 따갑게 말했다.

"이거 빨리 보고 알려드릴게요." 난 역정을 내는 폴른에게 테이프를 들어보였다.

"이런 계집애들!"

난 그대로 매이브의 손을 잡고 매장을 빠져나왔다. 문이 닫히기 전까지 폴른이 중얼거리는 소리가 계속 들렸다. 해가 주변 건물을 넘어 높은 나무에 걸리기 시작했다. 난 잠시 멍하니 해를 바라보았다. 몇 시간만 있으면 이 넓은 땅을 달궈버릴 뜨거운 태양이 하늘 가운데를 차지할 것이다. 아지랑이가 피어오르는 도로 옆에 서 있기는 싫었다.

"리키, 나 곧 일하러 가야할 것 같아."

매이브가 조심스레 말했다. 아마 내 기분을 신경쓰고 있는 것이다. 난 매이브의 눈치 보는 기술이 반이라도 내게 왔다면 비율이 완벽했을 거라 믿으며 고개를 끄덕였다. 매이브의 직장은 여기서 멀지 않았고, 그렇다는 건 난 자유롭게 차를 타고 원하는 곳까지 드라이브할 수 있는 특권을 얻었다는 뜻이다. 하지만 난 그냥 집으로 돌아가길 선택했다.

"조심히 가."

내가 말하곤 매이브의 멀어지는 뒤통수를 지켜보다 차에 올랐다. 내 운전 실력은 절대 나쁜 편이 아니었다.

한 시간 정도 차를 끌고 동네 주변을 돌아다녔다. 혼란스러운 머릿속을 정리도 할 겸 필요한 게 있으면 사려는 목적이었다. 그렇게 나는 바보 같은 세모난 코를 가진 양말 인형과 굿앤게더 토마토 수프, 아주 싼 가격에 파는 오래된 브랜드의 비스킷, 그리고 체다치즈를 봉투에 담은 채 집앞에 섰다.

현관문을 열었을 때 이렇게 슬픈 냄새가 풍겨올 거라곤 예상하지 못했다. 그야 '슬픈 냄새'라는 건 있을 수 없었으니까! 굿

앤게더 캔을 보며 미소 짓고 있던 나는 급격한 감정의 변화를 맞이한 채로 발을 질질 끌며 문턱을 넘었다.

여러분의 어린 시절에 가끔 집에 있어야 한다는 사실이 극도로 싫었던 경험이 있을 것이다. 어느 누가 집을 싫어하겠냐는 주장을 펼칠 일부를 위해 작은 예시를 하나 들자면, 내일은 친한 친구가 홈파티를 여는 날인데 엄한 부모님 때문에 집먼지와 하나가 되어 우울한 펑크 록을 들어야 한다거나, 부모님과 심하게 다툰 것 때문에 오늘 내일 아침마다 빠짐없이 가족의 얼굴을 볼 수 있는 집을 나가버리고 싶다거나 하는 일 말이다. 난 매이브가 날 위해 아무것도 하지 못한다고 착각할 때만 해도 두피를 벗기고 두개골을 절개해 뇌 표면에 무지개 스티커를 붙이고 자주색 글리터를 쏟아붓고 빨간 풍선에 매달아 하늘 위로 떠나보내고 싶단 생각을 매일 했다. 그럼 내 뇌는 나의 불쌍한 '슈퍼 우울 모드 이모 걸' 자아와 '부조리한 사회에 반발하는 반항아' 자아를 싣고 어디 하와이에나 착륙해서 내 안에 한층 평화로움을 만들어 주었을 것이다. 아무리 화나고 슬프고 억울한 일이 있어도 나만 벙어리처럼 가만히 있으면 하루는 1프로의 스트레스를 덜고 지나갔다. 내게 계란을 던진 행인에게 죽자고 달려들어 폭력을 행사하지 않으면 매이브가 꿀 한 항아리를 먹은 배부른 곰돌이 푸처럼 경찰서에 아무 말 않고 앉아 있을 일은 일어나지 않았다. 매이브에게 짐이 되지 않기 위해서라도 난 그렇게 해야 했다. 내 화가 조절되지 않을 때마다 일은 크게 벌어졌고, 집에 있는 매이브의 얼굴을 보기가 점점 힘들어졌다. 매이브는 날 입양해선 안 됐다.

난 매이브의 인생도 망치고 비클리브리지의 평화도 망쳤다. 최악이네.

난 거실 중앙을 꿰찬 테이블에 봉투와 차 키를 올려놓고 그렇게 넓지도 그렇게 좁지도 않은 집 안을 머줍게 돌아다닌다. 선반 위에 있는 액자에는 할머니와 모르는 여자가 서로 껴안고 웃고 있었다. 저 모르는 여자는 내 엄마였다. 병원에서 의사들이 갓난 아기였던 내 엉덩이를 두드리며 '제발 울거라'하고 주문을 걸거나, 그들의 축하를 받거나 아니면 탯줄을 보관할 고급스러운 보석함을 찾아야 했던 우여곡절도 없이, 그냥 집에서 태어났다. 난 엄마를 직접 본 적이 없었다. 뭐, 태어났을 때 잠깐 본 적이 있다 해도 그건 내 심화 기억 속에 저장되어 있지 않았다. 내 뇌는 나중에 내가 다 컸을 때 그런 걸 궁금해할 거라고 생각하진 못했을 것이다. 어쩔 수 없지. 다 지나간 일이고. 할머니는 내가 4살 때 '엄마는 몰디브로 떠났다' 그랬지만, 엄마는 사실 실종된 것이다. 학교를 다닐 나이가 됐을 때 알게 된 사실이다. 하지만 그걸 알고 크게 충격을 먹거나 하는 일은 없었다… 특별히 정이 들 법한 일이 없어서 그런지. 하지만 난 무언가에 사로잡히기라도 한 것처럼, 그 사진에 불이 붙기라도 바라는 것처럼 눈을 부릅뜨고 유심히 바라보았다. 엄마에 대한 별 감흥이 없었던 만큼, 자주 봤던 사진은 아니지만 뭔가 마음에 안 들었다. 질서정연해 보이는 화장실 바닥을 자세히 보면 안 맞는 타일이 하나쯤 있기 마련이듯이, 내 눈은 그런 존재를 잡아낸 것 같았다.

'이봐요, 목걸이 씨. 우리 어디서 만난 적 있나?'

내 엄마였을 사람이 착용한 그 십자가 목걸이… 그게 아주 신경쓰였다. 그 모형에는 그닥 잘못될 게 없어보였다. 예수가 A자로 박혀있지도 않았고 십자가가 거꾸로 되어있지도 않았다. 내가 보기엔 이 목걸이가 안 맞는 타일은 아닌 것 같았다. 그러나 아침부터 그랬듯 내 감정이라는 녀석은 '맞다고! 맞다니까! 왜 알지를 못해!' 하고 성질을 냈다.

난 틀린 그림 찾기를 5분만에 그만두고 소파에 누웠다.

'나른하군. 정말 나른해. 한창 일할 때 <슬리퍼웨이 캠프 (Sleepaway Camp, 1983)>를 보던 게 생각나네. 그거 시리즈 겁나 많았지. 그렇지, 슬래셔 영화는 다 그렇잖아.'

그것도 불과 3달 전이다.

'하지만 그건 충격이었어. 충격과 공포였다구. 무서웠어.'

난 조금 더 편하게 누워서 눈을 감았다.

'뭔가 더 보고 싶다. 난 B급 영화가 너무 좋아. C급은 영화들은 매이브랑 같이 보면서 까면 재밌고.'

난 잠시 눈을 꾹 감고 생각한다.

'피의 무덤인지 님의 무덤인지….'

그렇지! 매이브와 폴른이 합세해서 내게 이상한 말을 지껄이던 그 테이프. 포스터를 보니 영락없는 슬래셔 영화였다. 그리고 뜬금없이 생각나는 그린 서트클리프. 그래, 그게 대체 누군지나 보자. 네가 뭔데 날 이렇게 신경쓰이게 만드는 거지? 난 곧바로 일어나 부엌으로 달려갔다. 양말 인형, 수프, 비스킷, 치즈와 같이 봉투에 담아뒀던 테이프를 꺼내 다시 거실로 돌아온다. TV 앞에 떡하니 깔린 비디오플레이어를 보니 절로 웃음이

나왔다.

난 망설임없이 사용감 쩌는 테이프를 플레이어 안에 쑥 밀어 넣었다.

비스킷 포장지를 까놓고 낮은 테이블에 올려둔 뒤 편하게 소파에 누웠다. 내가 할 일은 그저 TV에서 남자가 수풀을 헤치고 달려가는 장면이 나오기를 기다리는 것뿐이었다.

'잠깐, 내가 그걸 어떻게 알지? 그런 장면이 나올 거라는 거 말이야.'

뭐 어때. 인간의 상상력은 무한하다. 그리고 공포 영화에서 추격 장면이 안 나오면 섭하잖아. 난 나의 상상력이 무의식 속에서 만들어낸 무작위 장면이라고 믿고 비스킷을 입 안에 툭 집어던졌다. 네모난 비스킷을 무작정 씹어먹다가 잇몸이 크게 다칠 뻔했지만, 그래도 바삭바삭한 식감이 그간의 스트레스를 풀어주기는 한다.

TV가 지직거리다, 영화가 시작된다.

해리가 수풀을 헤치며 발 빠르게 뛰어나가지만 뒤에서 그를 따라잡는 의문의 형체가 속도를 올리며 접근한다. 숲의 고요를 그들이 예의 없이 깨트리고 있는 것이다. 해리의 헐떡이는 숨이 바깥으로 세차게 빠져나온다. 그림자는 점점 더 거리를 좁혀온다. 그는 끝을 알 수 없는 풀 속에서 자신의 운명을 직감했다. 마지막 남은 힘으로 살려달라고 외쳤지만 누군가 자신의 뒤를 따라오는 형체에게 화살이나 총을 쏴주는 것은 기적이 아니고서야 불가능했다. 몇 번이고 더 도움을 요청하는 소리를 내질렀

지만, 겨우 여섯 번째 숨을 들이쉴 때 목에 스치듯 닿았던 금속의 차가움을 금방 잊어버렸다. 그 형체는 흙을 물들이는 붉은 피를 바라보며 고개를 기웃거린다. 그리곤 해리가 그랬던 것처럼 몇 번이고 소리를 지르는 대신, 몇 번이고 해리를 내리쳤다. 그 소리는 철퍽거리는 소리가 멈출 때, 둔기가 흙에 닿을 때 감쪽같이 사라졌다. 그리고 숲도 다시 고요를 되찾았다.

⟨*Red's Grave*⟩ *Directed by August Hills*

말도 안 돼.

정확히 내 머릿속에 떠오른 장면과 일치했다. 남자가 수풀을 헤치며 뛰어갈 때 내던 숨소리도 형편없는 그의 인상착의도 주변을 둘러싼 환경도 어느 하나 틀린 게 없었다. 매이브의 의지를 이어받아 내게 특별한 능력이 생겼나? 그러니까… 예지력 같은 거? 하지만 매이브가 좋아하는 점술 같은 건 전부 허상이고 헛소리였다. 초능력 따위의 얘기는 믿지 않는다. 그렇다면… 그래! 예전에 스켈레톤 페스트에서 B급 영화 상영회를 했었는데 거기서 잠깐 봤던 장면일 것이다. 처음 몇 개는 할로윈이나 스크림 같이 알만한 작품들이 나와서 빼지 않고 봤지만, 24시간이 넘는 상영 시간 동안 후반부로 갈수록 인기도 없고 잘 만들지도 못한 작품들이 나와서 못 참고 나왔다. 12시간 쯤에 나왔던 부분이 확실하다.

'24시간 내내 스크림 시리즈, 13일의 금요일 시리즈, 슬리퍼웨이 캠프 시리즈, 사탄의 인형 시리즈 틀고 블랙 크리스마스, 여대생 기숙사, 피의 만우절, 공포의 수학열차, 지옥의 모텔, 쏘우 상영했는데 뭔 소리야? 안 유명한 걸 볼 거면 인디 영화제에

갔겠지.'

틀렸다. 내 머리는 스켈레톤 페스트의 상영 목록을 빠짐없이 전부 기억하고 있었다. 난 지금 충격적인 사실을 믿을 수가 없어서 기억을 왜곡하려 들고 있다. 하지만 소용없어! 뇌는 거짓말하지 않거든!

오늘따라 왜 이러지? 뇌가 녹는 것 같아. 그러니까 안 좋은 의미로.

우린 움직이는 시체들을 언제부턴가 좀비라고 부르는데, 지금 내 상태는 딱 그 개념에 부합한다. 모든 게 거꾸로 돌아가고 있는 것 같다. 마치 제시간에 울지 않는 뻐꾸기 같은….

'크레딧이 일찍 올라오게 됐어.'

그 목소리, 그 모습, 그 목소리, 그 모습, 그 행동, 그 영화, 그 감독, 그 줄거리, 그 예언자, 그 칼, 그 배우, 십자가, 좀비, 피, 화재, 시체, 대걸레, 총, 탄환, 엄마, 조상, 알파벳, 페이턴, 그린, 힐즈, 클린턴, 브리짓, 제키, 에밋, 제이크, 카일, 콜린—

들어맞아! 모든 게! 모든 게 들어맞는다! 기억났어! 그건, 그건— 전부—

오 세상에, 이런, 이런 신이시여. 맙소사.

파도가 말뚝을 덮는다.

우리가 만들어낸 원작을 향한 찬사이자
필름의 마지막 지점이었다.

10

새벽의 저주

Original by George A. Romero's 〈Dawn of the Dead〉

 난 어릴 때 꿈꾸는 것을 두려워했다. 앞서 페이지 어딘가에서 말했듯이 의미를 알 수 없는 해괴망측한 내용의 두리안 냄새 같은 악몽이 자주 나타났기 때문이다. 괴상한 허상에서 깨어날 때마다 감각과 감정이 뒤죽박죽 엉켜 오븐에 굽기에는 버거운 반죽이 되었다. 겉은 푸석푸석하고 딱딱하고, 속은 진득하고 끈적한 반죽을 잘 주물러 보기는 좋게 만들어줄 수 있는 사람은 매이브 뿐이었다. 매이브는 악몽과 환경에 의해 척박하게 변해가는 나, 그리고 내 불안과 두려움을 위로와 공감으로 잘 포장해 누군가 받아들일 수는 있는 형태로 바꿔주었다.

 그런 사람과 헤어졌다면 어떤 기분일까….

 고요하고 차가운 곳. 날씨가 간섭하지 않아도 저절로 몸이 부들부들 떨린다. 흙먼지가 종아리를 간지럽히고 서늘한 바람이 머리카락을 흔드는 곳. 고개를 들지 않아도 햇빛이 안 드는 외딴 건물이라는 건 어림할 수 있다. 한동안은 내게 대체 무슨 일이 벌어진 건지 스스로 파악하고 분석하고 체감해야 했다. 죽어가는 반죽을 소생시킬 수 있는 전문적인 제빵사가 없으니 그저 한적한 식당 주방의 요리사 1번일 뿐인 나는 반죽이 왜 이렇게 딱딱하냐고 역정을 내는 수밖에 없었다. 마침내 찾은 중요한 것을 다시 빼앗긴 걸 깨달으면 믿을 수 없는 허무함이 밀려오기 시작한다. 나의 일상. 나의 집. 나의 DVD, 나의 비디오테이프, 나의 CD, 그 외 내 물건 등등. 그런 것들이 웬 허름하고 낡은 거대한 장소에 덩그러니 놓여있을 리는 없었다.

아니, 비디오테이프 만큼은 그곳에 놓여있었다.

그걸 알게된 건 누군가 날 죽이려 하기라도 한듯이 눈을 번뜩이며 일어날 때였다(아직 아니다). 평소 잘 안 자는 탓에 잠에서 깨면 세게 맞은 것처럼 머리 왼쪽이 웅웅거리며 아파왔다. 뭐, 그래서… 내 뒤에 만약 살인마가 있었더라면 당장 내 머리를 싹둑 썰어버릴 수 있었을 것이다. 거북이처럼 머리를 느릿느릿 돌려서 주변을 샅샅이 살펴보려 노력할 때쯤에(바로 여기다!), 바로 그때 발견한 것이 비디오테이프였다. 모든 일의 원인, 모든 일의 원흉! 괘씸한 그 테이프가 바로 내 앞에 있었다. 난 불편한 다리를 몸쪽으로 당겨서 무릎으로 기어갔다. 다만 빠르게. 전혀 어렵지 않게 비디오테이프를 손에 넣자 가장 먼저 한 일은 테이프를 가린 종이를 읽는 것이었다.

어거스트 힐즈는 알버트 힐즈의 가족이었다. 이 영화가 만들어진 건 1982년인데 힐즈가 실종된 건 1983년으로 1년 뒤. 촬영 당시에 그린이 죽었는데도 영화를 완성시켰다는 건가? 독한 놈.

하지만 중요한 건 당시 스태프들이 어째서 이상해졌는지, 그것도 내가 지하실에서 봤던 비틀거리는 인파와 관련있는 건지 알아내는 것이다. 세상에, 이블 데드에 나왔던 것과 흡사한 이상한 부두술과 그것들이 연관되어 있는 게 틀림없다. 캐서린 페이턴과 조 쿠퍼를 귀찮게 한 어떤 현상이 사람들을 그렇게

274

만든 게 틀림없다. 이건 진부한 좀비 영화가 아니다. 그게 아니면 <28일 후(28 Days Later, 2002)>에 나오는 분노 바이러스가 아닌 이상 설명이 되지 않는다! 오, 이런, 이런….

난 내가 더 이상한 점을 발견하게 될 거라곤 기대하지 않았다.

그곳에, 낡아빠져서 사람이 더는 앉을 수 없을 것 같이 생긴 의자 위 그곳에, 웬걸! 똑같이 생긴 비디오테이프가 하나 더 있는 것 아니겠는가?

난 이 전례없는 상황을 어떡하면 좋을지 잠시 깊은 생각에 빠질 뻔했다. 테이프가 두 개 있으면 두 개 다 부숴서 나가면 된다. 하지만 실제로는 깊은 생각에 빠질 필요가 있었다. 아무것도 아닐 수 있지만, 두 개의 테이프가 이곳에 무슨 영향을 미칠지 나는 모른다.

그딴 건 나중에 생각해도 된다.

특이하게도 난 이 낡은 건물에서 깨어났다. 정확히 어딘지는 모르겠지만, 처음 때와는 다르다. 가운데에는 거친 회색 동상이 곧게 세워져있고, 내 등 뒤로 훤히 뚫린 스테인드글라스 맨 위에는 십자가 벽에 붙어있다. 난 천장에 덩그러니 매달린 웬 커다란 양동이를 보았다. 뭐지? 짐작만 해보자면 성당인 것 같다. 아니아니, 잠깐, 여긴 수녀원이다. '원장: 메리 하퍼.' 힐즈가 들어간 곳은 성당이 아니라 수녀원 로비였다.

'어거스트 힐즈라는 이름이 아까울 정도로 멍청해.'

힐즈는 관찰력이 부족한 사람이었다. 머리에 젖먹던 힘을 줘야 자신이 쓴 대본을 기억해낼 만큼 겁도 많고 여러모로 불안정한 사람이었다. 게다가 총을 잡고도 살인마를 제대로 조준하지 못했다. 설령 맞췄다 해도 속편이 나올 예정이었다는 걸 감안하면 살아서 돌아왔을 것이다. 자, 보시라. 누구도 행복하지 못한 세계의 완성이다!

"페이턴!"

익숙한 목소리가 날 어쨌고 저쨌고 하는 지루한 묘사는 그만하자. 여러분도 이쯤 했으면 누가 누군지 다 알 것이다. 그린은 뒤쪽에서 눈을 크게 뜨고 날 쳐다보고 있었다.

"…그린? 그린!"

난 한달음에 달려가 그린을 꽉 껴안았다. 그때 더 힘을 줬으면 그린의 허리뼈가 아마 부러졌을지도 모르겠다. 의도한 건 아니었지만 예상대로 그린은 막힌 목소리로 풀어달라고 했다. 나도 풀어주고 싶었다. 근데 아마 나한테 말해봤자 소용 없을 것이다. 말을 듣지 않는 건 내 몸이지 내가 아니다(같은 말이지만 다르게 들리길 바란다).

"왜… 또 여기로 온 거예요?" 그린은 내 머리 위에서 말했다. 턱이 까딱거리는 게 느껴졌다. 난 호두까기 인형이 위에서 움직이는 듯한 느낌을 받았다. "여기 있으면 안 돼요. 테이프 부숴도 좋아요, 그러니…"

"난 아직… 네 엄마 무덤이 어딘지도 모르는걸!"

처음부터 변명이랍시고 나온 말이 그거였다. 밖으로 나갔을 땐 '아무것도' 기억나지 않아서 '아무것도' 모르는 채로 테이프를 재생했다는 합당한 사유를 말하면 '불쌍한 여자가 버거운 일을 겪게 되겠어!' 하고 날 돌려보내려 할 테니… 아마 그 말은 적당했을 것이다.

"그런 건…." 그린이 말끝을 흐렸다. "그런 걸 아직도 기억하고 있으면 안 되죠!"

"왜 안 되는데? 멍청한 놈아! 힐즈는 어딨어?"

"내가 왜 멍청해요?" 그린은 내 말을 곱씹는 듯하더니 말했다. "저 바깥에 멍하니 앉아서… 클린턴의 노트를 읽고 있어요." 그린은 말을 잇는다. "들어봐요… 물론 감독님은 날 죽였지만… 저 사람이 일으킨 일 때문에 당신이 여기 있어야 할 이유는 없어요. 더는 아무도 다치게 하고 싶지 않아요, 정말로요."

"바보야! 네가 내 이유야! 너라고! 넌 남잔데 촌스럽고 약해빠졌고 나약해! 내 말 한마디에도 상처받고 미워하는데 눈물이라도 보이면 다시 쉽게 용서하잖아! 난…. 내가 뭐라 해야 할지 모르겠어, 그래도 널 구하게 해줘, 그리고… 너한테도 직접 꽃을 줄 수 있게 해줘!"

목소리가 흔들리고 울먹임이 끓고 그린을 안은 팔의 힘이 풀렸다. 나도 결별하기 직전인 미련 많은 퀸카처럼 굴고 싶지 않고 그렇게 보이고 싶지도 않지만… 난 너무 감정적이고 충동적이었다! 마치 매이브한테 생떼를 부릴 때처럼 말이다! 이런 구제 불능 같으니라고!

"리키?" 그린이 나지막이 말했다. "일단 떨어져봐요. 이래라저래라 안 할게요. 아무것도 강요하지 않을게요. 약속해요."

난 그린이 내게 '그건 당신 사정이고, 당장 나가요!'라고 말하지 않기를 바라며 거리를 벌렸다.

"당신이 위험해질지도 몰라요. 날 미래로 데려가려고 애쓰지

277

않아도 돼요. 난 과거잖아요."

"네가 돌아온다 해도 미래는 변하지 않아! 세계가 멸망하거나 히틀러가 부활해서 독재 정치를 펼치는 것도 아니니까! 넌 돌아와도 돼. 너도 미래를 걷는 사람 중 하나가 돼도 괜찮아!"

내 감정이 고조돼서 바보 같은 눈물이 삐져나오려고 할 때쯤 힐즈가 뒤에서 꼽사리를 꼈다.

"그쪽이 왜 여깄어요?"

"그럼 당신은 왜 여깄는데요?"

힐즈는 의자 위에 놓인 테이프를 가리켰다. "난 감독이고 테이프가 더 있으니까요!"

"그걸 다시 틀었다는 말이에요?"

"그러면 안 돼요?" 힐즈는 잠시 말을 멈추더니 한참을 있다가 말했다. "내가 시작한 일 끝내라면서요. 할일을 하기로 한 것뿐이에요. 그러는 그쪽은요?"

"나도 이 테이프로…." 난 내가 주워들었던 테이프를 그에게 내보였다.

"그걸 왜 틀었어요? 그 나이에 죽고 싶어진 겁니까?"

"그린 엄마 무덤이 어딘지 몰라서 튼 거예요!" 사실 몰라서 튼 거지만. "힐즈… 당신이 테이프를 내놓은 건 1982년인데 왜 실종된 건 1983년이죠? 1983년에 무슨 일이 있었어요?"

"솔직히 말하죠. 난 테이프가 만들어진 줄도 몰랐어요." 힐즈는 노트를 들고 있던 팔을 내렸다. "사람이 죽었는데 영화를 더 만들고 싶었겠어요? 그쪽 같으면 누가 죽는 장면이 담긴 걸 테이프로 내고 싶을 것 같아요? 내가 말해주죠. 절대 안 해요.

이 테이프는 내 어시스턴트가 고집을 부려서 나온 거라고요. 감독이라고 그런 자잘한 작업까지 맡는 건 아니에요."

"내가 알기론 모든 일에 관여하는걸요?"

"조용히 하세요. 아무튼 난 연출 같은 세부 작업에만 손댔어요. 우린 유명한 영화사에서 할리우드 데뷔의 꿈을 꾼 것도 아니었고 제작비도 전부 사비였거든요."

"그러니까 이런 테이프가 몇 개는 더 있다?"

"내 것까지 두 개밖에 안 돼요."

"우리가 이런 일을 당하는 이유는?"

"이봐요, 난 더 설명하기 싫어요. 빨리 노트에 적힌대로 해서 나가고 싶다고요."

"왜 그래요, 원래 이때쯤에 상황 설명을 다 한다고요. 부탁이에요."

힐즈도 영화광이니 그걸 모를 리는 없었다. 힐즈는 날 못마땅하게 바라보더니 입을 열었다.

"알았어요. 알버트 힐즈라고 아나 모르겠네요. 가족이라곤 하지만 이상한 사람 같아서 정이 있는 것 같진 않아요. 원래부터 가족들이랑 다같이 나한테 거기서 영화 찍는 거 하지 말라고만 했고요. 아, 페이턴이라는 성이 종종 들렸던 것 같긴 해요. 아무튼 영화에서 나왔을 때 가족들에게 돌아가지 않고 에버렛 집에 얹혀서 살았는데… 그 뒤로 나쁜 짓 한 건 없고요."

"이유가 안 나왔잖아요!"

"나도 모르니까요! 뭐라도 설명하라는 것처럼 말하니까 그냥 한 거예요."

"미안해요. 저기, 알버트 힐즈가 쓴 편지에는 캐서린 페이턴 이란 이름이 쓰여 있었어요. 지하실에서 봤던 그 이름이에요. 그리고 우리 엄마가 썼던 십자가 목걸이는 그 이름 앞에 떨어져 있었던 십자가랑 모양이 판박이고요!"

"근데요?" 힐즈는 역시 아무것도 모르겠다는 듯 어조를 튀었다. 그린 역시 마찬가지의 느낌으로 눈을 크게 떴다.

"우리 조상, 우리 엄마, 이 수녀원, 왠진 모르겠지만 내 주머니에 있는 '악마를 죽일 수 있을 것 같은 칼', 그리고 당신 가족이 이상하게 연결되어 있는 게 분명해요."

"확신할 수 있어요?" 그린이 고개를 기웃거리며 물었다.

"70퍼센트 정도로요. 클린턴 패스의 노트에는 뭐가 쓰여있죠?"

"정확히 당신이 말했던 추측성 발언들이 쓰여있어요."

놀랍군. 난 힐즈에게 노트를 내어줄 것을 강력하게 요구했다. 그가 머뭇거리다 내게 낡은 가죽 노트를 내밀었다. 그걸 잽싸게 잡아챈 건 그를 못 믿어서만은 아니었다. 아마 급한 내 성격 때문이리라. 난 천천히 노트를 펼쳐 내용을 훑었다.

세인트 트라피스트 수녀원의 수녀들은 철심이 박힌 십자가 목걸이를 소지하고 다닌 것 같아. 자, 집중해! 신기한 건 지하실에 있었던 그 십자가에도 철심이 박혀있었다는 거야. 캐서린 은 여자 이름이지? 그리고 굳이 이 십자가가 떨어져 있었다? 짠! 퍼즐이 맞춰졌어. 아마 캐서린은 트어쩌구 수녀원의 일원이 었을 거야(추측이지만).

워. 만나본 적도 없는 내 조상이 이 낡아빠진 곳의 수녀였다니. 하긴 그땐 건재한 건물이었겠지. 난 더 도움이 될만한 정보를 찾아 페이지를 휙휙 넘겼다. 클린턴이 노트를 너무 이상하게 쓰는 바람에 어떤 페이지는 휑 비어있고 어떤 페이지는 빽빽했다.

내가 미쳐가고 있는 거면 어떡하지?

솔직히 그건 내 알 바 아니었다. 휙.

좀비 죽이는 법
1. 창고에서 물을 뜬다(성수인가?).
2. 썩은 시체를 향해 뿌린다.
3. 뭔가 찝찝하면 십자가로 찔러라.

클린턴은 좀비처럼 보이는 인파에게 물을 뿌리라고… 얘기하고 있었다. 얼핏 보면 한 문장에 같이 있을 수 있는 단어인가 싶지만 무경험자인 내가 이게 뭐냐고 토를 달 수는 없는 노릇이다. 클린턴은 이틀 동안 어디에 있었고, 어쩌다가 이런 사실들을 알게 된 걸까? 창고라면 지금 뒤쪽에 있는 곳을 말하는 건가?

"성수? 장난해요? 클린턴이란 사람도 제정신 아니었군요."

그러자 그린이 급하게 말을 꺼냈다. "그냥 붙인 말이니까 실제로는 염산 같은 걸지도 몰라요. 그리고 클린턴은 안 미쳤어요!"

"네에. 알았어요." 난 페이지를 더 넘겼다. 휙휙.

삼단논법.
이건 슬래서 영화 속이다.
살인마가 죽으면 영화를 이어나갈 수 없다.
그러므로 살인마를 죽이면 나갈 수 있다!

클린턴은 당연한 소리를 적어놓고 있었다. 그러니까 살인마를 죽여야만 이 굴레를 끝낼 수 있다는 것 아닌가? 그럼 처음부터 살인마를 죽이면 되는 간단한 일이 아닌가? 하지만, 그렇다면… 그렇게 간단한 일이라면 우리 셋이 영화 속에 들어온 이유는 뭘까? 이 망할 영화가 우릴 끌어들인 결정적인 이유는 뭘까?

"살인마를 죽이고 테이프를 깨트리면 나갈 수 있다는 말이네요." 난 엄지로 턱을 의미없이 매만졌다. "그럼 왜 처음부터 그렇게 안 했어요?"

"그쪽은 바퀴벌레 두 마리와 한 방에 갇혔는데 나갈 수 있는 문이 생기면 두 마리를 잡고 나가겠어요, 그냥 나가겠어요?"

힐즈가 묻자, 난 단박에 그들의 심정을 이해할 수 있었다. 생명을 죽음의 문턱에 놓은 사람은 판단력이 흐려지기 마련이었다. 게다가 그들은 문이 마법처럼 생겨난 게 아니라, 수많은 역경과 시련을 헤쳐나가며 찾아야 했다. 테이프를 말이다. 안타깝게도 난 바퀴벌레를 먹을 수 있는 사람이 아니기에, 내 입장에서도 그들처럼 했을 것이라고 자부한다.

"이제 이 굴레를 끝내버립시다. 그 대걸레 살인마를 찢어버리면 더는 테이프가 돌아오지 않는다는 거죠?"

"추측일 뿐이지만, 그래요." 그린이 말했다. 힐스도 고개를 끄덕였다.

"저기, 이상한 부두술 같은 건 없는 거예요?" 난 한 번 더 물었다.

"그런 건 없어요. 아마도요." 그랬던 힐스가 갑자기 덧붙였다. "아, 캐서린 페이턴은… 수녀였을 거예요. 이 수녀원의."

"저도 알아요. 클린턴이 친절하게도 다 써줬더군요."

"아니, 그거 말고도…." 힐스가 말을 이었다. "그 사람이 수녀원에 악령 같은 걸 가뒀다는 걸 들었어요. 가족들이 내게 여기서 영화 찍지 말라고 뜯어말리는 이유였죠. 나쁜 일이 생길 거라고 했는데… 원래 그런 거 안 믿는 사람도 있는 거잖아요. 우리 가족은 점괘 따위를 좋아했는데 그거 꽤 소름 끼치는 거 알아요?"

"어쨌든 다 당신 때문이라는 거 아니에요? 참."

"이봐요! 난 아무것도 몰랐어요! 아니, 그건 아니지만 말도 안 된다고 생각해서… 아무튼 난 아무것도 몰랐다고요!"

"알았어요, 진정해요."

난 별안간 발광하는 힐스를 타일렀다. 힐스의 흥분은 쉽게 가시지 않았다.

"난 어머니도 아버지도 안 좋아해요. 물론 형이나 동생도 안 좋아하고요. 옛날 사람 같다고 해야 하나, 좀 틀에 박힌 사람들 같아요. 마음에 안 드는 이웃이 있으면 저주 인형 같은 얘기를 하면서 음침하게 이상한 짓을 하고요. 다들 가족이 죽으면 슬플 거라고 하지만, 사실 난 아버지가 죽으면 슬퍼하진 않을 거예요. 난 거의 가족 사이에서 없는 사람이에요. 뉴스에 그 편지 떴을 때도… 날 추켜세우는 게 기쁘진 않았어요."

"'가문의 자랑 어거스트 힐즈'라는 대목 말이죠?"

"말도 말아요. 듣기도 싫어요."

난 힐즈를 조금 놀리고 싶어졌지만 참기로 했다. "왜 그린이 노란색 버스를 타고 오는 곳에서 깨어나지 않은 걸까요? 이 수녀원은 제법 오싹한데요."

"그건 랜덤일 걸요. 저도 처음엔 여관 바로 앞에서 자고 있었어요." 그린이 말했다.

"그래도 잘 된 거예요. 영화에선 여기서 최종 결투를 치루거든요." 힐즈가 말했다. "여기라면 영화를 끝낼 지점이 될 수 있을지 몰라요."

여기서 그린이 '내가 죽은 곳이기도 하지, 이 망할 놈아'라고 한다면 분위기를 깨트리기에 적합하겠지만, 그린은 그런 말을 일절 꺼내지 않았다. 오직 일어나선 안 될 일의 연속을 끊는 데에만 집중하고 있었다.

솔직히 말해, 클린턴의 노트에선 그린을 살릴 수 있는 방법이 적혀있지 않았고, 우리도 그린을 살려낼 방법은 아직 모르고 있었다. 그러니 이대로 간다면 그린은 영화가 끝남과 동시에 필연적으로 죽게 될 것이다.

"그린, 괜찮겠어?"

"제가 중요한 게 아니에요, 리키!"

그린은 갑자기 호탕하게 웃었다. 용납할 수 없었다.

"클린턴은 제가 살길 바라서 모든 일을 끝내지 못한 거겠지만… 이런 제 선택도 이해해 줄 거예요. 물론 리키 당신도요. 이해…해줬으면 해요. 난 괜찮아요."

첫 번째 일은 1983년에 시작됐다. 그리고 23년이 지난 지금… 클린턴은 아무것도 찾지 못했고 돌아오지 못했다. 난 우연히 테이프를 다시 틀어서 빠르게 돌아올 수 있었던 것뿐이고, 테이프를 빠져나가면 영화에 대해 무엇도 기억하지 못한다는 걸 난 알고 있었다.

"난…." 입 안의 침이 빠르게 말라갔다. 못 들은 체하고 뛰쳐나가고 싶었다. "이해해."

난 수녀원 입구 바깥을 잠시 내다보았다. 내리쬐는 눈부신 땡볕 너머로 수풀이 바람에 나풀거리고 있었다. 영화 속의 풍경은 너무나 아름답게 과장됐다.

"좋아요. 이제 어디로 가면 돼요?" 일부러 큰 소리로 외쳐 힘을 불어넣었다. 난 긴장될 때 무엇이든 크게 말하면 자신감이 생긴다.

"아이러니하게도… 우리가 살인마를 쫓아다닐 차례인 것 같아요. 그것 뿐만이 아니라 구체적인 계획도 아마 필요할 거예요. 세상에, 난 계획을 만드는 게 너무 싫어요." 힐즈가 말했다. "하지만 방심하면 안 돼요. 좀비 떼가 돌아다니니까요. 젠장, 난 좀비 영화를 만든 적이 없는데!"

"그것도 부두술이랑 관련 있을 거라니까요!" 난 마구 우겼다. "클린턴이 말한 염산은 어디 있죠? 철심이 박힌 십자가는요?

그게 있어야 될 것 같아요!"

"뒤쪽 창고에 처박힌 오크 통에 염산이 있어요." 그린은 재빨리 뒤쪽을 가리켰다. 그리고는 양쪽으로 뚫린 복도를 향해 팔을 내저었다. "그 이상한 십자가 목걸이라면 각 방에 하나씩 걸려있고요."

"나무로 만든 통에 염산이…? 염산 맞아요?"

"저도 잘은 모르지만 좀비들이 녹는다…는 걸 보면 사람한테 위험한 건 확실해요. 직접 닿아봤자 좋은 거 없을 거예요." 그린이 말했다.

"다 좋은데 그 위험한 걸 대체 무슨 수로 떠가죠?"

"창고 선반에 작은 유리병이 놓여있어요. 통에 붙은 종이에 적힌 것과 같은 단어가 쓰여있으니까 똑같은 게 분명해요." 힐즈가 해결책을 제시했다.

"그래요, 근데 그건 어떻게 다 들고 갈 건데요?"

"공동 생활 장소에 뭐가 있으면 좋은지 알아요?" 힐즈가 말했다. "자원을 많이 옮기려면 보따리가 필요하죠."

우린 힐즈가 제시한 방법을 따라 위험한 물질이 담긴 유리병을 보따리에 한움큼 넣고 수녀원을 나왔다. 로비에서 볼 땐 몰랐는데 밖에서 보니 상당히 큰 건물이었다. 신이시여, 내가 이곳에서 살았다면 성의 주인이 된 기분을 느끼며 매일 꼭대기에 올라가 종을 치고 소리를 질러댔을 텐데. 주변엔 아무도 살지 않으니 더욱이 그랬겠지. 구불길로 이어져있는 대장을 역류하는

'인생의 한탄' 덩어리가 쓸개와 콩팥과 간과 위를 한 대씩 치고 빠져나올 수 있게 아주 큰 소리를 내질러줬을 것이다. 그랬다면 뭐든지 참아야 해결되는 지금보다는 더 마음 편한 삶을 누릴 수 있었을 것이다. 하지만 인생은 드라마도, 영화도, 연극도 아니다. 물론 <빨간 머리 앤>도 아니었다. 우울하게도 인생은 스티븐 킹의 장편 소설 초중반부와 같았다. 아침마다 구운 계란을 먹고 우유를 마시고 화장실 가는 게 지겨워져서 그저 소파에 누워만 있으면 지난 과거의 향수와 불확실한 미래가 그레이비 소스처럼 내 위에 흘러내린다. 그걸 핥아먹고자 하면 혀는 반사적으로 거부 반응을 보인다. 그건 물에 씻어야만 없어진다.

물론 누워있지 않을 때도 달고 시큼한 그레이비 소스는 흘러내렸다. 칼질을 하거나 마음의 평화를 얻기 위한 뜨개질 모임에서 뜨개질을 할 때나 감기에 걸려서 딱히 좋아하지도 않는 치킨 누들 수프를 조리할 때 말이다. 국수는 원래 밀가루로 만든 거지만 내가 데운 치킨 누들 수프는 유독 밀가루를 씹는다는 느낌이 강했다. 내가 감기를 싫어하는 이유는 질질 흐르는 콧물도, 30초마다 나오는 재채기도 아닌 그 치킨 누들 수프에 있었다. 하지만 지금은 그 수프라도 위장에 채워넣고 싶다는 게 믿기지 않는다.

'내가 여기서 뭘 하는 거지? 여기 어울리지도 않는데.'

문득 떠오른 노랫말에 서둘러 다음 가사도 붙였다.

'아파도 상관없어. 통제력을 갖고 싶어.*'

---

* 라디오헤드의 발매곡인 <Creep>의 가사

현실에서도 그랬지만 여긴 더욱 내가 가질 수 없는 것들 투성이었다. 화를 내도 다음 단계로 넘어가지 않았고, 포기한다 한들 아무것도 끝나지 않았고, 상황을 통제하려 할 수록 일은 더 꼬였다. 현실에서의 바느질이 아무리 끊기고 엉키더라도 결과물이 있는 반면에, 여기선 최소한의 결과물조차 없었다. 그냥… 꼬인 채로 바느질이 계속되고 있었다. 옳지 않다. 어느 하나 옳은 것이 없었다. 아니면 이게 옳은 걸지도 모른다.

우린 어딘가로 갈 필요가 없었다. 그저 수녀원 앞에서 밤이 되기만을 기다리며 살인마가 본격적으로 등장하기 시작하는 부분의 대본을 따라하기만 하면 됐다. 좀비 비스무리한 걸로 추정되는 걸 마주치면 이 위험한 물질을 면상에 뿌려주면 됐다. 확실하지 않다면 이상한 십자가로 찔러주기도 하고. 우린 밟으면 무너질 것 같은 수녀원 앞에서 장작에 불을 붙이고 앉아 서로 시시한 이야기를 공유해야 했다. 이건 전혀 재밌지 않지만, 최종장은 가까운 곳에 있었다. 풀벌레가 팍르르 떨며 울부짖을 때마다 우린 목소리를 낮췄다. 긴장감은 시시각각 우리를 둘러쌌다.

"살인마한테 쫓기고 있는데 뜬금없이 캠프파이어라니 이게 맞아요? 미친 거 아니에요?"

내가 물었다. 어느 저예산 양산형 영화에 뭘 기대할 수 있겠냐만은, 확실한 건 필요없는 장면이었을 거란 사실이다. 힐즈는 여전히 다 내려가는 해 밑에서 나무 막대를 나무 껍질에 비벼대고 있었다. 연기가 기지개를 켜며 위로 솟아오르기만 할뿐, 별다른 효과는 나타나지 않았다. 아직 장작에 불을 지피는 것조차 성공하지 못한 것들이 어떻게 살인마를 잡겠다는 건지. 난 이마에 맺힌 땀을 닦을 겨를도 없는 힐즈를 쏘아보며 클린턴의 노트를 만지작거렸다. 가죽은 두툼하고 맨들맨들했다.

"낸시가 나타나는 장면은 총 다섯 개가 있는데 하나는 포드가 죽을 때고, 하나는 제이크가 히치하이커를 태워서 차가 위협받을 때고, 하나는 제키가 다시 마약을 시도하려 할 때고, 하나는 콜린이 화장실에 갔을 때, 하나는 에밋과 필립이 마지막임을 직감하고 감성적인 대화를 나누는 장면이에요."

힐즈는 기어코 막대기를 내려놓고 숨을 돌렸다. 낸시가 살인마의 정확한 이름인가 보군. 타는 냄새가 나긴 했지만 여전히 아무것도 발생하지 않았다.

"뭐, 삭제될 장면이었지만요. 근데 우리들 중 누굴 죽이거나, 차를 몰아서 히치하이커를 찾거나, 마약을 하거나 화장실에 갈 수는 없으니… 이 방법밖에 없어요. 빨리 조짐을 만듭시다."

"잠깐, 수녀원에 화장실도 없어요? 공동 생활하는 곳인데?"

"있는데 콜린은 혼자 가서 죽은 거예요. 둘이 가봤자 살인마는 안 나올 테고, 혼자 가면 죽을 게 뻔하니까…."

흠. 이상하다. 누구도 지하실에서 죽지 않았고 좀비에 의해 죽는다는 말도 없다. 지하실이란 애초에 영화에 등장하지 않는 공간이었다. 그럼 브리짓과 제키는 왜….

"이상하네요. 제이크는 이번에 히치하이커를 안 태운 것 같아요…." 그린이 말했다. "어기 씨, 시나리오에 지하실이 있었어요?"

"없어. 난 여관 밑에 그런 곳이 있는 줄도 몰랐다. 우리가 빌리고 찍은 건 엄청 커다란 통나무 여관 뿐이야." 힐즈는 다시 막대기를 잡았다. "대걸레는 항상 숲 속에 있었어. 우리가 모르는 곳에 있었지. 그 험악하게 생긴 것들은 원래 다음날 아침에 묵게 되는 불법 체류자 역인데 왜 거기 있었나 몰라. 게다가 말도 안 하고 공격하기까지 하잖아. 여긴 경기장이 아니라고."

"처음 왔을 땐 어땠어요?" 내가 물었다.

"멀쩡했죠. 살인마가 돌아다닌다는 것만 빼면. 지금보단 더 무서웠고 불안했지만 훨씬 순조로웠어요. 예상대로 흘러갔으니까요."

힐즈는 안간 힘을 써서 마찰력을 키웠다. 슥슥하는 소리가 갈수록 세지고 있었다. 힐즈의 체력은 그린보다 나았지만 그렇다고 뛰어난 건 아닌 듯했다. 심지어 나보다도 못해보였다. 어느 누가 80년대 공포 영화에 들어올 걸 대비해서 체력을 키워 두겠는가. 당연한 일이었다. 하지만 힐즈가 일을 하는 속도는 답답할 만했다.

"저기, 내 예감은 틀리는 법이 없거든요? 분명 부두술이랑 관련 있을 거예요."

내가 말했다. 보통은 미신을 믿지 않지만 이런 말도 안 되는 초현실적인 일들이 일어나는 와중에 고대 주문이나 유물의 힘 같은 게 아예 없다고 생각할 수가 없게 되었다. 반면에 힐즈는 그런 걸 전혀 안 믿는 것 같지만.

"자꾸 이상한 소리하지 마세요."

"내 말보다 우리가 영화 속에 있는 게 더 이상하거든요?"

난 가만히 앉아서 머리를 긁적이는 그린을 보다 말고 힐즈가 열심히 불을 지피기 위해 애쓰는 걸 구경했다. 그 뒤로 2분 정도가 지났을까, '촤아'하는 소리가 나더니 밑에서 밝은 빛이 피어올랐다. 물론 따뜻한 열기도 함께!

"됐다! 됐어!" 힐즈가 외쳤다.

"조용히 해요! 좋아할 만한 일 아니잖아요!" 그린이 힐즈의 입을 막았다.

"와! 정말… 이건… 그럼 이제…." 올 것이 왔다는 생각에 말이 똑바로 나오지 않았다. 좋아해야 될지 슬퍼해야 될지 알 수 없었다. "이제 얘기해야겠네요."

"아주 간단한 일이에요." 힐즈는 드디어 이마에 맺힌 땀을 닦고 앉았다. "젠장, 왜 여름에 캠프파이어를 해야 하는 겁니까?"

난 흙을 한주먹 잡아서 힐즈에게 던졌다! "당신이 짠 각본이잖아요!"

"그렇다고 왜 흙을 던져요?" 힐즈는 얼굴을 일그러트렸다.

"됐어요… 다들 앉아요. 아, 이미 앉았네." 그린은 태연하게 자세를 고쳐 똑바로 앉고는 고개를 들었다. "기분 이상하네요. 뭔 얘길 할까요?"

"어…." 난 잠깐 고민했다. "내가… 어릴 적 얘길 해줄게."

그린이 날 쳐다볼 때 힐즈는 턱을 괴고 딴청을 피우기 시작했지만, 이야기를 시작하고 끝내는 건 어렵지 않다는 걸 알고 있었다.

"난 비클리브리지에서 태어나서 자랐고… 음… 우리 할머니의 엄마였던 캐서린 페이턴이 68년 전에 벌였던 일 때문에 항상 완전 밥맛이었어. 내가 한 일도 아닌데! 믿겨져? 그리곤 세 달 전에 내가 공포 영화 DVD를 빌리는 걸 봤다고 누가 소문을 내서 다들 소설을 지어내기 시작했지. 그 얘긴 안 할래."

"왜 그랬는지는 안대요?" 힐즈가 물었다.

"뭐… 미쳐서 그랬다나. 뻔하죠. 할머니가 그러는데 평소엔 안 그랬대요. 자상한 어머니였다고…." 난 손목에 끼워뒀던 보풀이 일어나고 늘어난 고무줄을 튕겼다. "왜 난 고작 4살 때 할머니가 했던 말을 다 기억하는 거죠? 나쁜 일이 일어날 거라고 했는데… 종종… 하지만 낙담해선 안 된다고…."

"그쪽도요? 우리 가족은 '나쁜 일'을 항상 입에 달고 살았어요. 짜증나지만… 낙담하지 말란 말은 안 했고요."

힐즈는 주위의 나뭇잎을 주워 타오르는 장작 속에 떨어트렸다. 선선한 바람에 나뭇잎이 좌우로 흔들리다 뜨거운 불길에 잡혀 들어갔다.

"전 딱히 할 말이 없어서…." 그린이 고개를 숙였다. "사실 우리 엄마 무덤에 꽃 안 놓아도 상관없어요."

"뭐?"

"사실 그것보다 중요한 게 많아요… 우리 엄마가 보고 싶진 않다고 말해도 될까요? 그러니까… 전… 말하자면 그냥… 훌륭한 배우가 되고 싶었죠. 그게 안 되면 마트 일이라도 소소하게 하면서 살고… 아무튼 그래서 감독님이 좋았는데… 처음으로 절 배우라고 불러주셔서…."

"아아아…." 난 살짝 괴로워졌다.

"낯간지럽다. 그만 얘기해." 힐즈가 끼어들었다.

"낯간지러운 게 문제예요? 힐즈 씨는 지금… 한 사람을… 그러니까 한 사람의 인생을…."

난 이 이상 아무 말도 하지 않았다. 서로 간의 불화는 협력 관계를 무색하게 만들 뿐이었다. 여기 와서는 감정을 다루는 법을 더 잘 알게 된 것 같다. 하지만 가끔은 화를 터트려야 할 때도 있을 것이다. 예를 들면 힐즈가 같은 실수를 반복하려 할 때 말이다. 그럴 일이 있다면.

"미안."

모닥불이 타오르는 와중에 힐즈가 말했다.

"원래 이러려던 게 아니었어. 테이프가 만들어질 줄 몰랐고… 애초에 그런 식으로 행동한 것부터가 잘못이지만… 널 죽인 바람에 이 사단이 난 거라면 난 그냥…"

"닥쳐요." 난 그의 말을 끊고서 철없게 웃었다.

"그러려고 한 것도 아니고 다 이해해요, 네." 그린이 쌀쌀맞게 웃었다. "솔직히 저도 실감 안 나요. 이렇게 살아서 움직이고 있잖아요. 누가 이걸 보고 '쟤 죽었네' 생각하겠어요?"

난 갑자기 미친 척 과장해서 웃음을 터트렸다. 푸하하!

아무도 반응하지 않았다.

"미안해요. 올빼미 같은 눈으로 쳐다보지 마세요."

정말 날 쳐다보는 두 사람의 눈이 노랗게 빛나는 듯했다. 저런 눈이 숲속에 수십 개 있다면 누구라도 제발을 저릴 것이다. 난 그냥 상황을 더 낫게 만들고 싶었다. 난 내가 견디지 못하는 분위기에 농담을 치거나 웃으려는 경향이 있다.

"괜찮아요, 나도 그러는 걸요…" 그린이 말…

하는 줄 알았지? 평화롭게 노닥거리는 장면은 지나간 지 오래다!

우린 숲에서 쏜살같이 달려나온 제키를 보았다.

"워." 힐즈의 눈이 제키를 좇는다.

우리가 아는 제키 밀러는 만사에 불안감을 가진 구제불능 마약중독자였다. 누군들 안 그러겠냐만은, 친구를 구할 자신도 없고 돌발 상황을 헤쳐갈 용기도 없는 겁쟁이. 원래대로라면 제키는 시나리오 상 벌써 송장이 되어 사슴에게 뜯어 먹히고도 남았다. 하지만 제키는 이렇게 살아서 생존을 위해 달리고 있었다. 파이널 걸인 에밋의 자리를 대신하고 있었다. 지금은 살인마에게 속수무책으로 쫓기고 있지만… 결국 제키는 해낼지도 모른다. 빌어먹을 대걸레가 든 도끼를 뺏어들고 머리를 분리시켜 버릴지도 모른다. 그럼 영화는 끝난다. 그런 희망이 들었다. 클라이맥스까지, 얼마 남지 않았다!

그때, 제키가 돌아보더니 '필립'에게 말을 건넨다.

"필립?" 그녀의 숨이 벅차다. "여기서… 혼자 뭐 해? 지금 캠프파이어 하는 거야?"

그린은 그녀의 물음에 몸이 거의 굳어 고개를 삐걱거렸다. 그린은 이곳에선 캐릭터에 불과했다. 시나리오가 어떻게 바뀌든 그는 언제나 그 틈에 휩쓸릴 수 있었다. 행동거지, 말본새 하나하나 무엇도 허투루 해서는 안 됐다.

"나…." 그린이 필립으로서 말한다. "브리짓이랑 여기서 만나기로 했는데…"

그러자 제키는 말이 끝나기도 전에 그린에게 다가오더니, 그의 어깨를 강하게 잡고 마주보며 말한다.

"잘 들어, 필립. 브리짓은 죽었어. 무슨 이상한 종교 집단 같은 거에 끌려가서 죽었다고. 브리짓은 여기 오지 않아!"

이미 아주 전부터 알고 있던 사실이지만 그린은 필사적으로 모른 척해야 했다. 힐스와 나는 혹시나 그린의 주의가 흐트러져서 이상한 말을 끄집어낼까 봐 입을 다물었다.

"그것들이 오고 있어. 넌 여기 있으면 안 돼, 가자!"

제키는 몸도 목소리도 떨리는 와중에 자신의 최선을 다해 크게 말했다. 그린을 굳이 끌고가지 않은 제키의 발걸음은 무겁지만 프로 선수 뺨치는 속력이었다. 지치고 무거운 몸이 길을 모르고 아무렇게나 뛰어다니는 걸 보자니 내 처지와 비슷한 것 같다. 우린 투기장에 내던져진 고양이 꼴이었다. 곳곳에 가시덩쿨과 덩치 큰 폭력배들이 정도를 모르고 도사리고 있다.

"자, 가요. 안에서 문을 막아요!"

우린 제키를 따라 수녀원 안으로 다시 들어왔다. 건물에 통째로 성수를 뿌린 듯한 성스러움이 느껴진다. 이렇게 말해도 여러분은 무슨 일인지 알아듣지 못할 것이다. 그렇다면 아름다운 돌바닥 중앙에 놓인 섬세한 석상과 그 부근에 솟은 네 개의 기둥을 상상해 보라. 물론 세월이 흐름에 따라 먼지가 쌓여있다.

위층으로 향하는 계단이 로비 구석에 솟아있다. 제키는 계단을 빠르게 뛰어올라간다. 그 모습이 까만 동공에 제대로 포착되어 버려서 마음이 이끌리는 대로 움직이라고 말한다. 제키의 자취를 좇다 말고 뒤를 돌아보자, 문을 단단히 막고 창고로 내달리는 두 사람이 보인다. 아, 그렇지, 염산….

염병, 바깥에 냅두고 왔다. 그것도 불이 지펴진 장작 옆에! 난 재빨리 계단을 올라 건물 앞쪽에 있는 창문을 내다본다. 쳐다보기만 해도 불쾌한 모습의 인파가 앞뜰에 몰려들었다. 나가서 가져오기엔 한참이나 늦은 선택이다. 잠깐, 저 득실거리는 사람들 사이에 있는 건… 그 대걸레 녀석이다. 저게 인파를 몰고 온 걸까? 한 명이 문 앞으로 빠르게 달려와 문을 걷어찬다. 내가 보기엔 그냥 술 취한 폭력적 성향의 아저씨 같은데… 모든 사람이 마약을 하면 이렇게 된다 생각하니 끔찍한 사회의 모습이 연상됐다. 이어서 누군가 문을 거칠게 여닫는 소리가 들렸다. 제키가 적절한 방을 찾아 숨어버린 것 같다. 심장이 펄떡펄떡 뛴다. 머뭇거릴 때가 아니다.

혼란스럽다. 그렇지만 확실히 움직임과 사고방식이 예전과는 달리 유연해졌다. 벽을 따라 이어진 복도에는 양쪽마다 다섯 개의 방이 있다. 난 그 복도로 뛰어들어가 아무 방의 문이나 무작정 열어젖혔다. 그 짧은 순간 내 눈에 보인 것은 문 옆의 팻말, '캐서린 페이턴'이라고 적힌 팻말이었다.

공 던지듯 손잡이를 뒤로 밀고 놓자 문이 세게 닫힌다. "젠장."

각 방에는 철심이 박힌 십자가가 있다… 그린이 말했듯이 이곳도 그랬다. 벽에 십자가를 수납하는 꽂이가 있었다.

캐서린 페이턴의 방. 거의 70년 전에 죽은 조상의 방을 거닐어 본다는 건 미묘한 기분이었다. 이상하게도 여기 있으면 폐와 함께 밖으로 터져나오려는 심장이 무겁게 심호흡을 하는 느낌이었다. 전혀 가볍지 않은 한숨을 삼키고 더 무거운 공기를 채워넣는데도 불편하지 않고 의식이 멍해지는 느낌. 낡은 마룻

바닥 냄새를 맡고 있으면 더욱 그랬다. 평범하게 잠을 자고 늘 그렇듯이 아침을 먹고 친구들과 얘기하는 건 지겹도록 한 경험이지만 어쩐지 그 모든 것들을 이제는 놓쳐버린 것 같았다.

'노트?'

구성이 부실한 좁은 방 안에는 뻣뻣하게 누울 수 있는 침대 하나와, 뭔가 쓰거나 먹을 수 있는 책상 하나만이 있었다. 그 책상 위에는 누가 썼는지 모를 노트가 있다. 이 방의 주인이 누군지를 보면 대충 짐작은 간다.

'모든 일의 진실을 알게 되는 중요한 순간이야.'

우연히 발견한 어떤 물건으로부터 모르고 있었던 과거의 일 따위를 알게 되는 장면은 영화의 별미라고 할 수 있다. 난 망설이지 않고 책상 위의 노트를 집어들었다. 훑어보기만 하는 거야. 남의 일기를 한가하게 읽을 만큼 시간이 여유롭지도 않으니까.

노트를 펼쳐들자 가장 먼저 보인 첫 장에는….

주여 맹세합니다 절대 악몽에 굴복하지 않으리라고

…라고 적혀있다. 난 장을 더 넘겨본다.

잠을 자지 못했다. 밥을 먹지 못했다. 누구와도 얘기하지 못했다. 소통이 단절되었다. 내게 있는 거라곤 달빛이 눈부신 밤마다 말을 걸어오는 정체불명의 존재와 끔찍한 악몽 뿐이다.

저주한다. 찾아내서 저주할 것이다.

수녀원은 오늘부로 폐쇄된다. 모든 수녀들은 짐을 싸고 다른 수도원으로 떠난다. 난 해야할 일이 있다.

캐서린 페이턴은… 정확히 뭔지는 몰라도 무언가에 의해 씻어낼 수 없는 피해를 입은 것이 분명해 보였다. 그렇다면 그건 누굴까? 이 노트에 적혀있을까? 자신에게 상처를 준 인물이라면 개인적인 일들을 잉크로 쏟아낼 수 있는 일기에 만큼은 한 번쯤 언급했을 텐데. 난 장을 넘긴다. 휘리릭… 휘리릭….

쾅! 쾅! 쾅!

"아, 제발…."

꼭 중요한 순간에 중요하지 않은 인물이 훼방을 놓는 건 영화 제작자들 사이의 암묵적인 룰인가? 급한 마음에 노트를 더 빠르게 넘기며 시선을 옮겼지만 건진 건 아무것도 없었다. 난 노트를 땅바닥에 냅다 내던지고 주변을 살펴본다. 이 상황을 타파할 수 있을 만한 물건이 보이지 않는다. 무기도, 계획도, 기회도 뭣도 없다. 이 바보야, 그린을 따라갔으면 이럴 일 없었을 거 아냐. 창고엔 네가 그토록 찾는 염산도 있고 한 손에 쥐기도 버거운 무기가 있어.

'하지만 내 마음이 여기로 가라고 부추겼어! 그리고 계단을 올라서 여길 안 들어왔다면 캐서린의 귀중한 일기도 못 읽어봤을 거 아냐? 따지고 보면 수확이 있지.'

다 구질구질한 변명이었다. 캐서린이 무언가에 지독히 시달렸다는 대목만이 존재하고 뭐 하나 도움이 된 게 없었다. 난 재빨리 침대 밑에 팔을 넣고 양쪽으로 마구 휘저었다. 마구 휘저어서 뭐라도 건져내기를 바랐다.

거 봐, 뭐든지 간절히 바라면 이루어진다니까.

쫙 편 손바닥에 뭔가가 닿기에 바로 잡아채 끄집어냈다. 그건… 정말 날카롭고 커다란….

'못 박힌 방망이?'

그래 뭐, 나쁘지 않다. 내가 원하는 건 보기도 좋고 쓰기도 좋은 날카롭고 커다란 중식도였는데. 도축할 때 쓴 적은 없지만 집에서 요리할 때는 활용도 높고 모양도 예뻐서 자주 썼었지. 반면에 이런 무례하고 폭력적인 무기는 누구 잡아서 가둬놓고 팰 때나 쓸 법했다. 보기에도 그닥 예쁘지 않고 처리하기에 깔끔하지 않을 것 같은데. 바깥에 득실거리는 사람 하나만 쳐봐. 목에 깔끔한 직선 모양의 상처를 만들어 줄지, 못생긴 얼굴을 더 제대로 뭉개버릴지 궁금하지 않아?

'그래, 이거 하나는 확실하게 짚고 넘어가지, 전문가 양반. 우리가 집중해야 할 건 이 방망이가 어느 정도 두께의 고기까지 잘 패줄 수 있냐는 거야. 그러니까 그냥 냄새 나는 뇌주름 사이에 껴서 닥치고 있어. 혹시라도 얼굴 내밀 생각은 추호도 하지 말라고.'

난 방망이를 침대 위에 잠시 올려놓고, 바닥에 팽개쳤던 노트를 바지 주머니에 급히 쑤셔넣는다. 그러고는 다시 방망이를 들었다. 머리를 타격해서 쓰러트리는 작업에는 엄청난 힘이 들어가는데 혹시나 방망이가 부러지진 않을까? 아니, 아무리 나무로 만들었다지만 얼핏 만져봐도 단단하고 들고 있으면 무거워 죽겠는데 그럴 일이 있을까? 의식하지 않는 새 온몸을 타고 소름이 쭉 돈다. 이 무거운 걸로 어떻게 열 명이 넘는 수를 휘둘러 치라는….

돌아서 문을 열려던 순간, 무언가에 홀린 듯 벽에 걸린 나무 십자가에 눈이 꽂혔다. 그리곤 머릿속에 떠오른 이미지가 우연히 겹쳐 정확히 일치하는 광경을 지켜본다. 기억 속 사진에서 튀어나온 테두리와 코앞의 형상이 나를 뒤흔든다.

지하실에서 봤던 그 나무 십자가, 캐서린 페이턴의 방에 걸린 나무 십자가는, 지금은 사진으로만 남은 엄마가 생전에 걸고 계시던 목걸이와 똑같았다. 그건 캐서린의 유품이었구나.

난 눈을 꼭 감고, 방망이를 위로 쳐들고, 문을 걷어찼다. 쿵! 쿵!

'안 열리는군.'

난 그냥 평범하게 문을 열어젖힌다.

정신이 오락가락하는 인간이 한 명쯤은 복도나 계단, 하다못해 수녀원 로비를 거닐고 있을 줄 알았는데, 여전히 로비 입구가 덜컹거리고 있었다. 수많은 인파가 몰려들어서 문을 잡고 흔들고 걷어차고 격하게 두드리는데도 부서지지 않았단 건가! 그렇다면 좀비 영화에 나오는 건 다 가짜겠군. 아니면, 유난히 저 문이 튼튼하게 만들어졌거나!

난 빠르게 계단을 내려가 창고 문을 밀어 열었다.

"그린! 힐즈!"

"페이턴! 어디 갔나 했어요!" 그린이 선반에 놓인 것들을 둘러보는 와중 돌아보며 말했다.

난 차오르는 숨을 고르고 이마에서 흐르는 땀을 닦아낸 뒤, 창고 안에도 걸려있는 십자가를 가리켰다. "우리 엄마도 저걸 목에 걸고 있었어요. 하지만 별 상관없는 이야기인 것 같네요. 아무튼 문이 버텨줘서 다행인데… 이제 어떡하죠?"

"진정해요. 아, 여기 종이가…."

그린이 두 개의 오크통 사이에 껴있던 두루마리 한 장을 끄집어냈다. 뭔가 많은 내용이 쓰여져 있는 것 같은데 당장 내가 읽어볼 여유는 없었다. 난 힐즈를 바라보았다.

"힐즈 씨는 괜찮아요?"

"문제 없어요."

난 잠깐의 안도감에 방망이를 던져놓고 문 뒤에 주저앉았다. 곧 '저것들'과도 직접 마주해야할 것이다. 피 터지는 싸움이 될지, 피 터지는 사망선고가 될지 앞길을 알 수 없었다. 그때 비디오테이프를 다시 넣지 않았다면, 그렇게 화면에 눈을 두고 누워있지 않았다면, 현관문을 박차고 달려나갔더라면 지금쯤 난 매이브와 길거리 식당에서 점심식사를 하며 담소를 나누고 있었겠지. 난 스스로 일상으로 돌아갈 기회를 놓쳤다. 여기서 죽으면, 다시는 돌아갈 수 없을지 모른다.

'어떡해야 할지 알려줘… 누구든지.'

그렇게 생각해도, 그렇게 말한다 해도 우린 알 수 없었다. 살인마를 죽이면 다 끝난다는 간단한 공식. 하지만 그마저도 확실하지 않고, 그렇게 되면 그린은 홀로 여기 남는다. 살아서 내 하나뿐인 가족을 만날 수는 있어. 근데 어떻게 평범한 일상을 다시 향유할 건데? 이거 꽤 트라우마로 남을 거란 말이지. 맘

소사, 매이브의 도움이 간절했다. 나 혼자서는 아무것도 해낼 수 없었다. 통제력을 갖고 싶어. 상황을 내 마음대로 통제하고 싶어. 왜 생각대로 되지를 않는 거야! 이건 불공평해!

'너도 알잖아. 이게 공평한 거야.'

난 숨을 가파르게 내쉬다 머리채를 잡고 비틀었다. 깎지 않은 손톱이 얇은 두피를 마구 긁어댔다. 손에 잡히는 아무 물건이나 잡아서 내던지고 사람이든 인형이든 미친듯이 구타하고 싶었지만 그런다고 해결되는 건 없을 게 뻔했다. 그린이나 힐즈를 방망이로 때릴 순 없지 않은가? 난 여기서 속 썩이고 있을 게 아니라 당장 학교에 가야 했다. 내가 지금 뭘 하면 좋을지 가르쳐줄 엄한 선생님이 필요했다. 아니지, 너무 엄하면 무서우니까 역시 친절한 쪽이 좋겠다. 뭐가 됐든 내겐 선생님이 있어야 한다.

"페이턴? 괜찮아요?" 그린이 불쑥 물어왔다. 고개를 들자 착잡한 얼굴로 날 쏘아보는 힐즈도 보였다.

"안 괜찮아. 솔직히 말할게. 버틸 자신이 없어! 여기선 내 방식이 안 먹힌다고! 뭘 해도 다음 단계로 넘어가지질 않아…. 다 망했어."

난 무릎을 덮은 팔에 얼굴을 묻는다. 내가 푹푹 내쉬는 답답한 한숨 소리만이 소음으로 취급되는 시간 동안 셋 사이에는 침묵이 흘렀다.

"글쎄요…." 그린이 짧게 뜸을 들였다. "지금은 페이턴 방식이 통할 것 같은데요."

"짜증 나게 뭔 소리야?"

그린은 말 없이 웃으며 문을 가리켰다.

"그러니까 지금… 나한테…" 난 스스로 날 가리켰다. "저거 패러 나가라고?"

"꼭 그렇다는 건 아니지만… 저게 밖에 계속 있으면 다음 단계로 안 넘어갈 걸요."

그린이 말하자 힐즈가 뒤에서 고개를 끄덕였다.

"나갈 겁니까?" 힐즈가 쇠파이프를 들고 묻는다.

우린 지금 가장 중요한 대척점에 있었다. 수녀원 로비 입구 앞이었다. 몇 분 동안이나 하나, 둘, 셋을 세고 있는데 그 누구도 먼저 나서서 기합을 넣거나 문을 당기지 못했다. 문 뒤에서는 끊임없이 그들의 불친절한 노크 소리가 들려온다. 적절한 해결 방법이 당장 내게 있는데도 선뜻 실행시키질 못하고 있다. 영화를 보는 것과 직접 체험하는 건 결이 다르다.

"이번에는 둘에 열어요. 알았죠?"

내가 다짐을 시도하자, 둘은 주춤하며 고개를 끄덕인다.

"하나…."

난 방망이를 더 꼭 쥐었다.

"으…."

우리 사이엔 단 한 마디도 오가지 않았다.

"하나 반…."

"뭐 해요! 괜히 무섭게 하지 말고 열어요!" 힐즈가 역정을 냈다. 사실 여기서 가장 긴장하고 있는 사람은 누가 봐도 어거스트 힐즈였다. 얼굴은 새빨갛고 파이프를 쥔 손은 가까이 붙은 몸에서도 느껴질 정도로 심하게 떨리고 있었다.

"누가 안 한대요." 난 중얼거렸다. "둘!"

손잡이를 잡고 힘껏 당기자, 콘서트라도 열린 것처럼 쭉 서서 대기하고 있던 인파들이 순식간에 밀려들어오기 시작했다. 동시에 내 안의 두려움의 파도도 밀려들어왔다. 세 명이 일제히 젖먹던 힘까지 짜내서 비명을 질러댔다. 난 로비 구석으로 피신한다. 망했다. 망했다! 주변에 망한 게 너무 많아서 뭘 어떻게 해야될지 모르겠어! 망한 게 한 두 개가 아니야! 음식물쓰레기 봉투 안에서 발견된 씹다 만 삶은 토마토 같은 얼굴이 너무 많고 가성비 안 좋은 CD플레이어 음량이 커졌을 때 같은 내 머릿속이 환장의 사태를 주도한다!

"그린! 아, 어떡해요!"

난 의미없는 소리를 내며 내게로 다가오는 사람들을 주시했다. 그들의 몸은 좀비와 달리 부패하지 않았지만, 알 수 없는 악취가 났다. 두 명 정도가 내게로 멈추지 않고 다가왔다. 심장이 터질듯이 쿵쾅거렸다. 온몸의 신경을 곤두세우고 단 한 가지 변하지 않는 사실만을 되뇌었다. 난 죽지 않아. 죽지 않는다고, 죽지 않아!

난 비명 같은 기합을 내지르며 격하게 방망이를 휘둘렀다. 제대로 맞췄는지 얼굴이 맞았는지도 모르고 눈을 꼭 감은 채 그저 팔을 흔들기만 했다. 이게 영화였다면 관객들이 보기에 전혀 긴장감 없었을 것이다. 이거 코미디 영화냐고 주변에서 떠들어대고.

난 마침내 눈을 뜬다. 내 앞에 있던 두 명이 휘청거리며 입을 쩍 벌린 채 얼굴에서 피를 흘리고 있었다.

'영화를 더 재밌게 만드는 건 연출이지.'

맨홀에서 자신감이 역류하기 시작한 나는 이 기세로 직접 인파에게 다가갔다. 여럿과 눈이 마주치자 살짝 멈칫했지만, 그들이 내게 할 수 있는 거라곤 밀치고 화내고 이상한 소리를 내는 것뿐이라는 걸 깨달은 순간 내 자신감은 순식간에 하늘을 찌르기 시작한다.

이번엔 눈을 부릅뜨고 못이 촘촘히 박힌 나무 방망이를 힘차게 휘둘렀다. 머리를 가격당한 한 명이 뒤로 쓰러지자 주변에 있던 나머지 사람들이 도미노처럼 고꾸라졌다. 난 여자치고 절대 약한 편은 아니었다. 도축일을 하려면 이 정도의 힘은 기본으로 있어야 한다. 한 마디로 난 타고났는데도 노력까지 한 거다! 그들의 머리카락이 못에 걸리자 난 더 세게 방망이를 잡아당겼다. 예상한 결과지만 방망이가 깨끗이 빠져나오긴커녕 머리카락이 한 줌씩이나 뜯겨져 붙어버렸다. 부패한 시체가 아닌 게 어디야. 만약 그랬다면 머리카락 몇 가닥에서 그치지 않고 헐렁한 두피까지 뜯겨져 나왔겠지. 자세히 상상하니 그 징그러운 모습이 마치 현실이기라도 한 것처럼 어깨가 조금 움츠러들었다. 으. 더는 상상하지 말자. 그냥 넘겨도 되지만 못에 걸린 머리카락이 너무 거슬려서 잡아 떼버렸다. 이럴 시간에 2초가 날아갔지만 괜찮다. 한 놈 쓰러트리는 데는 1초 밖에 안 걸린다. 바닥에 쓰러져 간신히 숨만 쉬거나 일어나려 발버둥 치는 사람들의 머리를 향해 방망이를 내리쳤다. 살짝 그로테스크하지만 유명한 공포 영화에 나오는 클로즈업 장면처럼 얼굴이 뭉개지고 피가 튀었다. 얼굴이 함몰됐으니 코뼈가 부러진 건 확실하고… 잠깐, 나한테 튄 피 중에 콧물도 있을지 모른다 생각하니 좀 역겹다. 놈의 복부를 세차게 밟아버리자 입에서 커헉 하고 피가 튀어나온다. 옆에 누워서 몸부림 치던 나머지 놈들도 똑같이 면상을 함몰시켜버렸다. 순식간에 주변에 시체가 쌓여서 방망이를 아래로 휘두를 때마다 이젠 살점이 함께 튀었다. 퍽 치는 소리는 안 나고 철퍽거리는 소리가 더 잘 들릴 정도다. 몸에 붙는 크고 작은 하얀 살점들이 기어오르는 구더기처럼 보였다. 그 위를 밟고 비틀비틀 다가오는 한 놈의 머리를 옆에서 치자 보기 좋게 목이 꺾였다. 인간의 뼈가 생각보다 약하거나 내 힘이 예상외로 훨씬 센 걸 수도 있다. 난 안에서 차오르는 의외의 카타르시스를 즐기며 이빨과 손톱을 내보이는 이들을 처리해갔다.

"대체 이것들은 뭐야!" 인파에 파묻혀서 어디 있는지도 모르는 힐즈의 목소리가 크게 터졌다. "제기랄! 쇠파이프 값을 못하잖아!"

난 재빨리 나머지 사람들을 때려눕히고 활짝 열린 문을 살짝만 닫아놓았다. 이제 곤경에 처한 힐즈의 얼굴이 잘 보인다. 힐즈가 그의 앞에 있는 놈에게 파이프를 휘두르는 순간, 나도 반대쪽에서 방망이를 휘둘러 함께 타격했다. 방망이와 파이프 사이에 낀 머리에선 피가, 힐즈의 입에선 욕설이 흘러나왔다. 가볍게 빼내려고 했는데 몸이 흔들리는 걸 봐서 이놈 머리에 못이 단단히 박힌 것 같다.

"힐즈, 머리 좀 당겨줘요." 내가 정중히 요청한다.

힐즈는 얼굴을 찌푸리더니 고개를 뒤로 내뺀다. "윽, 이걸 만지라고요? 내 손에 피 묻히기 싫어요!"

"이 상황에서 손에 피 하나 안 묻힐 생각을 했다는 게 더 대단하네요." 난 힐즈의 바지에 대고 곁눈질했다. "돈 안 쓰려면 옷이나 잘 보세요!"

힐즈는 한숨을 푹푹 내쉬다가 결국 머리를 잡아 당겨주었다.

"이래야 스플래터 영화죠!"

문을 더 활짝 열고 쏟아져 들어오는 듯한 인파를 향해 방망이를 내두르려 할 때, 그린의 외마디 비명이 귀를 잡았다. 소리를 따라 시선을 돌리자 그린이 계단에서 굴러 떨어지고 있었다. 저렇게 되면 허리고 머리고 팔이든지 다리든지 성하지 않은 곳이 없다. 어떻게 아냐면 나도 알고 싶지 않았다. 꽤 오래전 일이다.

입구로 비집어 들어오려는 인파를 밀쳐내고 아예 문을 확 닫아버렸다. 계단 위에 뭐가 있는지 보지도 않은 채 그린을 부축하러 달려갔다.

"그린? 괜찮아? 무슨 일이야?"

"저기, 대걸레가….'

그린의 말에 급히 계단 위를 올려다보자, 주황색 점프수트를 입은 몸뚱이가 복도로 들어가는 게 보였다. 제키를 죽이러 가는 건가?

"대체 대걸레가 여길 어떻게 들어온 거야!" 내가 소리쳤다.

"원래 공포 영화에서 살인마는 어디든지 쫓아온다고요!" 힐즈가 '화답'했다. "애초에 낸시가 왜 수녀원에 있어야 하는지 모르겠어요!"

"우리가 저걸 불렀다는 건 알고 있죠? 설정이 뭐길래 그래요?" 내가 캐묻는다. 문은 여전히 쿵쿵거린다.

"특별한 거 없어요! 우드로우 여관은 원래 폐허였고 낸시 가족은 몰래 거주 중이었는데 하이드 앨러배스터의 사업과 관련해서 쫓겨났어요. 그것 때문에 여관 주인인 포드, 그리고 카일의 일행을 죽여서 복수하려는 거예요."

하이드 앨러배스터… 여관 로비의 클립보드에서 본 적 있는 이름이다! 카일은 뭔 상관인가 했더니 하이드와 카일이 부자 관계라서 그런가? 원래 슬래셔물의 살인마는 불합리하지.

"어쨌든 우리가 캠프파이어로 불러들였잖아요. 그리고 제키랑 그린이 아직 안 죽었고. 걔들도 카일 일행이에요. 전부 죽을 때까진 영화가 안 끝날 거예요." 난 웅크린 그린을 감싸며 말했다. "그게 싫으면 우리가 먼저 처리해야죠."

"난 못 견디겠어요!" 힐즈가 처음으로 눈물을 글썽거렸다.

"아, 제발 닥쳐요! 나도 견디는 걸 감독인 당신이 왜 못 견뎌요?"

난 온몸이 쑤시는 상태인 그린을 어찌어찌 일으키고 의자를 뛰어넘어가, 판자로 문을 틀어막았다. 힐즈에게 신뢰의 눈짓을 하고, 창고로 달려들어간다. 남은 염산 없나? 염산인지 아닌지도 모르지만 아무튼 그거 더 없나? 그린은 지금 활동하기 버거운 상태다. 힐즈와 나 단둘이 상황을 헤쳐나가려면 상당히 무리가 있어서 도구의 도움을 받아야 한다. 하지만 선반을 아무

리 둘러봐도 안전한 유리병 안에 든 염산은 없었다. 남은 거라
곤 오크통에 들어앉은 의심스러운 액체 뿐. 클린턴의 말이 사
실이라면… 몸에 닿으면 위험한 물질이 분명…

'창고에서 물을 뜬다.'

그게 위험한 물질이었다면 바가지든 병으로든 손이 가까이
닿는 방식을 쓰지 않았을 것이다. 게다가 클린턴이 이 액체가
우리에게 위험하다는 걸 알았다면 굳이 물을 뜨라고 쓰지도 않
았을 테고. 그렇다면, 혹시….

우리한테 위험한 게 아닌가?

난 수상한 액체가 일렁이는 오크통에 손가락을 살짝 집어넣는다.

아프다거나 괴롭지 않다.

"페이턴! 거기서 뭐 해요!" 힐즈가 내 이름을 불러댔다.

"이거 염산 아니예요! 세상에, 이거 뭐지? 대체…."

난 신기해서 오크통에 든 액체를 마구 휘저었다. 언뜻 보기
엔 평범하게 마시는 식수와 다를 것 없어보였다.

그때, 수면 위로 뜯어낸 모양의 작은 나무 판자가 떠올랐다.

"무슨…."

난 판자를 건져내 앞뒤를 돌려보았다. 앞면은 텅 비어있었는
데, 뒷면은 뭔가가 적혀있었다.

듀크 힐즈를 저주한다
힐즈 가를 저주한다
악마가 너희들의 죄를 청산하러 올 것이다

"이게 무슨 소리…."

말그대로 머릿속이 복잡했다. 듀크 힐즈는 누구야? 힐즈 가를 저주하는 이유가 뭔데? 그게 악마를 부르는 부두술까지 할 일인가?

의도치 않게 놀라운 정보를 연달아 알게 되는 그때, 창문이 와장창 깨지더니 대걸레 머리가 불쑥 모습을 드러낸다!

"뭐야!"

내가 외쳤지만 그건 날 쳐다보지도 않고 팔과 다리를 비집고 들어온다.

"페이턴? 페이턴! 무슨 일 있어요?"

힐즈의 고함도 들려왔지만, 그건 아랑곳하지 않고 도끼를 든 손을 뻗으며 창틀을 넘었다.

"이렇게 할 수 있는 건 프레디밖에 없는데!"

난 오크통에 두 손을 넣어 물을 뜬다. 살인마한테 통할지는 모르겠지만 방망이로 쥐패서 해결될 일이 아닌 것 같았다.

"페이턴! 뭐라 씨불이는 거예요!" 힐즈가 나를 애타게 찾는다.

"낸시가 여기 있어요!"

"젠장! 하지만 그건 아까…!"

"계단 위에 있었죠! 하지만 이건 전형적인 살인마의 소양 중 하나예요!"

살인마 낸시가 도끼로 위협하며 무섭게 다가오자 내 반항심과 불안감이 더욱 커졌다. 계속해서 헬륨이 들어오는 빨간 풍선 안에 갇혀 대기권 밖으로 날아가는 것 같다. 난 빨리 발을 굴러서 풍선을 추락시키고 전봇대에 줄을 묶었다. 정신줄 잡아!

떨지 말고! 저건 마이클 짭이니까! 점프수트는 뭐 아무나 입는 줄 알아?

놈에게 물을 뿌리자 젖은 대걸레 위로 뜨거운 김과 매연이 구불구불 피어오른다. 전에 숲에서 그랬던 것처럼 그는 눈이 있을 부분을 부여잡고 휘청거린다. 그렇지, 우린 놈의 눈에 상처를 만들어 났다. 손등에 난 작은 상처도 물에 들어가면 따가워 미치는데, 눈에서 피가 터지고 있으면 그 고통은 얼마나 심하겠는가? 하지만 지금 상황에서 뿜어져나오는 아드레날린과, 살인마를 자처할 정도의 체력이라면 만만한 인물은 아닐 것이다. 그는 내가 이겼다고 착각하는 순간 얼굴에서 손을 거두고 도끼를 내두른다,

"넌 대체 누구야!"

생사를 가르는 싸움에서 이런 걸 묻는다고 한들 아무런 해답도 얻을 수 없었다. 지금은 두려움보다 긴장감이 앞서갔다. 낸시는 아무 말도 하지 않고 묵묵히 내 목을 향해 도끼를 휘둘렀다. 하지만 그에게서 느껴지는 정열적인 폭력성은 감춰지지 않았다. 감출 이유도 없었다. 난 젖은 손에 방망이를 꼿꼿이 쥐고 뒷걸음치며 앞으로 휘두른다. 방망이에 묻은 살점과 피가 휘두르는 힘에 떨어져나간다. 난 점점 더 뒷걸음치다 창고 문턱을 넘는다. 낸시는 멈추지 않았다. 방망이가 한 번 더 날아가는 순간에, 낸시의 도끼를 쳐 떨어트렸다.

'유레카!'

그때, 바지 주머니에 넣어뒀던 노트도 떨어져 펼쳐졌다.

함부로 저주를 읊은 힐즈 가는 업보를 청산하게 될 것이다

난 그게 뭔 소린지도 모르고 뇌내에서 곱씹기 시작했다. 도끼를 떨어트린 그의 몸짓엔 당황한 기색이 역력했다. 이때가 기회다. 그런데 선뜻 치지를 못하겠다. 초침이 다시 한 번 거꾸로 돌아가고 있었다. 모든 흔적들이 힐즈 가를 악역으로 몰고 있었다.

'이게 대체 무슨 소리야?'

나에겐 이것들을 당장 해석할 시간이 없었다. 곱하기 나누기도 제대로 못하고 지문도 못 읽는 내가 위기의 순간이라고 해서 두뇌회전이 빨라지는 건 아니었다. 영화에선 관객들이 바라는 걸 충족시켜주기 위해 역전하는 상황을 만들곤 하지만, 난 기회를 잡을 자신이 없었다. 나를 움직일 수 있게 한 원동력은 분노지, 자신감이 아니었다.

그리고 나는 깨닫는다.

"이거 오컬트 영화라고는 안 했잖아요!" 난 구석에 세워진 쇠파이프를 잡는 낸시에게 방망이를 겨누며 고함쳤다. "어기!"

"무슨 말을 하는 거예요? 가고 있어요!" 힐즈의 목소리가 더 가까워졌다. 쇠파이프와 쇠파이프의 싸움이라니 기대되지도 않는다.

"캐서린이 악령을 가뒀다는 얘기, 그리고…." 난 차오르는 숨을 몰아쉬고서 뛰어오는 힐즈를 돌아보았다. "듀크 힐즈를 저주하겠다는 말…!"

"페이턴, 조심해요!"

힐즈가 내 앞으로 끼어들더니 무서운 기세로 내게 달려드는 낸시를 가까스로 저지한다.

"그게 뭔 소리예요? 알아듣게 말해요!"

"당신 가족이 비클리브리지 대학살을 주도한 거예요!"

"뭐…"

"캐서린 페이턴을 미치게 만든 건 당신네들이야!"

"페이턴, 그게 무슨…"

힐즈는 낸시가 휘두른 파이프에 깡 소리가 날 정도로 머리를 얻어맞고는 당당한 기세를 잃은 채 맥없이 쓰러졌다. 누워서 몸을 웅크린 채 머리를 부여잡고 끙끙 앓는 걸 봐서는 기절한 것은 아니다.

"어기! 그걸 다 알고 있었으면서…!"

"페이턴… 나 정말 그쪽이 뭔 소리를 하는지….."

힐즈는 고통에 말을 아꼈다. 하지만 난 해야 할 말이 너무나 많았다. 힐즈는 모든 것을 알고 방관한 것인가? 이 일의 진실을 알면서? 그걸 숨겨왔다는 말인가?

난 잠시 허무에 빠져 낸시가 무슨 행동을 하든지 신경 쓸 겨를도 없이 힐즈를 내려다보았다. 내가 그 사건으로 괴롭힘 당한 건 결과적으로 힐즈의 가족 때문이라는 건가? 캐서린 페이턴이 누명을 쓰고 조롱 당해온 것도? 무고한 매이브의 인생이 통째로 날아간 것도? 내게 살인마의 딸이라는 모욕적인 명칭이 붙었던 것도?

난 잽싸게 떨어트린 방망이를 주워들고 낸시의 파이프를 막았다. 우리가 영화라는 매체로 한곳에 모인 이유가 있었네. 시나리오가 원래와는 다르게 흘러갔던 이유도….

"이건 낸시가 아니에요. 악령인지 뭔지에게 간섭당하고 있어요." 난 주위를 경계하는 자세에 들어갔다. "머리를 깨트린다고 해서 해결될 문제가 아닌 것 같네요."

주황색 점프수트, 때묻은 대걸레, 빨간색 도끼까지, 외형만큼은 확실히 낸시였지만 그 뒤에는 그 육체를 인형탈로 이용해먹는 다른 외부의 존재가 있었다. 난 미신을 하나도 믿지 않지만 이게 진짜가 아니라면 무엇도 설명이 되지 않았다.

"페이턴, 당신 말도 안 되는 소리를…."

"그럼 우리가 영화 속에 있는 건 말 되고요?"

당장 로비에선 언제 뚫릴지 모르는 문을 경계하며 두려움에 떨고 있는 그린이 있는데, 정작 떨려서 아무것도 하지 못하는 나를 보니 죄책감이 들었다. 다같이 살아서 나가려면 개인적인 감정 없이 다함께 협력하는 자세가 필요하다. 그런데 난… 그럴 자신이 없다. 어거스트 힐즈를 살려서 보낼 자신이 없다.

'집중해! 그게 중요해?'

난 얼굴을 되는대로 찌푸린 채 팔에 힘을 싣고는 오크통을 밀어 쓰러트렸다. 안에 들어차있던 액체가 철썩 하고 바닥을 때리더니 창고에 흘러넘쳤다. 낸시는 오크통에서 흐르는 액체를 바라보다 잔뜩 눈썹을 찌푸린 내게 무신경한 시선을 두었다. 그를 보는 것만으로, 인간이 아닌 어떤 미지의 존재처럼 느껴졌다. 낸시의 탈을 쓴 유령이라니, 말이 돼? 이미 납득하고 최종 판단까지 한 상태였지만 거듭 생각해봐도 너무 이상했다. 우린 잘못된 시간에, 잘못된 장소에 있었다. 액체에 잠긴 낸시의 신발에서 큰 화재에서나 맡을 법한 퀴퀴한 매연이 올라왔다. 난 쓰러진 힐즈의 두 팔을 잡고 창고 밖으로 끌어낸 뒤 문을 쾅 닫았다. 문을 더 단단하게 막을 만한 사물이 어디에도 없었다. 판자는 많았지만 창고 문에는 판자를 걸 수 있는 데가 없었다.

"그린, 일어설 수 있겠어?"

"네… 그런데 둘은…"

"올라가." 머뭇거리는 그린에게 눈을 맞추고 말했다. "올라가!"

액체가 가득 찬 창고가 얼마나 버텨줄지는 몰라도, 내겐 의아한 점을 짚고 넘어갈 시간이 필요했다. 모든 게 밝혀진 와중에도 어째서 힐즈는 책임을 회피하고 부정하는지를 짚어볼 시간이. 나는 힐즈를 끌어다가 맨끝 벽에 기대어 앉혔다. 두상에서 흐르는 피가 바닥에 선을 만들어냈다. 벽에도 진하게 묻었을 것이다.

"알고 있었어요?"

난 설명조차 필요없는 질문을 한다.

"듀크 힐즈라는 사람이 캐서린의 인생을 망친 거 알고 있었어요? 당신 가족이 이런 이상한 짓을 일삼았다는 거 알고 있었냐고요."

"페이턴… 난, 맹세코…" 힐즈가 느릿느릿 입을 열었다. "난 아무것도 몰라요… 알잖아요, 내가 아는 건… 가족이 소름 끼치다는 것밖에…"

"정말이에요?"

"젠장, 내 부모님한테 직접 가서 물어봐요… 날 아꼈는지… 영화관에 한 번 데려다 준 적 있는지…!" 힐즈는 먼지 털듯이 살짝 웃음을 흘려보냈다. "아, 페이턴… 당신은 정말 아무것도 몰라요… 나도 당신에 대한 건 아무것도 모르고…." 힐즈가 입 안의 침을 삼키곤 울먹거렸다. "난 그냥 감독이 되고 싶었던 거예요… 다른 나쁜 마음 같은 건 살면서 먹어본 적도 없다고요! 물론 여기서 있었던 일들은… 내 잘못이 맞지만…."

"맞지만."

"누구나 그렇잖아요."

힐즈가 나지막이 내뱉더니 눈물을 흘렸다.

"누구나 살고 싶잖아요…."

우린 누구의 책임도 물을 수 없었다. 우린 잘못된 시간, 잘못된 장소에 있었다.

"힐즈… 정말 아무것도 몰랐어요?"

"몰랐어요! 그래도 그쪽은… 내가 이기적인 놈이고 숨겼던 게 많으니까 거짓말이라고 생각하겠죠, 마음대로 해요. 우린 못 나갈 거예요. 난 여기서 죽고 싶지 않은데… 우린… 못 나갈 거예요…."

"…맞아요."

난 고개를 떨군 힐즈의 정수리를 멍하니 바라보았다.

"우린 못 나갈지도 몰라요. 난… 누구도 구할 수 없을지 몰라요."

고개를 올려다보자, 그린은 어딘가로 들어가지 않고 2층 난간에 서서 우리들을 지켜보고 있었다. 여전히 그를 살릴 수 없다는 걸 알기에 그에게 별다른 몸짓을 하지 않았다. 운이 나쁘면 힐즈마저 놓칠지 모른다. 우리 사이에 생긴 복잡한 사정과 감정은 협력관계를 엉키게 만들었다. 난 어떻게 해야 하지?

'주문을 외자.'

무슨 주문을 외우란 말이야? 구구절절 신을 믿을 테니 좀 도와달라는 얘기가 쓰인 주문을 외워봤자 아무것도 바뀌지 않아!

'주여, 맹세합니다. 절대 악몽에 굴복하지 않으리라고….'

내 머리에 번뜩 떠오른 구절이었다.

"주여, 맹세합니다. 절대 악몽에 굴복하지 않으리라고."

아무 힘도 없는 구질구질한 문장을 입으로 읊어봤자 상황을 회피하는 100가지 방법이 쓰인 해결책이 하늘에서 뚝 떨어지는 것도 아닌데 내가 뭘 하는 거지? 하지만 난 무언가에 홀리기라도 한 듯이 그 문장을 계속 되뇌었다. 방금 입에서 튀어나온 말을 이상하게 생각한 힐즈는 느릿느릿 고개를 들어 날 쳐다보았다. 이건 마치… 온전히 내게 집중하고 있는 기분이었다. 머릿속에 가득했던 날파리 꼬인 잡념과 백 년 묵은 걱정, 눈앞에 펼쳐진 시체더미를 전세계에서 가장 깨끗한 쓰레기장에 몰아주는 기분이었다. 그 쓰레기장에는 누군가의 불안도 공포도 존재하지 않았다. 아니, 존재하지만 아주 깊은 하수도에서 지하수와 함께 흘러가고 있었다.

어렸을 때 했던 가장 큰 걱정은 학교에서 준 숙제를 아예 안 했거나 까먹고 안 가져오는 것이었다. 조금 더 커서 파트타임을 할 때는 진상을 만나서 화를 조절하지 못하는 거였고, 성인이 되어서는 살아있는 것 자체가 목성 만한 크기의 걱정이었다. 돌고 돌아 찾은 유일한 취미조차도 보잘것없는 인생에 연관지어 쓰레기 같다고 생각했다. 물론 내가 본 대부분의 영화들은 정말 쓰레기지만, 그렇다고 돌이켜보면 내 취미는 그렇게 이상하거나 허무한 게 아니었다. 그때의 나는 새벽까지 놀다가 오후까지 편하게 자는 사람들 못지않게 행복했고 재밌었다.

절대 악몽에 굴복하지 않으리라고. 이 문장에는 특별한 힘이 있는 게 아니다. 그 문장을 믿는 내게 힘이 있다. 원하는 결과를 얻기 위해 최선을 다하는 것만으로 의미가 있었다.

"노력할게요." 내려놓으려 했던 방망이를 다시 꼭 쥐고 말했다.

"또 뭔 소리에요? 페이턴, 우린…"

"가장 멋진 결말을 만들어야죠. 노력할게요." 난 무릎을 꿇고 힐즈와 눈을 마주쳤다. "저기, 당신 말이 사실이 아니더라도 그건 일이 다 끝난 후에 해야 할 얘기인 것 같아요. 그러니까 지금은 힐즈 씨를 믿어요. 살고 싶다는 말도요. 저나 그린도 같은 생각이니까." 난 마지막으로 그린이 내려다보는 난간으로 시선을 옮겼다. "우리 아직 스포일러 안 당했어요."

일어서서 울먹이는 힐즈를 일으키고 있을 때, 그린이 말했다.

"리키!"

"왜 그래, 살인마 양반?"

"와, 그거… 오랜만에 듣네요. 어쨌든 첫만남은 이제 잊자고요." 그린이 난간에 팔을 올려놓더니 말했다. "그냥 저한테 줄 꽃이 뭘지 궁금해서요. 생각해둔 거 있어요?"

"음…." 이미 정해둔 게 있었던 나는 고민하는 척하다 뜸을 들이며 입을 뗐다. "장례식엔 수국이 제일 무난하지 않아?"

그 순간, 그린이 난간에서 팔을 떼더니 뒤를 가리키며 외쳤다.

"페이턴! 뒤 봐요!"

절대 쉽게 죽을 거라곤 생각 안 했지만, 정체불명의 물에 온몸이 녹아서 죽었길 바랐던 낸시는 난폭하게 문을 박차고 나왔다. 그의 등 뒤에서부터 타는 향과 잡아먹힐 듯이 새까만 매연이 빠져나와 천장으로 뭉게뭉게 피었다. 언뜻 보면 화재가 난 것 같지만 사실은 낸시의 몸이 지속적으로 화상을 입은 것이었다. 그 수상한 액체에 성수라는 이름을 붙였던 클린턴 패스가 설마 옳았을 줄이야. 그렇다면 낸시를 포함한 이 많은 인파들은 다 그의 탈을 쓴 악마의 졸개라는 거 아냐! 우린 적잖이 황당한 눈으로 낸시의 형태를 훑었다. 사실 그의 모습은 좀 웃겼다. 몸에서 김이 모락모락 나는 것이, 마치 따뜻한 물에 방금 들어갔다 나온 사람처럼 보였기 때문이다. 근데 생각해 보니 그것도 틀린 말은 아니잖아?

"백날천날 죽이려고 노력해 봐라. 네가 뭘 할 수 있는데?"

내가 당당한 기세로 외쳤다. 실행력과 추진력을 얻기 위함이었다. 하지만 낸시의 등장은 여기서 끝이 아니었다. 잔잔하게 덜컹거리던 로비 문이 갑자기 거세게 흔들리기 시작하더니, 문을 막은 판자가 반으로 부서지고 문이 열렸다. 그린과 힐즈를 나 혼자 지키기도 버거운 상황에서 말도 안 통하는 몸뚱어리들이 들어오면 아주 곤란해진다. 내 사정이 어쨌든, 그들은 결국 내 의사와는 상관없이 계속해서 문을 밀고 들어왔다. 이대로는 안 되겠어.

"힐즈, 정신 차려요!" 난 힐즈를 흔들어 깨웠다. 의식을 잃어가는 듯했다. "힐즈! 여기!"

"난 틀렸어⋯." 힐즈가 흐느끼며 말했다.

"이상한 소리 말고 빨리 일어나서 올라가요!"

난 고통을 호소하는 힐즈를 억지로 일으켜 세웠다. 여기부터는 그가 알아서 해야 할 일이다. 난 그린과 눈빛을 주고받은 뒤, 의자를 뛰어 넘어오는 난폭한 사람들을 향해 방망이를 세게 꺼둘렀다. 잠시 등을 돌리자 그린의 도움을 받아 계단을 올라가는 힐즈가 보였다.

'저걸 어떻게 처리하지?'

초자연적인 존재를 살면서 상대해본 적이 있어야지. 초자연 현상을 겪어본 사람은 많아도 직접 나서서 결투해본 사람 있냐고 물었을 땐 백 명 중에 누구도 손을 들지 않을 것이다. 매이브는 열정적이고 진취적인 여자였지만, 곤란해질 일에는 절대 함부로 뛰어들지 말라고 누누이 말했었다. 이건 곤란해질 일에 '끌려' 들어간 거니까, 매이브와의 약속은 안정권에 있었다.

하나, 둘, 전부 목이 꺾이거나 돌아가고, 이가 나가거나 함몰되고, 눈이 터지거나 붓고, 그대로 쓰러져서는 움찔거렸다. 예상보다 꽉 들어차는 인파 때문에 난 점점 독 안에 든 쥐처럼 구석으로 몰린다. 방망이를 무제한으로 내두르는 데는 어쩔 수 없는 체력의 한계가 있었다. 아무리 내구도가 좋다고 해도 그만큼의 무게에는 힘이 들어가는 법이다. 방망이를 쥐어흔드는 모양새는 점점 힘을 잃고 이상해졌다. 방망이의 무게에 이끌려 오히려 휘청거리기도 했다. 만약 이대로 계속 간다면 결국엔 쓰러져서 낮게 신음하는 사람들에게 오장 육부를 해체당할지도 모른다. 잠깐의 벅차오름과 분노가 만나면 충동적인 에너지 소비를 만든다는 걸 비로소 깨닫는 순간이었다. 난 방망이를 아래로 향하게 팔을 놓고 발차기를 시전했다. 싸우는 일에는 지지 않을 자신이 있었고, 이들이 특별히 버거운 기술을 쓰는 것도 아니라서 한 명을 쓰러트리는 건 무진장 쉬웠다. 단지 그 수가 말도 안 되게 많을 뿐이지. 난 기어이 손을 써서 그들을 밀치기 시작했다.

그때, 허벅지에 참을 수 없는 통증이 터지더니, 화상이라도 입은 것처럼 뜨거운 열이 스쳤다가 다시 돌아왔다. 분노나 슬픔 같은 다른 감정이 포함되지 않은, 오롯이 고통이라는 감각만이 존재하는 비명이 복부에서부터 목을 관통했다. 염병할. 오른쪽 발꿈치를 살짝 들어 허벅지를 내려다보니 연필 한 자루만한 쇠못이 박혀있었다. 목에서 쇳소리가 새액 새액 빠져나가지만 딱히 내가 해낸 건 없다. 힘을 빼면 안 된다는 생각에 허벅지에 최대한 힘을 주고 쇠못을 빼길 시도했다. 하지만 지방과 근육 사이 단단히 박힌 쇠못에 손이 살짝 닿자마자 엄청난 구역감이 밀려오면서 날 포기하게 만들었다. 심장이 더 빠르게 펌프질하며 혈액을 내보냈고, 내 침샘은 늘 그렇듯이(다만 더 많이) 침을 분비했다. 다행히 깊게 박힌 것 같진 않은데, 지금 쇠못을 뽑기엔 역시 무리가 있었다. 난 허벅지에 구멍이 뚫리지 않은 것에 감사하며 있는 힘껏 방망이를 들었다.

머리가 띵하고 뇌가 얼어붙는 감각을 받아들인 채 더 격정적으로 방망이를 휘둘러댔다. 그들은 세상의 그 무엇도 이해하지 못하는 눈으로 내게 계속 다가왔다. 내겐 스스로 조심하지 못해서 다친 힐즈와 그린을 약간은 원망하는 마음도 생겨났다. 그래도 그들은 서로에게 도움이 되기 위해 최선을 다했다. 힐즈는 날 괜히 도와주려다가 내게 의심만 사고 머리를 한 대 얻어맞았다. 그린은 힐즈의 만행을 알면서도 우리 둘이 탈출할 수 있도록 도움이 되려 했고.

마치 내가 공포 영화 속의 용감한 인물들을 동경했던 것처럼… 난 그들에게 동경을 느끼고 있었고… 나도 그들처럼 하고 있었다. 남을 돕는 것. 최선을 다하는 것. 곧 하게 될 이별에 슬퍼하고 준비하는 것. 그건 영화 속에 숨은 진정한 매력이었다. 단순히 잔인한 장면만이 난무하는 게 아닌, 이야기가 있고 인물들의 서사가 있는…. 그래서 우리들은 몰입하고 열광했던 것이다.

'이제 결말에 달렸어.' 난 생각한다. '크레딧에는 무슨 노래가 나올까?'

80년대 슬래셔 영화에 어울리는 곡들은 순식간에 여럿 떠올랐지만 당장 생각해야 할 문제는 아니었다. 그렇고 말고. 영화를 감독한 건 내가 아니라 어거스트 힐즈니까. 뜬금없이 결말부가 떠오르는 건 내 운명에 대해 생각하고 있다는 증거일까? 만약 내가 여기서 죽는다면? 아마 그린과 힐즈는 여기 남겨져서 끔찍한 운명을 받아들여야 할 것이다. 계단을 걸어 올라와 방문을 두드리는 사람들에게 겁에 질릴 것이다.

뭐가 어디에 있는지도 모르고 팔을 내젓다 보니 팔꿈치가 삐끗했다. 하지만 허벅지에서 느껴지는 통증에 비하면 빙산의 일각에 불과했다(실제로도 별것 아닌 통증이었다). 난 휘몰아치는 아드레날린과 치솟는 스트레스 때문에 써야 할 힘을 성대에 몰아 놓고 비명을 내질렀다. 양심 없는 것들. 의리 없는 것들. 들어 가랬다고 진짜 들어가서 안 나오면 어떡하냐? 난 훈훈했던 마음이 바뀌기 직전임을 알고 이를 악물었다.

"리키!"

틀림없이 그린의 목소리였다. 난 방망이로 앞을 가로막고 계단 위를 올려다보았다.

"그린! 난 네가 도망간 줄 알았어!" 난 그린에게도 중요한 목숨이 있다는 걸 자각하고 말을 돌렸다. "원래 그게 맞는 것 같지만… 왜 안 도망간 거야!"

"살 사람은 살아야 되니까요!"

그린은 통쾌하게 웃음을 터트리더니, 난간 아래로 몸을 숙였다. 잠시 후 다시 나타난 그린은 큰 무언가를 두 손에 안고 있었다.

"리키!"

난 그린의 눈빛을 빤히 바라보았다.

"죄인도 성인이 될 수 있다는 거 믿어요?"

그린은 그렇게 외치더니 아래를 향해 제키의 몸뚱이를 내던 졌다. 난 사람이 그렇게도 터질 수 있는 줄 몰랐다. 영화라서 그런지 과장이 심한데, 현실이었다면 절대 이런 식으로는 터지지 않았을 것이다. 제키의 머리가 땅에 닿는 순간 산산조각이 나 뇌조각과 혈흔을 사방에 흩뿌렸고, 그녀의 미끈미끈한 장기는 뭉개지고 훼손된 채 벽에 튀었다. 그 찰나, 제키는 피 폭탄을 터트려버린 것이다. 그런데 이게 웬걸! 피를 맞은 사람들이 고통을 호소하며 쓰러지는 것이다!

"그린? 이게 대체…!"

"아이러니하지만, 평범한 물도 기도문만 외우면 성스러운 물이 되는 거 알고 있죠?"

이미 죽은 제키를… 세례해서 성인으로 만든 것이다. 제키의 몸에는 성인의 피가 흐른다! 그래서 피를 맞은 사람들이 전부 이렇게…. 와! 어떻게 이런… 와!

"너 진짜 천재야?" 내가 그를 향해 웃어보인다.

"감사 인사는 내 무덤에서 해요."

"꼭 침도 뱉을게, 바보야!"

난 형체를 알아볼 수 없게 뭉개진 제키의 시체를 바라보다 코앞까지 다가온 낸시에게로 시선을 돌렸다.

"저건 어떻게 해야 하지?"

"숙주인 낸시를 완전히 죽은 상태로 만들면 되지 않을까요?"

어느 슬래셔 영화와 다를 것 없이, 살인마를 죽이면 된다는 간단한 공식이었다. 클린턴 패스가 노트에서도 강조했던 가장 중요한 내용이지만, 이미 이건 모두가 아는 사실이다. 하지만 낸시를 죽은 상태로 만드는 건 어려운 일이다. 확실한 부분인 머리에 극심한 손상을 입혀야만 하는데 당장은 아무런 계획도, 머리를 뚫을 수 있을 만큼 가까이 다가갈 기회도 없었다. 제에엔자아앙, 내 인생은 언제나 복잡하다. 그래서 언제나 누군가를 끌어들여버린다.

"엄청 큰 양동이에서 성수 폭포가 쏟아지면 좋겠다!"

난 장난삼아 그린에게 말해보았다. 그런데 그린은 의미심장한 웃음을 내비쳤다.

"뭐야?"

난 바로 로비의 천장을 바라보았다.

그래, 맞다, 들어올 때도 봤던 저 용도를 모르겠는 양동이! 저건… 저건, 세상에. 난 가슴이 미친듯이 두근대고 설레기 시작했다. 난 이 양동이가 공포 영화계에서 어떤 역사적인 의미를 가지는지 알고 있다. 그럼, 너무 잘 알고 있다. 수많은 작품에서 오마주했던 '그' 장면이 나오는 영화, 그건….

"주여! 이 성수로 세례의 은총을 새롭게 하시고, 모든 만악에서 보호하시어, 무결한 마음으로 당신에게 나아가게 하소서!"

난 신나는 마음에 같이 외쳤다! "아멘!"

그린이 2층 홀 중간으로 뛰어가 어딘가에 연결되어 있던 줄을 힘차게 당겼다. 그러자 양동이는 몇 초 동안 끼익거리더니, 한쪽으로 완전히 무게를 기울였다!

"이거… 이거…! <캐리(Carrie, 1976)> 오마주잖아!"

난 세상에서 가장 흥분되는 역사적인 순간 가운데 서있었다. 주님의 은총을 받은 피를 뒤집어 쓴 살인마와 그 반대에서 미소를 짓는 마지막 생존자라니! 난 파이널 걸이었다! 세상에, 난 처음부터 끝까지 이 긴 여정의 주인공이었다! 난 벅차오르는 복잡미묘한 감정을 참을 수가 없어 가파른 숨과 함께 눈물을 터트렸다! 내가 가장 좋아하는 영화를 오마주한 순간 속에 몸을 지탱하고 서있다는 사실이 전혀 믿기지 않았다! 감독이 의도한 장면이 아닌, 우리가 만들어낸, 원작을 향한 찬사이자 필름의 마지막 지점이었다!

"정말… 정말, 이 영화에 이런 장면이 있었다면… 영화관에서 이걸 개봉했다면…."

난 떨리는 몸을 주체할 수 없이 흐느끼며 인생 중에 가장 행복한 미소를 지었다. 매이브에게는 미안하지만, 난 이 순간이 단언코 최고로 행복하다고 자신할 수 있었다. 평생 잊지 못할 기억이 되어 내 기억저장고에 남을 예정이었다. 난 몸을 웅크리고 쥐어싸는 낸시에게 한 걸음씩 다가갔다. 이제야 비로소 그의 숨결이 고동치는 소리를 선명하게 들을 수 있었다. 우리에게 그토록 큰 위협이었던 물건이자 그가 애정하는 물건이기도 한 빨간 도끼는 검붉은 피에 뒤덮혀 본래 띠던 색깔을 알아볼 수 없게 되었다. 그는 붉은색으로 물든 대걸레를 여전히 머리에 뒤집어 쓴 채로 바닥에 시선을 꽂았다. 그의 몸은 눈에 띄게 벌벌 떨렸다. 그 육체에선 늘 그랬듯이 칠흑같은 매연이 점점 더 크게 피어오르고 있었다. 난 좀처럼 시선을 마주치지 않는 그를 상쾌한 표정으로 바라본다.

"이제 좀 멋지네."

그가 내뱉는 얕은 호흡 중에 거센 한숨이 들려오자 절로 미소가 지어졌다. 난 바지 주머니에 줄곧 넣어두었던 '악마를 죽일 수 있을 것 같은 칼'을 손에 쥐었다.

"지옥에나 가, 멍청한 새끼야."

그리곤 그의 머리채를 붙잡고 칼을 쑤셔넣었다. 머리에는 단단한 뼈가 있어서 바로 들어가진 않을 줄 알았는데, 영화적 허용인지 사실 고증인지 아주 가볍게 쑥 들어갔다. 안에서 무슨 일이 벌어지는지는 자세히 알고 싶지 않았다. 난 칼에서 손을 떼고, 그의 떨림이 멈춘 뒤 털썩 쓰러지는 것을 정겹게 바라본다. 그의 몸에선 여전히 검은 연기가 나고 있었다.

"어떻게 됐어요!" 힐즈의 목소리가 2층에서 들려온다. "아, 젠장. 늦었네."

예상외로 영화에서 보는 것만큼 드라마틱하게 피가 뿜어나오진 않았지만, 그의 머릿속 깊은 곳에 칼이 박혀 제 의무를 다하고 있다 생각하면 마음이 놓였다. 난 온몸에 힘이 풀려 피웅덩이가 된 맨바닥에 그대로 주저앉았다. 내 꼴을 좀 봐. 다른 사람들은 멀쩡한데 나만 무안하게 피투성이가 됐네. 난 매이브처럼 타로를 보는 대단한 특기가 있는 것도 아니지만, 이번만큼은 매이브의 도움없이 해냈다. 무엇보다, 누군가의 도움을 받는 것을 두려워하지 않았다. 내 인생 업적 1순위는 '누구도 모르는 영화 속에 들어가서 피 양동이 장면 재현하고 미친듯이 즐기기'가 되겠지만, 2순위는 '협력한 것'이 되겠다.

난 최선을 다했고, 가장 좋은 결말을 만들었다. 이미 피로 젖은 그의 대걸레 머리에선 두개골 안에 고여있는 신선한 피가 흐르는 모습을 못 보겠지만, 그 클로즈업 장면 하나를 위해 리테이크를 감행하고 싶진 않았다.

"이건 감독님 의견도 들어봐야겠는데요?" 난 그린과 함께 난간에 서있는 힐즈를 보며 유쾌하게 웃었다.

힐즈는 한 치도 머뭇거리지 않고 답했다. "직접 보질 못해서 모르겠는데요!"

"안타깝네요." 난 그린에게 시선을 옮겼다. "그럼 배우님께

물어보죠."

그린은 의아한 듯 눈을 동그랗게 뜨고는 손가락으로 자신을 가리켰다. 난 토 달지 않고 고개만 적극적으로 끄덕였다.

"전… 너무 좋아요." 그린은 멋쩍게 머리를 긁적였다. "진짜 영화로 나와도 손색 없을 정도예요. 진심으로."

하지만 그렇게 말하는 그린의 눈에는 어딘가 쓸쓸함이 내비쳤다. 우리 둘 다 그린의 눈에서 비치는 감정의 근원을 잘 알고 있었다. 두려움. 이젠 영원히 끝나지 않는 어둠 속에 혼자 남겨지게 된다는 그 두려움이 그린의 눈에 어둡고 깊은 바다를 만들었다.

"…다들 빨리 안 내려와요?" 난 그들을 꼭 껴안아주고 싶은 마음에 내려오라 재촉했다.

"그쪽이 안으면 엄청 아픈 거 알죠?"

힐즈가 약한 거부감을 보인다. 하지만 그린은 누구와는 다르게 말을 제대로 알아듣고 계단을 총총 내려왔다. 마지못한 힐즈는 그린을 따라 2층에서 내려온다.

"들어와요."

나는 양팔을 쭉 벌렸다. 두 사람이 품에 다 들어가기엔 무리겠지만, 난 할 수 있는 만큼 팔을 벌리고 있다. 그린이 말없이 들어와 내 등을 토닥이기에 나도 그를 껴안고 등을 톡톡 두드렸다. 힐즈는 멀찍한 곳에서 바라만 보다, 그린이 품에서 나오자 망설임없이 들어온다. 난 그를 놀리려는 마음에 '할 수 있는 한' 그를 세게 껴안았다.

"아아악!"

힐즈가 고함을 지르며 내 등을 마구 친다. 더 맞았다간 파이널 걸이 아니라 파이널 오텁시가 될 것 같아 그를 품에서 풀어주었다.

"이렇게 남을 진심으로 안아보긴 오랜만이네요. 전 매이브 말고 다른 사람 안아본 적 잘 없거든요."

"그래서 전부터 얘기하던 그 매이브라는 사람은 누구예요?" 그린이 물었다.

"날 거둬키운 사람이야. 언니 같은 존재."

"이제 돌아가면 다시 한 번 안아볼 수 있는 거예요?" 그린이 억지로 웃어보였다.

"어, 뭐… 그런 셈인데…." 난 그린을 슬쩍 바라보았다. "넌 참 좋은 사람이야, 그린."

"리키… 고맙지만," 그린이 힐즈를 가리킨다. "그 말은 힐즈가 제일 첫 번째로 해줘서, 당신은 두 번째예요. 기분 안 나빠요?" 그린이 몰래 웃었다. "당신이 첫 번째였다면 좋았을 텐데."

"야, 거기 다 들려." 힐즈가 돌아보았다. "근데… 틀린 말은 아니라서 뭐라 할 말이 없네. 미안."

"누구랑은 다르게 난 진심을 담아서 말해준 거니까 첫 번째로 생각해도 좋아요!"

"나도 진심이었거든요?"

힐즈가 억지스럽게 끼어들었다. 그러다 아주 잠시 침묵이 흘렀다.

"그린." 힐즈가 로비의 의자에 앉더니 말했다. "미안. 난… 원래 그러려던 게 아니었어. 네겐 구차한 변명처럼 들릴 거고, 그렇게 생각해도 할 말 없지만…." 힐즈는 뜸을 들이더니 말을

329

이었다. "넌 정말 좋은 배우였어."

난 둘 사이에 오가는 시선과 움직임을 조용히 관찰했다. 힐즈의 입술은 조금씩 떨려왔지만, 그의 입에서 나오는 말들은 모두 거짓이 아닌 듯했다. 그가 진심으로 사과하고 있다면, 그린도 알 것이다.

"감독님… 전 누구도 원망하지 않아요." 그린은 여관에서도 그랬듯이 편안한 웃음을 지었다. "우린 잘못된 장소에 있었을 뿐이에요."

"하지만…."

힐즈는 뭔가를 더 말하려 했지만, 그 구절은 목 안으로 다시 삼킨 듯했다.

"그래."

난 그들에게 엉킨 실타래가 마침내 천천히 풀어지는 것을 보다, 무심코 입구 바깥을 바라보았다.

"와, 저거 봐요…."

난 홀린 듯 말하고는 입구로 달려가 하늘을 바라보았다. 힐즈와 그도 나를 따라 입구로 모여들었다. 로비에 쌓인 산더미 같은 시체와 피웅덩이를 비추는 햇볕, 수두룩이 서있는 나무를 살랑살랑 흔드는 뜨거운 바람, 그 가운데에는… 바로 엔딩 크레딧이 올라가고 있었던 것이다.

"예쁘죠?" 내가 물었다.

"별도 아닌데 무슨." 힐즈는 평소처럼 부정했다.

"그린," 난 그를 바라보며 말했다. "여기 네 이름도 있어?"

"당연히 있죠."

그가 그러더니 갑자기 고개를 떨구었다.

"그런데… 제 이름 나올 때까지 볼 시간 없으실 거예요." 그린은 먼 산을 바라보았다. "전부 희미해지고 있어요."

"뭐…."

정말 그린의 말대로였다. 높이 솟은 푸른 산도, 해가 떠오르는 주황색 하늘도, 하다못해 말라 비틀어진 잡초들도 우리가 이해할 수 없는 방식으로 희미해지고 있었다.

"그럼… 떠날 때가 됐나 보네."

난 그린에게 웃어보였다. 눈에서 흐르는 눈물을 감추거나 닦을 생각은 없었다. 마지막만큼은 나를 있는 그대로 보여주고 싶었다. 영원히 보지 않을 사이, 그래서 숨기는 게 없는 사이. 우리의 관계는 딱 그정도였다.

"잘 있어."

난 목이 막혀오는 것을 무시하고 말했다.

"잘 가요, 리키."

"그래… 근데 너 전부터 은근슬쩍 리키라고 부른다!"

난 마지막일지도 모르는 큰 웃음을 터트린다. 여기서 실컷 웃어둬야 절대 잊지 못할 경험으로 남을 것 같았다. 아니, 이미 그간의 경험 자체가 심할 정도로 비현실적이어서 아주 인상깊게 남겠지만, 후회되지 않는 보람찬 경험으로 남기고 싶었다.

'솔직히 모든 면에서 후회가 없었다곤 못하지만.'

"잘 가요. …어기." 그린이 웃으며 말했다. "둘 다 나가면 꼭 테이프를 부숴주세요."

그린의 작별인사에, 힐즈는 말도 없이 고개를 끄덕였다. 우린 최종적으로 셋이서 포옹을 했다. 내가 살면서 받아본 포옹 중 두 번째로 따뜻한 포옹이었다. 난 둘에게 파묻힌 채 말했다.

"저기, 우리가 다시 만나게 된다면….".

난 둘을 더욱 꼭 껴안았다.

"코미디 영화에서 만나면 좋겠다. 그치? 여긴 너무 아픈 일이 많았으니까."

눈을 감는다.

＊

다시 시청할 수도, 다시 만들어지지도 않을,
존재해서는 안 될 최고의 영화였다.

11

새벽의 황당한 저주

Original by Edgar Wright's 〈Shaun Of The Dead〉

잠에서 깨어났을 때, 난 이상하게도 그간의 모든 일들을 기억하고 있었다.

내가 믿지 않는 것들은 셀 수 없을 정도로 많았다. 그중 간단한 것만 추려보자면 7살 때는 알코올 중독자가 있다는 것과 인간의 영원한 죽음을 믿지 않았고, 12살 때는 영화가 모두 연기라는 것과 캠벨 수프의 나트륨 함량 표시를 믿지 않았고, 16살 때는 주변에서 주는 아낌없는 애정을 믿지 않았다. 물론 대표적으로 유령과 악마, 영혼 따위들도 절대 믿지 않았다. 하지만 이젠 믿고 싶지 않아도 믿어야 했다. 아무리 봐도 내게 극적으로 불리한 판이었다. 내가 속임수를 써서 체스를 옮겨둔다 한들 변하지 않는 사실이었다.

잘 실감이 나지 않는 것도 잠시, 난 소파에서 일어나 앉아서 한참을 울었다. 내 안에 커다란 구멍이 뚫린 물탱크라도 존재하는 듯이 그 눈물은 몇십 분 동안 멈출 기색을 보이지 않았다. 내 앞의 TV 화면에선 아무것도 재생되고 있지 않았고, 플레이어에 들어간 비디오테이프가 툭 튀어나와 있을 뿐이었다. 영화는 끝났다. 다시 시청할 수도, 다시 만들어지지도 않을, 존재해서는 안 될 최고의 영화였다. 빠르게 뛰는 심장으로부터 울분이 퍼져나갔지만, 예전처럼 손가락을 구부리거나 팔을 긁진 않았다. 안 하려고 했다기 보다, 그러고 싶지 않았고 그래야 한다는 생각도 없었다. 난 아무도 없는 집 안에서 홀로 목이 나갈 정도로 우는 짓을 몇 번이나 반복하고 나서야 일어날 수 있었다.

난 제일 먼저 비디오플레이어 앞으로 가 테이프를 거칠게 꺼내들었다. 여전히 울음이 그치지 않아서 몸이 동작할 때마다 눈물이 뚝 떨어졌다. 카펫에는 어느새 수많은 점들이 생겼다. 난 착잡한 마음으로 테이프를 바닥에 내려놓았다. 이건 폴른에게 머리를 쥐어박고 사죄해도 모자랄 행위가 되겠지만, 후회하거나 망설이기엔 너무 늦었다. 개봉되지 않은 영화에는 그럴만한 이유가 있다.

테이프를 세차게 짓밟자, 어려서 친구 장난감을 부러트렸던 때와 같은 소리가 났다. 테이프가 이미 완벽히 부서진 걸 알면서도, 나는 분통한 마음에 발길질을 반복했다. 마음 같아선 더는 부서지지 않을 때까지 밟아버리고 싶었다. 난 산산조각 난 테이프 파편을 쓰레받기에 주워담아 버렸다. 바닥에 남은 긴 필름은 주워서 부엌으로 가져가 가스레인지 불에 완전히 태워버렸다. 찬란하게 빛났던 배우의 처음이자 마지막 필모그래피. 난 그걸 모조리 없앤 것이다. 죄책감과 자괴감이 밀려와서 견딜 수가 없었다. 난 꾹 닫아놨던 입을 다시 열고 울음을 터트렸다. 누가 보면 미친 것처럼 보일 것 같지만 남 시선을 신경 쓸 기분이 아니다. 만약 여기가 대광장이었더라도 난 내가 처음 태어났을 때만큼이나 우렁차게 오열했을 것이다. 그러고는 그냥 부엌의 가스레인지를 허망하게 바라본다.

난 마침내 거실로 돌아와 소파에 다시 앉았다. 이따금씩 엄마가 남겼던 쪽지가 떠올랐다.

'기다리지 마, 안 돌아올 거야.'

다들 내 곁을 떠나서 돌아오지 않는다는 걸 알기에, 이젠 더는 기다리지 않았다.

며칠 뒤에도 난 아무것도 먹지 못하고 방에만 틀어박혀 과거에 빠져있었다. 밥 대용으로 즐겨먹던 야채 샌드위치도 입에 넣기만 하면 거부 반응을 일으켜 금방 토악질을 해댔다. 목욕을 할 때면 따뜻한 물을 틀어놓고 미친듯이 울다가 그대로 잠든 듣도보도 못한 일까지 발생했다. 매이브는 이런 기상천외한 일들이 일어나는 다사다난한 일주일 동안 내 뒷바라지를 해야 했다. 그리고는 그 사실에 또 죄책감이 들어서 펑펑 울었다. 어느날은 매이브가 하루 동안 없었다. 그저 일 때문이란 것을 알고 있었지만, 어쩐지 나 때문인 것 같았다. 폭풍처럼 몰아치는 우울과 스트레스의 도가니에서 내가 하는 일은 아무것도 없었다. 누군가 날 위해 뭔가를 해줄 필요도 없었다. 난 그저 그 구덩이 안에서 서럽게 울고, 뚫리지 않는 땅을 때리고, 기어올랐다가 떨어질 뿐이었다.

매이브는 나의 극심한 우울을 의심했지만, 내가 미안하다고만 할 때마다 권태기겠거니 하며 넘기는 듯했다. 누가 신경 쓰는 걸 좋아하는 타입은 아니라서 크게 서운하진 않았다. 오히려 그 편이 나을 정도였다. 매이브가 집에 있으면 울기 힘들어서 불편했고, 그 탓에 하루는 그녀가 집에 없는 게 더 편하게 느껴졌다.

질풍노도의 일주일이 순식간에 지나간 뒤였다. 과거는 과거로, 현재는 현재로 지내야만 할 때가 왔다. 누군가를 떠나보내고 슬퍼하는 걸 영원히 할 순 없다. 누군가는 언젠가 자신의 삶에 집중해야 한다. 이 비현실적인 일들을 견딜 수 없었던 건, 악마와 영화 체험 등 믿기지 않는 일들이 많았지만 그중에 '죽은 이의 부활'이 없었기 때문이다. 난 그를 살리지 못했다.

어거스트 힐즈의 행방과 생사여부는 이후에도 알 수 없었다. 그린 서트클리프는 죽었으며 더는 어떤 형태로도 존재하지 않았고, 그들은 찾으려는 사람도 없었다. 뉴스에선 그들에 대한 기사 한 줄 없이, 늘 그렇듯 시답잖은 정치 얘기와 전문가들을 모셔두고 환경 문제를 논하는 토론 생중계를 늘여놓았다.

"맛이 좀 어때?"

평소와 같은 매이브가 초롱초롱한 눈으로 물었다. 난 원래 먹던 토마토 수프와 같은 변함없는 맛에 평범하게 대답했다. "똑같은데."

"뭐 달라진 거 없어? 미묘한 거라도?" 매이브가 계속해서 캐물었다.

난 나를 뚫어지게 쳐다보는 매이브와 잠시 눈을 맞춰주었다. "이 왜 넣었는지 모르겠는 바질이랑 파슬리 말이야?"

"그렇지."

"맛이 똑같은데."

"그럴 리가!" 매이브는 실망한 듯 얼굴을 뒤로 내빼고 한숨을 내쉬었다. "그래도 비주얼적으로는 예쁘고 맛있어 보이니까 된 거겠지?"

"응."

난 매이브에게 가볍게 맞장구쳤다. 아무 생각도 없이 수프를 떠서 먹다보니 어느새 그릇은 비어있었다. 내 기분에 변함이 없다면 매이브에게 부탁했겠지만, 지금은 대표적인 예외 상황이라 홀로 그릇을 들고 싱크대로 향했다. 겨우 두 명이 한 집에 살고 있고 많이 먹지도 않아서 그런 것도 있겠지만, 매일 매이브가 설거지를 대신 해주는 탓에 싱크대는 언제나 깨끗했다. 난 매이브의 야심찬 작품에 약간 훼방을 놓았다. 꼭 물에 담가 놓으라는 그녀의 당부도 잊지 않았다.

매이브는 그릇을 갖다놓고 돌아오는 나를 쭉 지켜보다가, 내가 자리에 앉자 입을 열었다.

"그동안 왜 그랬는지 말해줄 수 있어? 심각한 일이야?" 매이브는 크게 내색하지 않았지만, 내심 날 걱정하는 모양이었다. "말하기 싫으면 어쩔 수 없고."

난 매이브에게 뭐라 할 말이 떠오르지 않았다. 지금까지 있었던 일들을 그대로 말해봤자 정신병자 취급할 게 뻔했다.

"그냥 권태기야, 알았지? 신경 쓰지 마." 난 매이브가 안심할 수 있는 말만을 내놓았다.

"그래? 매이브는 손가락을 꿈틀거렸다. "그럼 됐고."

난 항상 즐겨입던 옷으로 갈아입었다. 앞면에는 해골 그림이 그려져있는, 짙은 회색의 티셔츠. 슬슬 쌀쌀해져야 할 9월 초지만, 몇 시간마다 도시에 드나드는 햇빛은 기세를 굽히지 않았기에 반소매가 적당했다. 매이브는 나갈 준비를 하는 나를 바라보며 말을 얹었다.

"오늘은 어디 나가려고?"

"DVD 매장에 갔다가 오후엔 일하러 갈 거야."

"폴른 할아버지네 말이야?" 매이브가 물었다. "근데 그 마트는 안 다닐 거라고 저번부터 얘기했잖아. 엄청 싫어하던데."

"자본주의 때문이니까 오해하지 마." 난 현관으로 달려가 문을 열었다. "금방 올게. 언니는?"

"11시 쯤에 들어올 것 같아. 몸 조심해!"

매장 문을 열어젖힐 때, 다른 사람들보다 일찍 가게를 개장하는 폴른이 새삼 대단하고 고맙게 느껴졌다. 여긴 작은 가게인 만큼 에어컨 하나 없었지만, 폴른과 내겐 꼭 필요한 것이 아니었다. 난 더위를 식히는 게 아니라 DVD에만 관심이 쏠려 있으니까.

폴른은 계산대에서 허리를 숙이고 상자 안의 잡다한 물건이나 서류를 정리하고 있었다. 폴른이 정리하는 문서가 있다는 게 놀라웠다. 난 이게 방해될 거란 생각도 못하고 폴른 앞에서 계산대를 톡톡 두드렸다. 곧, 폴른이 신음하며 천천히 허리를 들었다.

"네가 아침부터 뭔 일이냐?" 폴른은 고개를 젓더니 말했다. "아니다, 늘상 똑같은 일이겠지. 공포 영화가 뭐 그리 재밌다고 찾아오는지 몇 달이 지나도 이해가 안 가는군."

"저도 할아버지가 이해 안 가요."

난 히죽히죽 웃었다. 폴른은 못마땅한 시선을 내게 보내더니 말했다. "오늘은 또 무슨 쓰레기 영화를 보고 싶어서 왔나?"

"어… <데드 얼라이브(Dead Alive, 1992)> 있어요? 그리고 <사탄의 인형(Child's Play, 1988)>도요."

폴른은 그 말을 듣고는 잠시 나를 노려보더니 계산대에서 나온다. "데드 얼라이브… 그 취향은 좋다고 해두지."

폴른은 늘어진 진열대 사이로 지나갔다. 난 그동안 수없이 봐왔던 매장 내부를 쭉 훑어보았다. 여전히 여러 장르의 영화들이 존재했지만, 입구 부분에는 내가 그동안 보지 못했던 새로운 간판이 놓여있었다. '공포 영화.' 그 앞에는 케이스에 끼워진 익숙한 영화 포스터들이 눈에 띄었다. 당연하게도 대부분 공포 영화였다. 하지만 그중에서도 가장 특별한 영화가 있었는데, 그건 바로 캐리였다. 잊으래도 잊을 수 없는 영화. 난 영화를 사랑하는 폴른의 열정 덕분에 그 사람이 더 좋아졌다. 길게 들어선 진열대를 넘어 폴른이 지나다니는 모습을 지켜보았다. 폴른은 맨 끝에서 꽤 높은 곳에 있는 물건을 꺼낸다. 난 그가 가져오는 사랑스러운 DVD들을 기대했다.

폴른은 빠른 걸음으로 내게 다가왔다.

"여깄다."

난 기쁜 마음으로 폴른이 내게 내민 영화를 바라보았다.

"사탄의 인형 이거는 왜 VCD인 거죠?"

아쉽게도 DVD'들'이 아니었다. 하나는 DVD, 하나는 VCD…. 작은 케이스에 들어가있는 영화 CD를 보자니 마음이 안 좋았다. 그러자 폴른이 정정했다.

"아니, 이거 DVD 맞네. 중고긴 하지만…. 케이스가 없어서 여기 넣어둔 거야."

난 벌써 마음이 화사해지는 것을 느끼며 폴른이 건네는 물건을 바로 받아 들었다. 그의 손에 잡힌 쭈글쭈글한 주름에서 비켜갈 수 없는 세월이 비쳐보였다.

"3달러다. 그리고…." 폴른이 주머니에서 메모지를 꺼냈다. "내가 빌려준 비디오테이프는 어땠나? 재밌었어?"

그 말을 듣자마자 난 할말을 잃었다. 아니, 할 말은 많았지만, 그중에 폴른에게 사실대로 털어놓을 수 있는 것들이 많이 없었다. 미친 살인마가 나오는 슬래셔 영화였는데 그 안에 들어가게 됐고, 다른 사람들과 같이 우여곡절을 겪다가 파이널 걸이 되어서 나왔다고 해? 아니면 내 가족을 저주한 남의 가족에 대한 진실을 알게 됐다고 해? 굳이 폴른이 아니더라도, 둘다 누군가에게 말해봤자 미친 취급 받을 얘기였다. 난 3초 간의 정적 끝에 멋쩍게 웃으며 대충 둘러댔다.

"완전 별로였어요. 다시 보고 싶진 않아요. 오컬트랑 슬래셔가 복잡하게 섞여있다니까요." 난 이어서 덧붙였다. "정말… 많은 일이 있었죠."

폴른은 내 말에 씨익 미소지었다. "안 봐도 B급 영화겠군. 궁금하긴 하지만 네 얘기가 그렇다니까 시간 낭비 말아야지."

'폴른이 날 인정했어!'

보통 폴른에게 영화가 재미없었다고 얘기하면 '새내기인 계집애 말은 못 믿겠다'라면서 무시하기 일쑤였는데! 내 몸이 갑자기 구름처럼 두둥실 떠올랐다. 같은 장르를 깊이 이해하고 오래 좋아해온 사람에게 인정받았다 생각하니 나도 진정한 호러 마니아가 된 기분이었다. 그때, 계산대로 향하던 폴른이 말했다.

"이런 걸로 우쭐하지 마라. 누군가의 마음에 들려고 하지 않아도 네 녀석은 이미 진심이야. 좋아하는 마음이 중요하지."

난 폴른의 말을 부정하지 않았다. 인정받는 것도 좋지만, 언제나 중요한 건 작품을 향한 나의 애정과 진심이다.

"그런데… 저번에 누가 널 찾던데."

의외의 소식이었다. "네? 누가요? 저 찾을 사람이 있나?"

"빻은 찻잎 같은 녹색 셔츠에 평범한 갈색 머리." 폴른은 내 얼굴을 빤히 들여다보았다. "아는 사람인가?"

"무슨…."

"그리고 청바지."

"잘못 보신 거 아니에요?" 난 혼란스러운 마음에 다시 물었다. "그냥 셔츠였어요?"

"단추를 다 잠궈놨지."

모두들 내 머릿속에 떠오른 한 사람이 누군지 지레짐작이 갈 거라 생각한다. 그리고 난, 내가 생각하는 그 사람이 정말 맞는지 의심이 되고, 한편으로는 미치도록 설레기도 한다. 그 설렘은 성애적인 게 아닌, 그가 '살아있다'는 것에 초점을 맞춘 감정이었다. 만약 그가 살아있는 게 맞다면, 그들과 대화하면서 수없이 '비클리브리지'를 언급했지만, 연쇄적이었던 난리 속에서도 이 마을을 기억한 게 대단하다 여길 것이다.

"혹시, 그 사람이 자기 이름도 말했어요?"

"그냥 널 찾는다고만 하더군." 폴른이 손을 내밀었다. "망할 3달러나 주게."

내가 예상하건대(다같이 외치시라), 그 이름은 그린 서트클리프가 확실하다. 하지만 말이 되지 않는다. 공포 영화 주인공이 탁 트인 길을 냅두고 인적이 드문 골목길로 죽을 힘을 다해 달리는 장면(왜 그래야 하는가?) 만큼 말이 안 된다. 그린은 힐즈의 실수로 인해 돌이킬 수 없는 결과를 맞닥뜨렸고 캐릭터로서만 존재하는 상태였는데…. 어떻게?

그 순간, 난 기적 같은 한 가지 사실을 떠올린다.

'미완성 테이프!'

맞아! 힐즈의 영화는 완성되지 않은 상태였고, 우리가 결말을 확실하게 만들었으니까….

배우가 없으면 캐릭터도 없다… 캐릭터가 없으면 영화도 없다! 그 유령 들린 테이프가 영화로써 존재하기 위해 필립이란 캐릭터를 맡은 그린 서트클리프를 살려냈다! 아니, 우리가 만든 결말이 그린 서트클리프를 살려냈다! 캐릭터가 완성된 것이다!

"신이시여…."

"왜 내 앞에서 신이니 병신이니 하는 거냐? 지랄 말고 3달러 내놓게나."

"폴른!" 난 계산대를 쾅 쳤다. "그 사람 연락처 알아요?"

폴른은 놀라 나자빠질 뻔했다. "그래. 줘?" 그러더니 폴른은 내 이름과 대여한 DVD 제목을 적다 말고 어떤 전화번호를 끄적였다. "여깄다."

"감사합니다!" 난 급하게 주머니를 뒤져 계산대 위에 뭔가 내놓았다. 내가 내놓은 게 뭔지 확인하지도 않고 DVD를 잡아채 매장을 나서려는 순간….

"잠깐!"

폴른이 고함치며 날 멈춰세웠다.

"이건 4달러잖아!"

"팁이라고 생각해요!"

"아니, 이리로 와봐."

폴른은 내 말을 통째로 무시하는 듯했다. 난 떠오른 어깨를 낮추고 폴른에게 총총 뛰어왔다.

"혹시 너…." 폴른이 고개를 떨어트리더니 잠시 고민했다. 하지만 이내 나와 눈을 마주친다. "여기서 파트타임으로 일할 생각 없나?"

아니, 이건… 이건 정말….

좋다. 너무 좋은 제안이었다! 최고급 레스토랑에서 큰 돈 받으며 장사하는 것보다 훨씬 좋은 제안이었다! 이젠 비클리브리지에서 가장 인적이 드문 DVD 매장이지만, 이곳은 존재만으로 그 가치가 충분했다. 영화를 좋아하는 사람들이 절대 잊을 수 없는 추억이 담긴 곳, 폴른의 영화에 대한 사랑을 직접 느낄 수 있는 곳! 물론 폴른의 성격 때문에 사람들이 접근하기 어렵겠지만, 그건 내가 차차 누그러트리면 될 것이다. 만약 못한다면, 사람들은 폴른의 성격이 곧 매력이라는 걸 깨닫게 될 것이다. 그리고 이 매장의 존재 의의도.

난 반짝반짝 눈을 빛내며 폴른에게 말했다. "좋아요! 너무 좋아요!"

난 폴른의 미소를 바라보다, 매장을 박차고 달려나왔다. 주변에 공공전화기가 있는지부터 찾아야 했다. 하지만 그전에, 바깥의 공기가 폐 안으로 훅치고 들어올 때, 거리의 향기로운 음식 냄새가 코끝을 스쳐갈 때, 내 마음은 강하게 느꼈다. 누구도 모르는 이야기, 누구도 모르는 사정이라 할지라도, 이제 무슨 일이 있어도 절대 악몽에 굴복하지 않으리란 것을! 우리는 이겨낼 수 있었고, 이겨낼 수 있으며, 이겨낼 것이란 것을!

난 공기를 가르고 내달리며 폴른이 건넨 메모지를 한 손에 꽉 쥐었다. 이번엔 놓치지 않을 것이다.

Directed by	August Hills
Written by	William Leopold

Cast

Kyle Alabaster	Jin Robin
Emit Fears	Eleanor Hanna
Colin Worker	Manny Tobias
Bridget Martinez	Anne Leigh
Jake Richardson	Riley Anderson
Jackie Miller	Sharon Blanche
Pillip Clement	Green Sutcliff
Ricky Peyton	Ricky Peyton

Produced by	August Hills
Assistant Producer	Everett Glen
	Jil Marie

Director of photography	Everett Glen
Production Editor	Paul bean
Editor	Lucas Roth

작가의 말

2022년 2월부터 구상했던 <컷 오프!(Cut Off!)>가 올 겨울 12월, 드디어 막을 내렸습니다! 지금까지 컷 오프를 응원하고, 저의 딜레마에 대해 조언을 아끼지 않은 세상에서 하나 뿐인 제 언니에게 감사 인사를 올립니다!

컷 오프는 작년에 구상했던 설정 상, 원래 남자 두 명이 등장하는 슬래셔 코미디물이었는데요. 구상은 진작에 했지만 막상 쓰려니 글이 진행이 되지를 않아서 약 1년 반 동안 썩혀두고 있었죠. 그러다 올해 초, 슬래셔 영화를 더 다양하게 접하고 탐구하게 되면서, 슬래셔 영화의 전통과 클리셰를 알고 플롯과 등장인물 설정을 전부 갈아엎었습니다. 리키 페이턴이라는 여성 캐릭터가 주인공이 된 것도 슬래셔 영화의 '파이널 걸' 전통 때문이랍니다. 항상 슬래셔물의 최후에 살아남는 생존자가 여성이라는 점에서 그런 공식이 생긴 것 같더군요. 그렇게 새 설정으로 쓰기 시작한 게 올해 9월 말이니까 완성하기까지 놀랍게도 약세 달밖에 걸리지 않았네요. 그동안 어떻게 해야 할지 막막한 부분도 많았지만 공포 영화에 대한 제 열정이 지금의 컷 오프를 만든 것 같습니다.

컷 오프를 쓰는 동안 수많은 공포 영화를 봤지만 그중 <어거스트 언더그라운드>는 단언 최고봉이라고 할 수 있겠습니다. 좋은 의미로 최고가 아닌 나쁜 의미로요. 가짜 스너프 필름이라는 소재는 참신했는데 스토리라고 할 게 없어서 보는 내내 지루하고 불쾌했던 영화입니다. 하지만 연출 면에서 인상이 깊었어서 아직도 마음에 두고 있습니다. 해당 작품을 만든 프레드 보글 감독은 '세상에서 가장 역겨운 영화를 만들고 싶었다'라고 하는데 사람들의 반응을 보면 성공하신 것 같습니다. 현재는 특수 분장사로 일하고 계신 것 같더라고요. 이 어거스트 언더그라운드는 3부작까지 나와있는데, 뭐든 꾸준히 하면 된다는 걸 보여준 사례라고 해도 되는 걸까요? 아무튼 이 감독은 뭘 해도 될 사람인 듯합니다.

컷 오프의 주인공인 리키 페이턴은 조롱당한 자신의 인생과 취미를 연관지어 '쓰레기 같은 취미'라고 정의하죠. 단지 오락거리로 소비할 뿐인 공포 영화를 가지고요. 사실 저는 어떤 취미를 가졌든, 어떤 취향을 가졌든 본인이 즐거우면 그만이라고 생각합니다. 자신이 잔인하고 폭력적인 걸 좋아한다고 해서 현실의 폭력을 옹호한다는 의미는 절대 아니에요. 공포 영화는 비주류 장르로서 인식되어 왔지만, 이제는 모두가 열광하고 즐기는 장르 중 하나로 인정받았습니다. 그러니까 여러분의 취향을 부끄러워할 이유는 없습니다. 즐기세요. 즐길 수 있을 때 많이 즐겨두세요!

이 책을 쓰는 데 영감을 준 <스크림>, <프리키 데스데이>, <더 파이널 걸스>에게 영광을 돌립니다! 그리고 제가 쓰는 소설

족족 관심을 가져주신 하대성 선생님, 많은 지인분들께 감사를 전합니다!

저는 이제 컷 오프의 속편으로 찾아뵙도록 하겠습니다. 슬래셔 영화의 부흥을 고대합니다. 다시 한 번 감사드립니다.

마지막으로 컷 오프가 영화라면 엔딩에서 나왔을 곡을 몰래 알려드립니다!

♪ *Royal Republic - Blunt Force Trauma*

컷 오프! (Cut Off!)

발　행 | 2023년 12월 11일
저　자 | 비김
펴낸이 | 한건희
펴낸곳 | 주식회사 부크크
출판사등록 | 2014.07.15.(제2014-16호)
주　소 | 서울특별시 금천구 가산디지털1로 119 SK트윈타워 A동 305호
전　화 | 1670-8316
이메일 | info@bookk.co.kr

ISBN | 979-11-410-5874-6

www.bookk.co.kr